P9-DCZ-891

Марина СЕРОВА

Девочки с большой дороги

Москва, 2005

УДК 82-3
ББК 84(2Рос-Рус)6-4
С 32

Оформление художника *А. Старикова*

Серова М. С.

С 32   **Девочки с большой дороги. Небо в клеточку:** Повести. — М.: Изд-во Эксмо, 2005. — 384 с.

ISBN 5-699-11272-3

Телохранитель Евгения Охотникова выполняет почетный заказ — охраняет известного разработчика атомного оружия Анатолия Степановича Зубченко, на жизнь которого уже не раз покушались. Что ж, работа привычная и для такой умницы, как Женя, временами скучноватая. Однако все меняется, когда неизвестные злоумышленники похищают единственного сына клиента — Егора, потребовав за него заоблачную сумму. Досталось и жене подопечного: злодеи плеснули в лицо несчастной женщине серной кислотой. Охотниковой ничего не остается, как взять на себя функции частного детектива. Расследуя пропажу юноши, Жене приходится ворошить дела давно минувших дней, невольно бросающих тень не только на его отца-ученого, но и на весь славный род Зубченко. Оказывается, немало людей желает поквитаться с почтенным академиком и его семьей...

УДК 82-3
ББК 84(2Рос-Рус)6-4

ISBN 5-699-11272-3   © ООО «Издательство «Эксмо», 2005

Девочки
с большой дороги

ПОВЕСТЬ

Глава 1

Я сидела в аллейке на серой, потрескавшейся скамейке без спинки, с интересом глазея на светлое, усеянное мигающими точками-звездочками небо и круглый, затуманенный облаками диск красавицы-луны. Настроение почему-то было философским, хотелось размышлять о жизни, пересматривать прошлое, планировать будущее. Такое со мной случается достаточно редко...

«Интересно, за всю историю человечества кто-нибудь на самом деле хоть раз видел бога?» Не знаю, с чего вдруг у меня возник этот вопрос, возможно, навеянный таинственным, непонятным и немного пугающим своей бездонностью небом.

Где-то вдалеке замаячило несколько неясных фигур. Устав изучать небесные светила, я переключилась на этих случайно забредших в парк людей, пытаясь по их внешнему облику сделать вывод о том, что же они собой представляют. Ведь внешность и даже походка говорят о человеке очень многое. Внимательно приглядевшись, я поняла, что первой идет женщина. Кто следовал за ней, было пока видно плохо. Причем дамочка то и дело ускоряла шаг, видимо, боясь нападения, а может, просто куда-то очень спешила.

Еще бы, разгуливать в такую пору, да еще в наше неспокойное время! Ладно уж я — всегда могла за себя постоять и дать фору любому хулигану в округе. И потом, мне так редко удается подышать свежим прохладным воздухом и понаблюдать за ночными светилами. Я за... — даже не помню, за сколько месяцев — впервые задержалась на улице допоздна, причем совершенно не затем, чтобы кого-то выследить, а по собственному желанию. Просто захотелось посидеть в одиночестве, помечтать, подумать... С кем не случается такого, ну хотя бы раз в год!

Вспомнив о времени, я глянула на позолоченные часики, подаренные мне в прошлом году тетей Милой. На моем тонком запястье часики смотрелись весьма изящно. Стрелки показывали начало первого. Луна и звезды светили так ярко, что на улице было почти светло.

Внезапно мое внимание привлек какой-то шум. Я снова глянула перед собой и... тут же подскочила с лавочки. Неизвестные все же нагнали спешащую дамочку и теперь, схватив то ли за шею, то ли за горло, что-то требовали взамен ее собственной жизни. Мне стало ясно, что происходит банальное ограбление, одно из тех, про которые каждое утро сообщается в сводке местных новостей. Не задумываясь, ни минуты не колеблясь, я вскочила со скамейки и поспешила туда, где требовалась моя помощь...

* * *

Весьма тучного телосложения девица с алчным блеском в малюсеньких глазах медленно перемещала сверху вниз приставленное к горлу жертвы лезвие ножа, наслаждаясь обуревающим несчастную женщину страхом. Нападавшая явно чувствовала свое превосходство, именно это ее и возбуждало. Подружки-толстушки — почти двухметровая дылда с дурацкими хвостиками на голове и низкорослая девица с вьющимися, крашенными в ярко-красный цвет волосами — внимательно следили за каждым движением компаньонши, обступив несчастную жертву со всех сторон. Глаза отчаянных девах жадно ощупывали трясущуюся от страха мадам, задерживаясь только на том, что, на их взгляд, имело ценность. А именно — все, что подлежало продаже и было сделано из золота, драгоценных камней и металла, а также из натуральной кожи. Вышеперечисленных вещей на жертве имелось предостаточное количество.

— Ну что, милая, — яростно прошипела в ухо женщине главная бандит-леди, — не желаешь поделиться с нами честно нажитым?

Девицы производили впечатление весьма самоуверенных и опытных бандиток, что еще больше напугало подвернувшуюся им жертву. Та хоть и старалась держаться молодцом и не выказывать страха перед малолетками, но в душе понимала, что от столь прямого и «заманчивого» во всех отношениях предложения вряд ли сумеет отказаться. Своя жизнь, несомненно, дороже золота и денег, даже если те и последние.

— Ну че застыла, как корова во время дойки, — угрожающе пробасила одна. — Быстро снимай золотишко. Давай, давай, пошевеливайся!

В считаные минуты все ценное с рук, шеи и ушей женщины перекочевало в загребущие лапки юных разбойниц, которые, не удовлетворившись этим, принялись потрошить сумку, нагло сорванную с плеча бедняжки. Внутри девчонки нашли серебристый сотовый телефон одной из новых моделей, кошелек с пятисотенными бумажками и несколько банковских карточек.

— Эту хреновину брать или как? — подняв вверх одну из карточек, засомневалась девица-переросток.

Напарницы переглянулись, видимо, не совсем представляя, что с такой находкой следует делать и как использовать. В конце концов решение снова приняла та, что удерживала потерпевшую за волосы, приставив к ее шее нож:

— Бери, потом разберемся. Не пригодятся — выкинем.

По правую сторону треснула ветка. Вздрогнув, «красавицы» резко повернулись в ту сторону, откуда послышался шум, и увидели еще одну солидно выглядевшую тетку в дорогой кожаной короткой курточке...

Это, конечно же, была я — Евгения Охотникова, телохранитель и свободолюбивый борец за справедливость. Успев преодолеть разделяющее меня и грабительниц расстояние, я некоторое время просто наблюдала за подростками со стороны, изумляясь их наглости и напору. За своим увлекательным занятием девицы вовремя не заметили моего присутствия, так что мне даже пришлось произвести некоторый шум, чтобы привлечь-таки к себе их внимание. Зато теперь я уж точно оказалась в центре событий.

— Помощь не нужна? — глядя в упор на малолетних хулиганок, с вызовом спросила я и сделала несколько шагов вперед, чтобы те получше меня разглядели.

— Не нужна, — агрессивно ответила одна, пряча за спину сумочку, сорванную с плеча ограбленной женщины. — Идите себе своей дорогой.

— Мы вас не трогаем, и вы к нам не лезьте, — поддакнула другая.

— Вам, может, помощь и не нужна, а вот ей, кажется, была бы весьма кстати! — Я кивнула на дрожащую, как осиновый лист, и обобранную до нитки женщину. При моем появлении нож с ее горла поспешно убрали. Осталась лишь рука, слегка оттягивавшая голову жертвы за волосы. Бедняга не смела вымолвить ни слова, боясь разозлить нахалок просьбой о помощи. Крик замер у нее на губах, а на лице застыла маска ужаса. Впрочем, я подозревала, что причина молчания женщины крылась еще и в острие ножа, упиравшегося в данный момент куда-нибудь в спину или ребра.

— Ей мы сами помощь окажем, — попыталась замять дело курчавая, выступая вперед и делано улыбаясь. Она, видимо, поняла, что лучше им не светиться и для собственного же блага постараться поскорее от меня избавиться. — Это наша подруга. Девушке стало немного не по себе, и мы дали ей таблетку. Теперь все в порядке. Мы проводим ее домой, не волнуйтесь.

Глянув на несчастную женщину, по всем параметрам никак не тянувшую на подружку негодяек, я решила поддержать игру:

— Что ж, я так и думала, что это ваша знакомая.

Затем, сделав вид, будто ухожу, шагнула назад, но в самую последнюю минуту, когда юные разбойницы уже собирались облегченно выдохнуть, резко вернулась в прежнее положение. Совершив молниеносный выпад, я крепко вцепилась в плечо курчавой. Та взвизгнула от боли и дернулась было в сторону, да только ничего не вышло: держала я ее крепко.

— А ну, отпусти, заору! — возмущенно выкрикнула разбойница, гневно сверкнув размалеванными глазками.

— Давай, заодно поможешь народ созвать, — ничуть не испугалась я ее блефа. — Будет кому объяснять, почему вещи этой несчастной находятся в ваших рюкзаках. Не думаю, что она отдала их сама, по собственной воле.

— Советую не вмешиваться в наши разборки, — попробовала переиграть толстушка. — Уматывай, пока кости целы. — Девица поиграла в темноте блестящим лезвием, давая понять, что стоит мне шевельнуться — и она быстренько продырявит несчастную.

Но тут, совершенно неожиданно, пострадавшая сама выкинула нечто такое, чего от нее никто не ждал. Она вдруг резко дернулась вперед. Волосы ее по-прежнему были намотаны на руку одной из разудалых разбойниц, но женщина, похоже, и думать забыла про боль. Затем она не менее резко выпрямилась, ударив грабительницу по носу своим затылком. Понятно, какую надежду питала барышня, но все же вырубить девицу-налетчицу ей не удалось. Для этого требовалась куда большая сила и навыки. У дамочки получилось лишь грубо задеть девицу. В результате та еще сильнее разозлилась.

Зато этот фокус дал мне возможность выбить из рук атаманши холодное оружие. После чего девица моментально отпрыгнула в сторону и, быстро прикинув, стоит ли рисковать собой, и приняв отрицательное решение, кинулась бежать. Такого от нее не ожидали даже подружки, вконец растерявшиеся и обескураженные.

Поняв, что атаманша их кинула, другая разбойница-малолетка лишь на минуту замешкалась, соображая, как быть, но этого времени освобожденной женщине вполне хватило на то, чтобы кинуться ей навстречу и вырвать свою сумочку из чужих рук. Теперь прочь понеслась и длинноногая. Та, что до сих пор была зажата в моих руках, отчаянно дергалась, но последовать за подельницами, увы, не имела никакой возможности. Говорят, надежда умирает последней. Верткая девица, видимо, уповая на это, норовила пнуть меня посильнее, рычала, как озлобленный зверек, но никакого серьезного вреда мне, конечно же, не наносила.

И все же ее дерганье меня раздражало. Чтобы слегка угомонить разбойницу, я схватила ее за шкирку и, приподняв над землей, хорошенько тряхнула, заметив при этом:

— Не рыпайся, тебе не по зубам.

После чего вернула звереныша на грешную землю и, не выпуская из рук, обернулась к спасенной:

— Вы как — в порядке?

— Относительно. — Женщина с благодарностью смотрела на меня, успевая при этом перетряхивать свою сумочку. — Спасибо, вы мне очень помогли... Черт, деньги все же стянули. — Она раздраженно топнула ногой. — Хорошо еще, что документы на месте... Что вы собираетесь с ней делать? — Дама вновь обратила свой взор на меня.

Только теперь я получила возможность внимательно ее рассмотреть. Нужно признать, она оказалась весьма привлекательной особой лет тридцати двух — тридцати пяти. У нее были большие выразительные глаза, маленький аккуратный носик, четко очерченные и в данный момент не накрашенные губки с пикантной родинкой внизу. Темные волосы сейчас слегка спутались и почти полностью вылезли из-под симпатичной заколки.

Дама была одета в легкую кожаную курточку, из ворота которой выглядывал белый батник. Соответственно белые, расшитые понизу стразами брючки красиво обтягивали ее довольно пышные бедра, почти полностью скрывая замшевые сапожки.

Закончив «осмотр потерпевшей», я ответила на ее вопрос:

— Эту красотку я передам в отделение милиции. Там знают, что с такими делать.

— Вы не будете против, если я не пойду с вами? — Женщина смущенно потопталась на месте, видимо, опасаясь моего отказа. — Вы-то за себя постоять можете, это сразу видно, чего не скажешь обо мне. И потом, я сейчас вся на нервах и... просто трясусь от страха. Мне нужно привести себя в порядок, успокоиться.

— Конечно, не против, идите домой, — сразу же согласилась я. — Я сама ее отведу — мне не сложно. Только оставьте свои данные. Полагаю, что работникам нашей доблестной милиции вскоре все равно понадобится с вами связаться.

Пострадавшая согласно кивнула, затем покопалась в сумочке и, достав блокнот, выдернула из середины один листок. Затем с трудом отыскала ручку и, присев на корточки, принялась что-то корябать на мятой бумажке. Я молча стояла в стороне. Задержанная тоже никаких звуков не издавала, тихо сопя и, видимо, кумекая, что ей делать дальше.

— Вот, — через несколько минут женщина протянула мне листок с записями: — Здесь домашний телефон и сотовый. Впрочем, я сама завтра в отделение зайду, чтобы написать заявление. Сейчас-то все равно там никого, кроме дежурного, нет... Да, и еще раз огромное спасибо!

На этом мы и расстались: женщина заторопилась поскорее добраться до своего дома, боясь, видимо, по-новой столкнуться со сбежавшими разбойницами. Кто знает — возможно, они поджидали где-то неподалеку. Я же, подтолкнув низкорослую мошенницу в спину, направила ее в сторону расположенного поблизости отделения милиции.

Сначала мы шли молча. Лишь редкие осенние листья, не прибранные дворниками, шуршали под ногами, нарушая благоговейную тишину. Постепенно аллейка закончилась, и тут моя спутница, видимо, испытывая отчаянное желание избежать визита в казенный дом, чьи контуры уже маячили на горизонте, вдруг засуетилась:

— Слушай, а может, не пойдем в ментуру, — предложила она без всяких предисловий. — Чего мы обе там забыли? Тебя сейчас заставят бумажки разные заполнять, потом по кабинетам затаскают, вопросов кучу разных зададут, а меня с полчаса подержат, а потом все равно отпустят.

— Да ты, я смотрю, не сильно и боишься, — заметив, с какой вызывающей наглостью ведет себя малолетка, усмехнулась я. — Что, уже не в первый раз приходится посещать нескучное местечко? Довелось, наверное, узнать, что такое камера предварительного заключения?

— А вы небось думали, что от одного упоминания о ней я затрясусь или, может, еще и в обморок грохнусь, — хихикнула деваха, свободной рукой небрежно заправляя за ухо вырвавшийся из хвостика локон. — Черта с два! Меня все равно выпустят, мне ж еще и четырнадцати не исполнилось. А судить только с таких лет могут, я это точно знаю.

— Знаешь и пользуешься... Родители-то хоть в курсе, чем ты занимаешься? — вскользь оглядывая не до конца еще сформировавшуюся фигуру и лицо и понимая, что относительно своего возраста поганка, скорее всего, меня не обманула, спросила я.

— В курсе, — небрежно отмахнулась та, но я ей не особенно поверила. Наверняка врет, как и большинство малолеток, которых отлавливают на улице и совершенно неожиданно для них развозят по домам. Лучше уж в милицию, откуда все равно отпустят, особенно если как следует пореветь, чем к родителям, которые могут ничего и не знать, зато, узнав, организуют такую поучительную беседу, что мало не покажется.

— А давай-ка я тебя к ним доставлю, — с прищуром глянув на девчонку, сама не знаю почему, вдруг предложила я. — Заодно и познакомлюсь поближе: очень уж хочется узнать, как они на твой приработок смотрят!

Я резко свернула с дорожки в сторону, туда, где была оставлена моя машина.

— Сквозь пальцы, — нагло вздернув подбородок, откликнулась юная разбойница.

— Ну вот и проверим. Пошли.

Возражений не последовало, и мы направились к автостоянке. Там среди остальных машин я отыскала свою, открыла дверцу и запихнула девицу в салон, усадив на переднее сиденье. Вставив ключ в замок зажигания, я повернула его и прислушалась к негромкому шуму двигателя. За время простоя машина успела слегка промерзнуть, так что, прежде чем трогаться, следовало ее сначала прогреть, что я как раз и делала. Когда мотор заработал четко и в полную силу, я обернулась к притихшей девчонке и спросила:

— Как зовут?

— Верка, — небрежно шмыгнула носом девица и принялась теребить пальцами висящую на лобовом стекле мягкую игрушку — маленькую гориллу в желтом комбинезоне и точно такой же кепке. — Забавная. Сама сшила?

— Нет, подарили. Так где ты живешь?

— В райцентре Коброво... Недалеко от города. — Девица махнула рукой куда-то вправо.

— А сюда специально для грабежей приехали? — не торопясь двигаться с места, уточнила я.

— Ну не дома же куролесить, — усмехнулась в ответ малолетняя нахалка. — У нас дыра дырой, приличных гражданок — раз, два и обчелся, всех по пальцам пересчитать можно. А потом, как в любой деревне, в одном конце чихнешь, в другом скажут, что обделался. Мы не дуры, чтоб там светиться. А тут холеных таких, как вы, пруд пруди. Чуть ли не через одну у всех золотишко, шкурки, меха. Чего ж не ограбить, коли сами напрашиваются?!

— Попадалась уже? — Я не сводила любопытного взгляда со своей спутницы.

— Сто раз, — охотно призналась она, видимо, вполне довольная тем, что может похвастаться своими «успехами». — Правда, всегда удавалось вовремя свалить. Менты — они же дураки полные! Чуть сопли развесишь — жалеть начинают, а если еще на лапу дашь, так они уже тебе помочь готовы...

— Значит, до отделения не довозили, — подвела я итог.

— Почему? Довозили, но совсем по другому поводу. Кстати, а че ты вообще вдруг решила вмешаться? Обычно прохожие стараются нас стороной обходить.

— То-то вы совсем и обнаглели! Ну да ничего, сейчас сдам тебя родичам, они живо внесут недостающую поправку в твое воспитание.

— Угу, — усмехнулась в ответ Верка и, отвернувшись к окну, принялась рассматривать ночной городской пейзаж со множеством огоньков — зрелище не менее впечатляющее, чем звездное небо.

До райцентра мы добрались далеко за полночь. Темень вокруг стояла непроглядная, дорога оказалась корявой и мерзкой, а потому нас все время трясло и то и дело подкидывало на кочках. Встречных машин фактически не было. Оно и понятно: в век тотальной урбанизации количество населения в райцентрах, подобных Коброву, стремительно падает. Наверняка основной процент жителей составляют древние старики и старухи, а молодежи почти нет.

Верка за время поездки успела немного вздремнуть. В моей машине, судя по всему, она чувствовала себя как дома. Мою спутницу, похоже, мало волновало, что ее ждет впереди, отчего я слегка занервничала. Не ошибка ли везти ее к родственникам? Может, надо было доставить прямиком в отделение? Я даже принялась мысленно ругать себя: «Вечно я себе проблемы какие-то нахожу и все усложняю!

Хорошо еще, что сегодня тети Милы дома нет, иначе замучила бы звонками: где я есть, что делаю. Она-то сейчас небось веселится на дне рождения бывшего коллеги, а может, даже уже давно спит, а я вот тащусь невесть куда. И зачем мне все это надо?»

— Вон наша хата, — ткнув пальцем в сторону старой трехэтажки с двумя подъездами, сообщила проснувшаяся Верка, едва только я начала спускаться с горки к показавшимся впереди строениям поселка. Затем она немного помолчала и со вздохом добавила: — Предки все еще зенки таращат, небось порнуху включили, потому и не спят. Такое зрелище им по душе.

Я сбавила скорость и, зарулив во дворик, затормозила прямо напротив подъезда, указанного Веркой. Затем окончательно заглушила мотор и первой вышла из салона. Верка нехотя последовала моему примеру.

— Ну че, и впрямь хочешь подняться?

Этот вопрос юная разбойница задала весьма наглым тоном. Складывалось такое впечатление, будто бы именно она меня сюда притащила в наказание за какой-то серьезный проступок. — Сразу предупреждаю, тебе у нас не понравится — хибара не твоего ранга.

Я уверенно шагнула вперед, давая понять, что меня ничем не испугаешь и передумать не заставишь — если уж что решила, то доведу до конца.

— Ну как знаешь, дело твое, — равнодушно передернула плечами девица. Обогнав меня, она стала подниматься по лестнице наверх.

Я старалась не отставать. Вскоре мы оказались на самом верху. Верка порылась в своем потрепанном рюкзаке, извлекла связку ключей и быстро открыла дверь. Затем вытащила ключ из замочной скважины, бросила его обратно в рюкзак и, небрежно пнув дверь ногой, пригласила:

— Прошу в наши апартаменты!

Я осторожно шагнула в темноту коридора, откуда доносились совершенно непристойные звуки и стоны, отчетливо подтверждающие недавние слова Верки: сородичи, видимо, просматривали фильм для тех, кому далеко «за шестнадцать». Постепенно мои глаза начали привыкать к темноте, и я смогла различить неясные очертания полок, шкафов, ящиков и всякого хлама. Я осмелилась сделать несколько шагов вперед, и вскоре откуда-то сбоку прорвался луч света. Я приостановилась, а юная хозяйка, опередив меня, уверенным движением широко распахнула дверь и, встав в позу «ночной бабочки» в ожидании клиента, замерла в дверном проеме. Я осторожно выглянула из-за ее спины, желая рассмотреть сидящих в комнате.

— А, приперлась, — недовольно пробурчал со своего места небритый, взлохмаченный мужик при виде Верки. Меня он пока еще, похоже, не заметил. — Что-то сегодня ты рано... — Он ковырнул грязным пальцем в передних зубах и снова спросил: — Не расскажешь любимым родственничкам, где тебя нынче носило?...

Девчонка в ответ огрызнулась:

— Не твое дело, кретин, — и пулей пролетела в свою комнату, оставив меня растерянно стоять на пороге под пристальными взглядами остальных домочадцев.

Главным из присутствующих, несомненно, был хозяин дома — распухший, вероятно, от продолжительного запоя мужик с топорщившейся щетиной и клоками седых волос на голове. Колоритный персонаж был одет в засаленную, давно уже не белую майку с растянутым воротом и пузырящиеся на коленях кальсоны, местами пустившие «стрелки», выставляющие напоказ волосатые ноги. Судя по всему, это был отец семейства.

Помимо него, в кухне (а именно в это сумрачное и убогое помещение я попала) находились еще пара человек: косматый малец лет двенадцати, а то и меньше, с запекшейся на голове раной и немного раскосыми глазами, и довольно упитанная девица на артритных ногах. Судить о возрасте последней было весьма затруднительно. Малец что-то строгал, сидя на расшатанном табурете. Девица помешивала кипевший в грязной кастрюле вар, испускавший совсем не аппетитный запах, и то и дело поглядывала на экран старого черно-белого телевизора, стоявшего на забрызганном жирными пятнами холодильнике. На мать семейства девица смахивала мало, а потому я решила, что это, скорее всего, старшая из дочерей.

Не сразу избавившись от замешательства, я постаралась

взять себя в руки и, несмотря на зародившиеся уже в душе сомнения, все же произнесла:

— Ваша дочь занялась криминалом. Я только что стала свидетельницей того, как она и несколько ее подружек пытались ограбить приличную женщину, возвращавшуюся домой от остановки. Девицы не поленились приехать ради этого в город.

— А вы, судя по всему, работник милиции, — нехотя оторвавшись от интереснейшего фильма и искоса посмотрев на меня, протянул мужчина. На губах его блуждала ухмылка. Когда он открыл рот, на меня пахнуло нестерпимым перегаром. — Что-то не сильно похожи...

— Я и не работник мил...

Слушать мои объяснения явно никто не собирался. Без лишних церемоний меня оборвали на полуслове, а затем я услышала совершенно немыслимое:

— А, так, значит, просто ответственная гражданка... Зря вы сюда приперлись, дамочка. Мы в курсе, что эта шалава чем-то подобным промышляет... И неча удивляться, жить-то по-барски всем охота, да так, чтоб еще и не работать. При любом раскладе в наше время таким, как она, дорога одна — в криминал.

— Но ведь Вера могла бы пойти рабо...

Мне вновь не дали договорить.

— Верка?.. Издеваетесь? Для того чтобы работать, надо чего-нибудь знать, а она у нас даже средней школы толком закончить не может, дура...

— Сам придурок, — не удержалась от ответного комплимента девица, снова заглянувшая в кухню. Как оказалось, она никуда и не пряталась, а со стороны следила за разговором — интересно же, чем все кончится. — На хрен мне нужна ваша школа, тем более вечерка!

— Вы имеете в виду школу для трудных подростков? — удивилась я.

— Ее самую. Пару раз нарвалась, вот ее и определили к тем особям, которые тоже склонны к хулиганству. — Мужик вновь издал нечто похожее на смешок. — Ну, видно, и спелись они там. Ведь, чтоб мужикам давать за деньги, ей не хватает ни рожи, ни кожи. А для того, чтобы стать мошенницей, мозгов не хватает. Вот и получается, что грабеж — самое подходящее для нее занятие...

— Вы так спокойно об этом говорите, словно это не ваша дочь, — изумилась я, впервые сталкиваясь с подобным цинизмом и равнодушием. — Неужели вам за нее нисколько не стыдно?

— А почему это мне должно быть стыдно? У нее что, своей совести нет? Вот придумали... Мне вообще плевать, как она себе на жратву зарабатывает. Главное — чтоб меня не трогала. Я один не собираюсь весь этот клоповник содержать.

— Ирр-род! — продребезжало откуда-то сбоку. Я повернула голову в ту сторону и увидела маленького, сухого и сморщенного похлеще сушеного гриба старичка, совершенно сливавшегося с серыми, замызганными обоями. Почему-то его я не заметила сразу.

Он был по пояс обнажен, так что весь его дистрофичный стан, с просвечивающими ребрами и прилипшим к позвоночнику животом, оставался на виду, внушая отвращение. Подобное мне приходилось встречать лишь на страницах газет, рассказывающих о заключенных гитлеровских концлагерей и камерах пыток. Но то были фотографии... «Оригинал» же казался еще более безобразным и ужасающим. Пока я пялилась на ходячий скелет, старик слабо выкрикнул:

— Тебб-бе бы только водяру жрать, анти...христ. Эт не нас... в пятьдесят четвертом, а вас... безз-божников, на верную смерть посылать следовало.

Дед чахоточно закашлялся и на время потерял всякую возможность говорить.

— Не слушайте вы его, — перехватив между тем мой пристальный взгляд, буркнул хозяин. — Сбрендил он малость, после ядерного испытания. Жаль, что совсем его тогда не шарахнуло. Глядишь, сейчас бы лишний угол не занимал.

— Для вас... — Дед едва сдерживал новый приступ кашля. — ...кхе-к-кхе... ско...тов... все равно ничего святого нет. Только в землю зря гадите... вместо того, чтоб нор... мальный след после себя... оставить. — Дед постоянно прерывался, давясь кашлем. — Ху...ми работать любой горазд, мы же для науки...

— Уймись, дед, нас тогда еще и в планах не было, когда ты по своему полигону бегал, — рыкнул на неугомонного старика мужик. — Никому это уже не интересно. — Он снова повернулся ко мне: — Ну че застыли там, как изваяние. Пить будете?..

— Н-нет, я пожалуй поеду, темнеет, — попятившись к двери, заторопилась я.

— Ну как хотите, дважды предлагать не стану, — и, ловким движением откупорив бутылку, муж семейства запрокинул ее вверх и стал заливать свое бездонное горло.

Я поспешила покинуть сию неблагополучную семейку и убогое жилище и, лишь выйдя на свежий воздух, смогла облегченно вздохнуть.

«Ну и времечко пошло, всем друг на друга плевать. Разве ж раньше такое могло быть? Права тетя Мила, которая постоянно твердит, что в ее годы в людях воспитывали сочувствие, а не безразличие! Вот он и результат... Верно говорил и Виктор Гюго: «Чтобы изменить человека, нужно начинать с его бабушки». Хотя сейчас, наверное, нужно начинать еще раньше».

Немного подышав свежим воздухом, я села в машину и внезапно почувствовала, что мне впервые за много лет захотелось напиться. Не до отключки, а просто выпить чего-нибудь алкогольного, что поможет расслабиться и забыть о том, что половина населения нашей страны живет вот в такой же вот нищете и зарабатывает себе на хлеб далеко не праведным образом. Вот вам и ответ на вопрос, откуда берутся преступники.

На мое счастье, зазвонил сотовый телефон, отвлекая меня от грустных мыслей. Не глядя на дисплей, на котором определился номер, я торопливо нажала кнопку ответа и произнесла:

— Слушаю!

— Женька, где тебя в такую пору носит? — возмущенно пропел знакомый голосок тетушки Милы. — Я еще четыре часа назад домой вернулась, думала, ты спишь... Заглядываю, а тебя и нет вовсе.

— Скоро буду, — не желая вдаваться в объяснения, отмахнулась я.

— Естественно, будешь, в противном случае я тебя попросту не пущу в дом, оставлю ночевать на улице. А то вона что взяла в моду...

— Тетя... — Я начинала раздражаться. — Мне уже не пятнадцать лет, пора бы уже это понять. И я ни перед кем отчитываться не должна! Ложись спать и не волнуйся, скоро приеду.

— Я-то не волнуюсь, а вот другие волнуются, — не спешила класть трубку окончательно разошедшаяся тетушка Мила.

— Кого это ты имеешь в виду?

— Очередного желающего воспользоваться твоими услугами, — расплывчато поведала та. — Он уже раз восемь звонил и оставил на автоответчике кучу самых разных сообщений. И это при том, что я назвала ему номер твоего сотового, хотя... — тетя запнулась, — мне кажется, что последние цифры я все же перепутала местами. Подозреваю, что у этого человека случилось что-то серьезное, очень уж обеспокоенным он мне показался.

— У всех моих клиентов случается что-то серьезное, — ничуть не удивилась я. — Иначе бы они ко мне не обращались. Ладно, приеду — прослушаю.

Теткины слова заставили меня поторопиться. Я слегка увеличила скорость и через двадцать минут уже была дома и с облегчением скидывала с уставших ног лаковые туфли на невысоком каблучке. Вообще я терпеть не могу обувь на каблуках, она кажется мне неудобной. Но иногда, когда вдруг случалось надевать платье или юбку, пользоваться ею все же приходилось. Так вышло и на этот раз...

— Ну наконец-то, я уж изнервничалась совсем, — выглядывая в коридор, подала голос неугомонная тетушка Мила.

— А ты чего это сегодня вообще домой вернулась? — опередив назревающий поток вопросов, спросила я. — Говорила же, что заночуешь там, у своего Валентина Григорьевича. Или он тебя выгнал за слишком длинный язык?..

— И заночевала бы, но... наши мальчики, — на щеках тетушки вспыхнул легкий румянец, — слишком уж развеселились. Не думаю, что они закончат гулять раньше чем к обеду завтрашнего дня. Я на такое уже не способна, вот и попросила кое-кого подбросить меня до дома.

— Он оказал тебе такую услугу, но тебе вновь не повезло, и бессонница так и не дала тебе возможности насладиться объятиями Морфея, — закончила за нее я.

— Ну, примерно так, — согласилась тетя Мила и тут же пожаловалась: — Выпила уже две таблетки снотворного — и ни какого результата! Если б знала, что тебя нет дома...

Я активно замахала руками, давая понять, что давно уже пора оставить эту тему. Затем проскользнула в кухню, налила полный бокал воды и сделала несколько больших глотков. За это время суетливая тетка успела притащить в кухню телефон и, не спрашивая моего согласия, нажала на кнопку воспроизведения записи. По кухне тут же поплыл незнакомый, достаточно приятный мужской голос:

— Здравствуйте еще раз. Извините, что беспокою, но мне очень нужна ваша помощь. Пожалуйста, позвоните мне сразу, как только вернетесь. Мой номер: тридцать один, семьдесят пять, шестьдесят четыре. Спросить Зубченко Анатолия Степановича. Жду вашего звонка! — Пи-и-и-и-и!

— Это последнее, погоди, сейчас перемотаю на начало, — вновь засуетилась тетушка Мила.

— Не нужно, мне и так все ясно. К тому же прямо сейчас я перезванивать не стану. Подождет его проблема до утра. Глядишь, и сама разрешится.

— Мне кажется или ты сегодня не в духе?

— Сама еще не поняла. — Я пожала плечами и направилась в свою комнату, намереваясь упасть в мягкую постель и забыться безмятежным сном. А завтра — это все-таки завтра, до него еще дожить или доспать нужно.

* * *

— Женя, ты не забыла, что собиралась перезвонить с утра Анатолию Степановичу, — сквозь рассеивающийся туман сновидений донесся до моего слуха чей-то голос. Оказывается, это кричала из кухни тетя Мила, уже давно вставшая и, видимо, решившая, что и мне пора сделать то же. А приняв такое решение, она «прибавила» уровень громкости своего голоса до максимума. Тетушка вообще эффективнее любого будильника и запросто поднимет мертвого, поставив при желании перед собой такую цель.

Я сладко потянулась под легким верблюжьим одеялом и вдохнула ароматы, доносившиеся из кухни. Похоже, тетушка колдовала над каким-то пирогом, от одного запаха которого тут же встрепенулся мой желудок, громким урчанием напомнивший о том, что давно переварил вчерашний ужин. Я поторопилась встать. Накинула на плечи мягкий темно-бардовый махровый халат, сунула ноги в такого же цвета тапочки и пошаркала в кухню.

— У-у-уу! Как пахнет! Будет мне кусочек?..

— Только после того, как перезвонишь тому нетерпеливому, иначе он снова примется названивать сам.

— А он что, уже успел отметиться с самого утра? — Я вопросительно посмотрела на тетю.

— Успел, успел, — активно закивала головой та. — Аж три раза успел. Суетливый, видно, гражданин. Ну иди уже, перезвони ему — не заставляй человека нервничать. И оставь в покое пирог. — Тетя Мила хлопнула меня по руке, не дав отщипнуть и маленького кусочка от теплого яблочного пирога.

Разочарованно вздохнув, я поплелась в зал, к ненавистному аппарату, заранее предугадывая все то, что сейчас услышу. Что ни говори, а работа частного телохранителя в любом случае подразумевает одно и то же: охрану и защиту кого-либо от кого-либо. Вряд ли этот клиент предложит что-то новое.

Плюхнувшись в кресло, я набрала номер и от неожиданности вздрогнула: первый же гудок оборвался, и раздался громкий взволнованный голос:

— Да, да, слушаю!

— Вы меня напугали! — не смогла я удержаться от эмоций. — Это квартира Зубченко Анатолия Степановича?

— Она самая! А вы, наверное, Охотникова, — продолжил частить мой собеседник. — Я уже и не надеялся вас услышать — хорошо, что вы позвонили. Я в растерянности и совершенно не знаю, что делать! Понимаете, меня хотят убить! И уже совершили несколько попыток. Каждый раз чудом оставался жив. Причем даже непонятно, кому я мог так насолить. Кстати, обратиться к вам мне посоветовали мои очень хорошие друзья, — без всяких пауз перескочил с одного на другое мужчина. — Другим частникам я не решился позвонить. Про оплату мне все известно, поэтому хотел бы сразу обговорить суть работы. Вы можете подъехать прямо сейчас.

— Прямо сейчас не могу, — удалось мне наконец-то вставить фразу в его длинный монолог.

— Не можете?.. — Мужчина явно расстроился. — А я надеялся...

Я поспешила успокоить беднягу:

— Не могу, потому что неосмотрительно выезжать к заказчику, даже не позавтракав. Как только поем, буду полностью в вашем распоряжении. Диктуйте адрес.

— Седьмая Пролетарка, дом восемьдесят четыре, квартира сорок пять. Код на входной двери запишите тоже... Восемь, три, четыре, один. Жду вас.

— Что ж, увидимся через час. — Я, не прощаясь, повесила трубку. «Ну вот, как и предполагала, все одно и то же. И когда только наступит в моей жизни разнообразие?»

Глава 2

Я катила по ровной дороге в сторону Седьмой Пролетарки, попутно слушая передаваемый по радио прогноз погоды.

— Сегодня ожидается проливной дождь и шквальный ветер. Метеослужбы предупреждают: будьте осторожны на дорогах, в случае усиления ветра не выходите на улицу.

«Да уж... Начало дня оптимизма не внушает!» — переключая волну, вздохнула я. Затем выглянула в окно на светлое, почти безоблачное небо, совсем не предвещавшее грозы. Вспомнился старый анекдот: «Можно ли верить прогнозам метеорологов? Конечно, можно! Только учитывайте расхождения во времени».

Почти тут же забыв о прогнозе, я сосредоточилась на дороге и очень скоро добралась до нужного дома. Там припарковала свое авто рядом с обклеенной рекламными плакатами «Газелью». Особенно мне понравилось название автосервиса: «Раздолбай-сервис». Лично я ни за что не доверила бы мастерской с таким названием свою красавицу.

Поставив машину на сигнализацию, я вошла в подъезд, дверь которого оказалась не заперта, и стала подниматься наверх, выискивая квартиру с нужным номером. Когда таковая нашлась, я нажала на кнопку звонка и немного отступила назад, ожидая почему-то, что дверь распахнется в ту же минуту. Ничего такого не случилось — мне пришлось томиться в ожидании минут пять. Наконец я увидела на пороге светловолосую женщину с короткой стрижкой. Она мило улыбнулась и, не спрашивая, кто я и зачем явилась, пригласила в дом:

— Прошу вас, проходите. Муж ждет вас в своем кабинете.

Я кивнула и проследовала за ней в квартиру. Разувшись в коридорчике, направилась к указанной комнате. Здесь хозяйка на минутку остановилась, тихонько постучала и лишь после этого прошла в комнату. Мне даже на секунду показалось, что жена здесь выполняет роль секретарши. Но почти сразу выяснилось, что в своих предположениях я ошиблась: это подтверждали ее слова и интонация, с которой она обратилась к сидящему за столом человеку:

— Милый, Евгения Максимовна уже прибыла.

Из-за светлого компьютерного столика поднялся невысокого роста мужчина с высоким лбом, испещренным морщинами. На вид ему было не больше сорока. Поспешно подскочив, мужчина ухватил меня за руку и принялся нещадно ее трясти. Я лишь глуповато улыбалась в ответ.

— Евгения Максимовна, я Анатолий Степанович! Очень рад с вами познакомиться, столько о вас слышал...

— Зовите меня просто Женей, — попросила я. — Не терплю официоза и предпочитаю быть для клиента в первую очередь другом, а потом уже телохранителем.

— Это совершенно правильно, я тоже так считаю, — не переставал трещать мой потенциальный клиент.

Честно сказать, его десяток слов в секунду меня немного раздражал, но я пыталась сдерживаться и просто не обращать на это внимания. В конце концов, все люди разные — кто-то более эмоционален, кто-то менее, кто-то говорит размеренно и с большими паузами, а некоторые трещат без умолку.

— Да вы проходите, присаживайтесь. Любочка сейчас приготовит нам кофейку, а я пока поведаю вам о своих бедах....

Мы дружно уселись на мягкий, покрытый шкурой какого-то животного диван, почти наполовину провалившись в него. Вздохнув, Анатолий Степанович приступил к описанию своих проблем, для решения которых меня, собственно говоря, и позвали.

— Понимаете, Евгения Михайловна...

— Женя.

— Ах да, извините. В общем... Женя, мне кажется, что меня кто-то преследует и пытается убить.

— Кажется или для этого есть какие-то основания? — переспросила я, предположив, что у мужчины могут быть какие-то проблемы психического характера — психи как раз отличаются нервозностью, повышенной эмоциональностью и целым набором различных фобий.

— Конечно же, есть! Вот не далее как на прошлой неделе на меня напали! Это случилось ночью, недалеко от дома. Меня пытались ограбить. Хорошо еще, что поблизости оказалась какая-то собака... Когда я начал звать на помощь, она тоже заголосила, да так громко, что спугнула налетчиков.

— Ну, в наше время такое с каждым случается, — вспоминая вчерашнее происшествие, преспокойно заметила я. — Было что-то еще или этим все и ограничилось?

— За кого вы меня принимаете?.. — Зубченко состроил обиженную мину, поняв, что я не слишком склонна верить его байкам. — Неужели я стал бы так паниковать из-за пустяка? Конечно же, это не все. Вскоре после того как произошло ограбление, кто-то подкинул в мою машину муляж взрывного устройства. По крайней мере, мне так сказали, что муляж... Но я слабо в это верю! Мне просто повезло, что он не взорвался. Затем дверь в нашу квартиру неизвестные облили бензином и подожгли.

Спасибо соседям, которые вызвали пожарных и тем самым уберегли наш дом и наши жизни... Дверь, разумеется, пришлось заменить. А потом...

На этом я прервала эмоциональную речь заказчика:

— Можете не продолжать. Мне и так все ясно. Лучше

скажите, вы точно не догадываетесь о том, кто может таким образом вас запугивать?

— Запугивать? — Мужчина даже удивился. — Разве это похоже на банальное запугивание? Вы, кажется, не поняли — меня на самом деле пытаются убить! То подстраивают аварию, то чуть не сбивают машиной. Я сам не понимаю, как мне до сих пор удалось уцелеть... После всего этого... А вы говорите — запугивать!

Я не стала настаивать на собственных умозаключениях:

— Что ж, возможно, и так. Но, согласитесь, право на существование имеют обе версии. Возможно, что вы именно потому до сих пор живы, что никто не намеревался вас убивать. По-настоящему...

— То есть вы хотите сказать, что не будете браться за это дело? — по-своему расценил мои слова мужчина.

Я поняла, что слегка перегнула палку. Очередной заказ сейчас совсем не помешает. К тому же мне вообще должно быть все равно, за что получать деньги, так что...

— Нет, нет, я совершенно не то хотела сказать, — стала я оправдываться. — Тем более именно вам решать, стоит меня нанимать или нет, все же деньги платите вы. Моя же обязанность — уберечь вас от новых нападений, обеспечить безопасность...

— Вот именно на это я и рассчитываю! Ну, а если вы не против, тогда... — Анатолий Степанович описал руками в воздухе какую-то немыслимую фигуру и добавил: — Наверное, вам следует поселиться здесь, у нас. Комнату мы уже подготовили.

— Прошу к столу! — заглянув в кабинет, позвала жена Зубченко.

Мы переместились в гостиную и уселись за большим круглым столом, покрытым шелковой, расшитой понизу бледными розами, скатертью. Вообще чувствовалось, что в денежном плане семья Зубченко не тужит, покупает все, что хочет, старается даже следовать моде — как в одежде, так и в интерьере дома.

В самой гостиной стены были покрыты нежно-розовой краской, на фоне которой светлая мебель смотрелась особенно элегантно. Полочки и столики украшали композиции из сухоцветов и красивых природных камешков, малахитовые статуэтки и резные шкатулки. Шторы на окнах гармонировали с общей цветовой гаммой и были лишь на тон темнее стен. Сверху их покрывали легкие прозрачные занавеси с затейливым рисунком, своеобразно накладывающимся на основной фон. Одним словом, чувствовалась рука опытного дизайнера.

Внимательно все осмотрев, я не удержалась от вопроса:

— Скажите, а вы сами занимались оформлением своей квартиры?

Вопрос был адресован жене Зубченко, но ответил на него сам Анатолий Степанович:

— Да что вы! Если бы сами, мы бы и через тысячу лет ремонта не закончили... Нанимали специалистов-дизайнеров.

— А где и кем вы работаете? — вновь полюбопытствовала я. — Извините за нескромный вопрос, но, согласитесь, не каждый может позволить себе такую роскошь, какая наблюдается в вашей квартире. Вы бизнесмен?

— Да где там! — Анатолий усмехнулся. — Всего-навсего ученый.

— Не всего-навсего, а один из лучших! — внесла существенную поправку его супруга. Она по всем параметрам оказалась женщиной приятной. Назвать ее красавицей было бы затруднительно: неброское лицо, полноватые губки, глубоко посаженные глаза с нависающими на них веками. Держалась она просто, без высокомерия, в общении отличалась легкостью и производила впечатление весьма неглупой дамочки. Пока я ее рассматривала, Любовь продолжала хвалиться: — Толечка у нас академик Научного центра ядерных исследований, разработчик, как и его отец. Честно сказать, если бы не последний, мы бы вряд ли могли позволить себе такую роскошь. Просто папа Анатолия оставил нам внушительное наследство. Ведь Степан Владимирович участвовал в создании и разработке самой первой ядерной бомбы! Отсюда и деньги. Он работал с самим Курчатовым — слышали, наверное, о таком?

— Да, разумеется!

— Это ведь под его руководством был создан первый вид атомного оружия. Тогда проводили первое испытание. Целью стало изучение действия атомного взрыва и создание системы защиты от его последствий. Если хотите, потом могу показать вам альбом с фотографиями. Это наша семейная реликвия, там хранятся кадры, достойные Доски почета.

— Буду не против, — не отказалась я, решив, что все равно чем-то нужно занять свободное время.

Мы допили кофе, еще немного побеседовали на нейтральные темы. Затем Любовь убрала все со стола и принесла несколько больших, увесистых альбомов красного цвета с советскими гербами. Я подсела поближе.

— Думаю, что мое присутствие пока не обязательно, — намереваясь вернуться к работе, заметил Анатолий Степанович, вставая. — Я-то всю эту историю слышал уже, наверное, раз пятьсот, причем из первых уст. Так что оставляю вас вдвоем.

— Не волнуйся, я не дам Женечке заскучать, — пообещала супруга, одарив мужа влюбленным взглядом.

Зубченко вышел, а Любовь принялась листать альбом, сопровождая просмотр едва ли не каждой фотографии личными комментариями.

— Вот это вырезка из газеты, выпущенной семнадцатого сентября того года. В ней кратко сообщается о проведенном испытании на Тоцком полигоне, что под Оренбургом. Впрочем, само испытание проходило четырнадцатого числа. В половине десятого бомбардировщик «Ту-4» сбросил атомный заряд на специально выбранное для этого место. Вот, видите, белый крестик? — Она ткнула маленьким пальчиком в газетную вырезку с плохо пропечатанной фотографией. — Снаряд взорвался через несколько секунд, кажется, через сорок пять, находясь на высоте триста пятьдесят метров от поверхности земли. При этом событии присутствовали очень известные люди — вот тут, узнаете? — Любовь указала уже на следующий снимок. — Это сам маршал Жуков, он и руководил теми испытаниями. Рядом с ним Хрущев, тогдашний министр обороны Булганин, а вот и сам академик Курчатов.

— Это? — Я указала еще на одного, затерявшегося за спинами остальных, мужчину в парадной форме.

— А это и есть наш дед — Зубченко Степан Владимирович! На следующих снимках тоже он. Вот здесь ему вручают награду за прекрасное выполнение ответственного задания. Этих медалей у нас целый чемодан! Одно время думали продать, а потом оставили. Все-таки память...

— Так значит, раньше семья вашего мужа жила под Оренбургом? — озвучила я свое предположение.

— Нет, никогда. Просто там проходили испытания. А жил Степан Владимирович совершенно в другом месте, недалеко от столицы. После распада Союза он перевез семью в Тарасов. Почему сюда, я не знаю. Здесь мы с Толиком и познакомились. Его отец устроился работать в местный ракетный институт, где-то в области. Анатолий, когда выбирал себе будущую профессию, конечно же, ориентировался на отца, вот и пошел по его стопам. Сейчас работает в научно-исследовательском центре. Теперь их значительно больше по стране, чем раньше, открываются всевозможные филиалы. Не такие значительные, как в Москве, но все же...

— Значит, у вас семья разработчиков, можно так сказать, — листая альбом, подытожила я.

— В общем-то, да, — согласилась моя собеседница. — И мы этим очень гордимся. Про нас даже статью в газете писали, точнее, про Анатолия и его отца. Я забыла, к какому празднику, и жаль, что газеты не сохранилось... Но я хорошо помню, как у нас брали интервью. Тогда Степан Владимирович еще был жив.

Любовь еще долго рассказывала мне о замечательных родственниках своего мужа. Когда же тема была полностью исчерпана, женщина показала мне мое временное пристанище. Комната оказалась на вид весьма симпатичной.

— Думаю, что вам здесь будет удобно.

— Мне везде удобно, — улыбнулась я. — Это уже профессиональное качество. Скажите, Люба, а у вас есть дети?

— Да, сын Егорка. Ему уже двадцать три.

— Тоже разработчик атомного оружия?

— Нет. — Любаша с каким-то сожалением вздохнула. — Ему это совершенно не интересно. Он считает все эти разработки никчемными. И если вдруг грянет война, достаточно и одной бомбы, чтобы уничтожить всю планету. Какой толк создавать что-то еще более мощное?

— Кстати, я с ним совершенно согласна.

— Что ж, может быть, и так, — с сомнением протянула женщина, а затем более уверенно продолжила: — Егор еще во время учебы в школе решил податься в бизнес. Сейчас он у нас менеджер в Поволжском банке. И ему там очень даже нравится.

— Он живет с вами?

— Нет — не хочет. Снимает себе квартиру. Говорит, что мы ограничиваем его свободу. Но в выходные дни все же заглядывает к нам, а в будни общаемся только по телефону.

— Ваш супруг сообщил, что на него совершили уже несколько покушений. А вас преступники пока не трогали?

— Нет, ни разу. Я сначала побаивалась из дома выходить, ведь никогда не знаешь, что у этих бандитов на уме. Толик тоже просил быть осторожнее и без особой надобности квартиру не покидать. Но со мной до сих пор ничего плохого не случилось. Видимо, в их планы нападение на меня пока не входит. Если бы возникла какая-то опасность, муж нанял бы охранника и для меня тоже.

Послышался мелодичный звон. Я сначала подумала, что это звонят в дверь, но Любаша спешно вскочила с кресла и, метнувшись к выходу, торопливо бросила:

— Это телефон. Подождите минутку, я сейчас.

«Приятная телефонная мелодия, — отметила я про себя. — Надо бы завести такой же аппарат, чтобы не вскакивать каждый раз, как ошпаренная, услышав скрипучую какофонию своего «агрегата»...»

Не желая находиться в одиночестве, я неторопливо переместилась в гостиную, решив, что не помешаю хозяйке. Возможно, присутствовать при телефонном разговоре с моей стороны и не слишком этично, но... Мало ли кто может звонить? А если это преступники угрожают моему клиенту? Здесь уж не до этикета!

Когда я вошла в гостиную, там уже находился и Анатолий Степанович. Его супруга выглядела испуганной. Было очевидно, что ей не по себе...

— Какая почта? Что случилось? — между тем почти прокричал в трубку мужчина.

Ему что-то ответили, и он вновь зачастил:

— Объясни толком, что происходит, Егор! Егор...

Судя по всему, в трубке уже раздавались короткие гудки, и Анатолий Степанович зря надрывал горло. Впрочем, он и сам это вскоре понял и раздраженно отшвырнул трубку. Ударившись о край тумбочки, она отскочила в сторону и повисла на шнуре, а разозлившийся Анатолий Степанович пулей помчался к выходу.

— Что-то случилось? — перехватив встревоженный взгляд его супруги, поинтересовалась я.

— Кажется, случилось, — неуверенно кивнула Любовь. — Звонил Егор... Он был каким-то встревоженным, даже напуганным. Попросил позвать отца...

Сообразив, что женщина сама толком ничего не знает, я кинулась догонять Зубченко, тем более что в мои обязанности как раз и входило все время находиться рядом с ним и оберегать от возможных неприятных неожиданностей. Анатолия Степановича я нагнала почти на первом этаже, где он, разъяренный тем, что никак не удается открыть почтовый ящик мизерным ключиком, бил кулаком по алюминиевому каркасу.

Да, пора брать инициативу в свои руки, иначе все это добром не кончится.

— Дайте-ка, я попробую вам помочь!

Я решительно отодвинула Зубченко в сторону и принялась бороться с настырным замком собственными методами. Ухватившись за ключ, несколько раз покрутила его влево-вправо, затем слегка потянула на себя и повернула. Дверка почтового ящика открылась, и мне под ноги упал большой конверт. Выглядел он весьма своеобразно: ни почтового адреса, ни марок на нем не оказалось.

Минуты две мы с Анатолием молча смотрели на него, затем одновременно присели, чтобы его поднять. Но, как это часто случается в подобных ситуациях, больно ударились головами.

— Ой, извините, — первой отстранилась я.

— Да ничего, — буркнул в ответ мужчина, не глядя на меня. Все его внимание было приковано к таинственному конверту, который он таки поднял и тут же принялся потрошить. Действия его сопровождались невнятным бормотанием:

— Он заявил, что у него проблемы, и попросил посмотреть почту. И больше ничего не успел сказать...

Минуту спустя в руках Анатолия оказался аккуратно свернутый вдвое нелинованный листок. На нем красивым аккуратным почерком было написано несколько предложений.

— Что это?

— Не знаю. — Анатолий сдвинул брови к переносице и сосредоточенно принялся читать. Я пристроилась сбоку, пытаясь сделать то же самое.

Послание было кратким, но уже с первой строки стало понятно, что у сына Анатолия Степановича большие проблемы.

«Меня похитили. Цена моей свободы тридцать тысяч долларов. Это сумму нужно собрать за два дня. Затем дать знак, выставив на балконе горшок с цветком. Только тогда похитители назовут условия обмена. В милицию не сообщай, иначе меня убьют. Отец, они не шутят. Егор».

— Боже мой! — Зубченко побледнел, руки его задрожали, конверт и послание от сына упали на пол.

Я не спешила поддаваться панике:

— А вы уверены, что все это писал именно ваш сын?

— Абсолютно. Я хорошо знаю его почерк.

— Хорошо, тогда ответьте вот на какой вопрос... А он не мог просто разыграть вас? Знаете, в наше время дети нередко разыгрывают свое похищение, чтобы получить от родителей деньги. И это явление весьма распространенное...

Зубченко решительно отверг мою теорию:

— Сын мог бы просто у меня их попросить. Я никогда не отказывал ему в помощи!

— Но такую-то сумму вы вряд ли бы согласились ему презентовать, да еще в столь короткие сроки, — резонно возразила я. — А ведь он мог кому-то ее задолжать, проиграть в карты... Возможно, Егор боится, что вы не одобрите каких-то его действий, поэтому и решился пойти на обман.

Зубченко посмотрел на меня, как на врага народа. Вступать в спор он посчитал ниже своего достоинства. Я вздохнула:

— Понимаю, это ваш сын, но и вы поймите... Он обычный человек, и ему, как всем нам, свойственны пороки... Мелочность, тщеславие, азарт... Люди нередко причиняют боль своим близким, поддавшись чувствам или желаниям. И эти чувства и желания не всегда благородны!

Зубченко оставался непреклонным:

— Я верю своему сыну! Я знаю его лучше, чем вы! Он бы никогда так не сделал... И потом, я слышал его голос по телефону — он был явно напуган. Господи, что же делать?

— Подождите паниковать, нужно сначала все проверить. Где сейчас должен находиться ваш сын?

— У себя в банке, на работе, — немного растерянно ответил мужчина. — Думаете, нужно съездить туда?

В этот момент у меня возникло новое предположение:

— Я думаю, что ваши недоброжелатели могли переключиться на вашего сына, решив заработать на нем деньги, — слегка помедлив, произнесла я. — А вас они именно запугивали, чтобы заранее внушить мысль, что с ними шутки плохи и лучше их не злить.

— Почему я раньше не догадался, что у них на уме. Мне надо было обезопасить жену и сына. Женя, вы должны мне помочь вытащить Егора из лап этих негодяев!

— Вы забываете, я не частный детектив, а телохранитель. Это не мой профиль работы...

Возражала я достаточно слабо, потому что, честно говоря, уже и сама не была уверена в том, каков мой профиль работы.

— Да, но я вам плачу и за такие деньги вправе требовать выполнения своих поручений. От вас ведь не требуется ничего такого, чего вы делать не должны, — все так же будете меня охранять, ну и заодно поможете вытащить моего сына из беды.

Я не стала дальше набивать себе цену:

— Ладно, уговорили!

Уже не в первый раз мне приходилось совмещать обязанности телохранителя с обязанностями сыщика... Такова судьба, наверное! Забота о безопасности клиента рано или поздно все равно заканчивалась расследованием. Чаще всего тогда, когда надоедало вытаскивать клиента из всевозможных заварушек и не терпелось поскорее получить заслуженный гонорар. Так что, собственно, ничего из ряда вон выходящего Зубченко мне не предлагал. А значит, оставалось согласиться...

Уладив вопрос о моем содействии, Анатолий поспешил вернуться в дом и известить обо всем жену. Любаша, конечно же, сильно перепугалась, расстроилась, но в свойственную женщинам истерику не впала. Всего лишь спросила:

— Что вы собираетесь делать?

— Хотим поехать к Егору в банк, узнать, появлялся ли он там сегодня, — бормотал Анатолий, носясь по дому, как ураган, и что-то торопливо пихая в кожаный «дипломат». — Нужно выяснить, когда и как его похитили.

— Я могу поехать с вами? — поинтересовалась Любаша, но супруг ее был настроен весьма категорично:

— Нет, оставайся дома. Вдруг они еще раз позвонят. Нужно, чтобы кто-то сидел на телефоне.

— Ты мне сообщи, как только что-то станет известно, — попросила женщина, умоляюще глядя на супруга.

— Хорошо, я позвоню, — не останавливаясь ни на секунду, откликнулся тот и, видимо, закончив сборы, глянул на меня и спросил: — Вы готовы, Женя?

Я неопределенно развела руками, давая понять, что «все свое ношу с собой».

— Тогда не будем терять времени.

Мы вышли из квартиры. Любовь Андреевна закрыла за нами дверь. Лифтом мы с Анатолием Степановичем решили не пользоваться, спустились по лестнице пешком. Пока спускались, я спросила:

— Сколько денег вы реально можете собрать в столь короткий срок?

Зубченко на минуту приостановился и оглянулся на меня.

— Это на всякий случай, — пояснила я. — Как запасной вариант, если вдруг у нас ничего не выйдет.

— Не говорите так, все должно получиться, — насупился Анатолий. Но на мой вопрос ответа так и не дал. Я не стала настаивать, переключившись на другую тему:

— У вас есть машина?

— У меня нет, есть у жены, — не останавливаясь, ответил заказчик.

— Но вы ее хотя бы водите? — не отступала я, отнюдь не горя желанием задействовать свою машину. Уж очень часто она подвергается всевозможным авариям, а я не миллионер, чтобы каждую неделю ее ремонтировать. Куда как выгоднее пользоваться автомобилем клиента — если что случится, я хотя бы не понесу убытков.

— Нет, не вожу и даже не знаю, как это делается! Знаю только, что, когда повернешь ключ, она должна завестись, — пошутил Зубченко.

Я обреченно вздохнула, прекрасно понимая, что с самого начала Анатолий Семенович планировал воспользоваться именно моим авто, а машину жены даже не брал в расчет. Ладно, я не против, только потом пусть не обижается, когда включу в счет все расходы на амортизацию.

Мы вышли из подъезда. Я быстро пробежалась взглядом по округе, но ничего и никого подозрительного не заметила. Мой «Фольксваген» продолжал стоять на прежнем месте, только вот «Раздалбай-сервиса» поблизости уже не наблюдалось. Я открыла дверцу и предложила Анатолию Степановичу занять место на переднем сиденье. Сама села за руль и повернула ключ зажигания.

— Говорите, куда нужно ехать.

— А вы разве не знаете, где располагается Поволжский банк? — удивился Зубченко.

— Где он располагается, я знаю. Но ведь и филиалов по городу наверняка множество!

— Егор работает в центральном офисе.

— Что ж, так бы сразу и сказали. — Я слегка надавила на педаль газа, и машина плавно тронулась с места.

Мы покинули дворы и выехали на трассу. Анатолий Степанович сидел молча, а его руки безостановочно теребили лежащий на коленях кожаный «дипломат». Нервничает. Я постаралась не смотреть в его сторону, сосредоточившись на дороге. Вот так, молча, мы и добрались до здания Поволжского банка. Он размещался неподалеку от Музейной площади, названной так потому, что на ней сосредоточилась большая часть музеев города: краеведческий, музей имени Радищева и этнографический. Банк занимал весь первый этаж жилой одиннадцатиэтажки. Возле него размещалась небольшая автостоянка. Оглядевшись, я поняла, что ни одного свободного места на стоянке нет и поставить «Фольксваген» мне просто некуда.

— А у Егора была машина? — прикидывая, куда бы припарковаться, полюбопытствовала я.

— Нет. У него очень плохое зрение, поэтому права ему получить так и не удалось. Женя, можно вас попросить?

— Конечно! А в чем дело?

— Не говорите о моем сыне в прошедшем времени. Егор еще жив, и я уверен, что будет жить и дальше.

— Хорошо. Извините, если обидела... Боже, ну что за парковка! — Я почти наполовину высунулась из окна, пытаясь впихнуть свой «Фольксваген» между двумя «Тойотами», раскорячившимися на тротуаре, словно их туда заталкивали силком.

— Вы уверены, что мы сможем выйти из машины? — вглядываясь в оставшееся между автомобилями пространство, засомневался Анатолий Степанович.

— Ну, вроде бы толстых среди нас нет, — натянуто улыбнулась я. — Платить штраф за то, что не там и не так поставила машину, мне что-то не хочется. Так что придется постараться.

Зубченко глубоко вздохнул и, аккуратно приоткрыв дверцу, стал протискиваться наружу. Мне удалось это сделать чуть быстрее: сказывался высокий уровень физической подготовки и частые тренировки по лазанию в совершенно не предназначенных для этого местах. А вот мой клиент, ведущий в основном малоподвижный образ жизни, мучился долго. В конце концов он все же кое-как протиснулся между машинами и облегченно вздохнул.

Я включила сигнализацию, и мы направились к зданию. Прошли через стеклянные двери и оказались в огромном холле. Дальше проход преграждала вертушка, у которой с серьезным видом стоял высокий охранник в черной форме со множеством различных нашивок на плечах и груди. Завидев нас, он спросил:

— В какой отдел?

— Я к сыну, — опередив меня, зачастил Зубченко. — Он работает здесь менеджером.

— Назовите его имя, я его вызову, — поднимая трубку телефона, вежливо предложил охранник.

— Зубченко Егор Анатольевич... Только его сейчас, наверное, нет... По крайней мере, нам так сказали... То есть мы так думаем, потому что его похитили...

Из всей этой сумбурной речи охранник, конечно же,

ничего не понял, а потому я поспешила все прояснить сама:

— Понимаете, это отец Егора Анатольевича, служащего у вас менеджером. Не более получаса назад ему сообщили о том, что его сын похищен. Мы бы хотели проверить, так ли это на самом деле.

— А не проще позвонить? — предложил дельную мысль охранник.

Я вопросительно обернулась к Анатолию Степановичу. Тот сначала растерялся, затем спешно закивал и, вытащив из кармана сотовый, набрал номер телефона сына. Не успели в трубке пойти гудки, как он уже засуетился:

— Егор не отвечает. Видите, не снимает трубку.

— Позвоните на мобильный.

— У него нет мобильного. То есть пока нет. В данный момент его аппарат в ремонте.

«Интересно, с какого же телефона Егор звонил домой?» — подумала я.

Охранник устало вздохнул — ему, видимо, часто попадались такие неуравновешенные посетители. С профессиональным спокойствием мужчина принялся набирать номер отдела менеджеров. Когда трубку сняли, он быстро спросил, числится ли в их отделе некий Зубченко, выслушал ответ, что-то уточнил и только после этого повернулся к нам и произнес:

— Можете пройти. Коллеги, оказывается, тоже обеспокоены тем, что он слишком уж долгое время не возвращается в офис и не отзванивается. Правое крыло, кабинет семнадцать.

Поблагодарив мужчину, мы поспешили в кабинет Егора. Почти у самой двери нас встретил один из его коллег, представился и сообщил, что в этом отделе он старший. Этот мужчина полностью отвечал моему представлению о том, как должен выглядеть менеджер. Подтянутый, аккуратно причесанный, тщательно выбритый, он был одет в темные брючки и белую, как первый снег, рубашку. При галстуке. Обувь блестела так, что при желании в ней можно было увидеть свое отражение. На руках я заметила дорогие часы известной фирмы, на безымянном пальце — обручальное кольцо.

Начальник Егора не стал рассматривать нас с Анатолием Степановичем так же пристально. А с ходу перешел к делу. Тон его был взволнованным:

— Охранник сообщил, что ваш сын не появлялся и дома, это правда?

— Нет. То есть я точно не знаю... Понимаете, Егор живет отдельно... Но сегодня утром он позвонил и сказал, что его похитили, а потом мы получили по почте вот этот конверт. — Анатолий Степанович протянул мужчине письмо с требованиями. — Мы не знаем, что и думать, поэтому и решили заехать сюда, узнать, являлся ли он на работу. Надеялись, что вы чем-то сможете нам помочь, считали даже, что вы знаете, где юноша... Я ведь знаю, что Егор — человек ответственный и пропускать работу ни за что не станет...

Пока Зубченко тараторил, менеджер быстро скользнул взглядом по листу, затем изумленно покачал головой и растерянно произнес, обращаясь почему-то ко мне:

— Даже и не знаю, что вам сказать. С утра он был на рабочем месте, около десяти ушел, и с тех пор мы его не видели...

Я решила уточнить подробности:

— А куда он уходил, вы знаете?

— Конечно, ведь самовольные отлучки у нас запрещены. В начале одиннадцатого у него была назначена важная встреча с представителями коммерческой компании.

— Какой еще компании?

— «Инженер-трейк», три дня назад сделавшей нам весьма заманчивое предложение. Они планируют внедрить на своем предприятии пластиковые карты нашего банка, примерно двести тысяч единиц. Егор Анатольевич сегодня отправился туда обсудить данный вопрос и обговорить условия договора.

— А разве представители фирм не являются к вам сами? — заметил некоторое несоответствие Зубченко.

— Да, но в некоторых случаях мы допускаем выезд наших менеджеров в офисы компаний для предварительного знакомства с руководством и работой компании. Ведь на то они и менеджеры, в конце концов, чтобы взаимодействовать с клиентами там, где тем удобно.

— А вы уверены, что такая фирма вообще существует? — нутром чувствуя, что что-то тут все равно не так, спросила я.

— Да, уверен, — мужчина кивнул. — Егор сам проверял, насколько «Инженер-трейк» платежеспособна, потратив на это весь вчерашний день и даже вечер — я точно помню, что вчера он задержался на работе допоздна. А с утра, как и было запланировано, заехал в офис отметиться и сразу отправился на деловое рандеву. Сейчас уже начало первого, а он так и не вернулся и не позвонил.

— У вас есть адрес этой подозрительной фирмы? — поинтересовался Зубченко.

Начальник отдела кивнул и записал координаты фирмы на листке бумаги.

— Если поедете туда, то, пожалуйста, сообщите нам, присутствовал ли Егор на встрече. В противном случае придется направить в компанию другого менеджера. Сами понимаете, мы не можем терять столь многообещающие проекты, что бы ни происходило. А Егора, я уверен, вы обязательно найдете.

— Позвольте, а почему вы сами до сих пор не позвонили в ту фирму и не узнали, прибыл ли ваш представитель? — Анатолий Степанович выжидающе посмотрел на менеджера.

— Мы собирались это сделать, но так и не смогли найти нужного телефонного номера. Все папки с данными Егор Анатольевич, похоже, забрал с собой, — пустился в объяснение работник банка. — А в компьютере данных нет.

— И что, разве без этих папок и компьютера телефон узнать невозможно? — Зубченко, похоже, начинал раздражаться. Он даже перестал выглядеть взволнованным и дрожать, как осиновый листок, и принял вид весьма решительный и даже угрожающий. Мне это даже нравилось. — Есть справочные службы, телефонные справочники, наконец. Вы тут вообще работаете или черт знает чем занимаетесь?

— Мужчина, не забывайте, где вы находитесь, — нахмурился в ответ на пылкую речь менеджер. — Мы все прекрасно знаем, но у каждого своя работа, и нет времени отвлекаться еще и на чужую. И потом, человек отсутствует всего несколько часов — это еще не повод впадать в панику и трубить о его пропаже. Всякое возможно: он попал в пробку, руководство запоздало, переговоры затянулись. Если бы Егор не вернулся до завтра, то с утра мы бы непременно начали действовать.

— Вы уж извините его, он немного переволновался. — Я попыталась утихомирить обоих. Мужчины уже смотрели друг на друга, как два непримиримых врага, щеки их раскраснелись, а желваки принялись воинственно перекатываться. — Его можно понять, он все же отец.

— Да я понимаю, — кивнул менеджер. — Только и мы тут не просто так сидим.

— Да, да, конечно, вы правы. Большое спасибо за помощь! Если что-то прояснится, мы обязательно вам позвоним.

Кивнув на прощание начальнику, я без лишних слов подхватила своего клиента под руку и выволокла в коридор. Там слегка пристыдила, напомнив о том, как следует себя вести в присутственных местах, и только после этого, успокоившись, направилась к выходу.

Зубченко смог догнать меня только у самых дверей. Я шла достаточно быстро, и Анатолию Степановичу приходилось бежать за мной едва ли не вприпрыжку. Но я все равно не замедляла ход, прекрасно зная, что чем больше удастся выяснить в первый же день, тем проще будет потом докопаться до истины.

— Вы думаете, его перехватили по дороге на эту встречу? — припрыгивая, как солнечный зайчик на стенах коридора, поинтересовался Анатолий Степанович.

— Я ничего не думаю, а просто пока пытаюсь помочь вам собрать информацию. Хотя, на мой взгляд, не помешало бы сообщить о похищении в милицию — и пусть уж там этим занимаются!

Мой клиент возмущенно приподнял брови:

— Но ведь в сообщении же ясно сказано...

Я не дала ему возможности закончить фразу:

— А вы надеялись, что преступники выдадут вам персональное разрешение на привлечение к поискам работников служб правопорядка? Еще ни одному бандиту этого не приходило в голову, а запрет сообщать ментам — обычное правило... Так они пытаются обезопасить себя, хотя редко надеются на то, что кто-то подчинится их требованию. Преступники даже уверены в том, что вы давно отзвонились ментам и теперь ждете результатов. Поверьте мне на слово, я в этом немного разбираюсь.

— Я не могу подвергнуть сына такой опасности, — с минуту подумав, изрек Анатолий Степанович. — Не знаю, насколько серьезные эти люди, но раз им все же удалось заманить Егора и они его удерживают... Нет, милиция может все испортить. Лучше займу эту сумму, чем так поступлю.

Я решила не вступать в дискуссию:

— Ладно, ваше право, но только не слишком рассчитывайте на то, что нам удастся выйти на этих людей. Я сильно в том сомневаюсь. Так что можете уже начинать сбор денег. Кстати, включите в эту сумму и счет за мои услуги...

— Вы жестоки, Евгения, — насторожился он, бросив на меня осуждающий взгляд.

— Я всего лишь реалистка, не более. К тому же сумма, которую вы должны мне, ничтожна по сравнению с той, что затребовали похитители сына.

— Я готов отдать вам все мои деньги, лишь бы вы помогли спасти сына от неминуемой смерти! — воскликнул отчаявшийся отец.

— Хм, можно поймать вас на слове, но я не настолько эгоистична, как вам показалось на первый взгляд. Я не против помогать вам и дальше, не требуя сверх оговоренной суммы.

Мы вновь забрались в машину, причем без особых усилий, так как место вокруг нее успело освободится. Теперь наш путь лежал к офису компании «Инженер-трейк».

— Что будете делать, если там вдруг скажут, что Егор к ним не приезжал? — поинтересовалась я, почти уверенная в том, что именно такие известия нам и предстоит услышать.

— Не знаю... — Зубченко бесцельно смотрел в окно, похоже, ничего толком перед собой не видя. — Я даже мысли такой допустить не смею.

— А вот и зря...

Глава 3

Расположенное на пересечении двух улиц, Староарбатской и Миллера, угловое здание в три этажа вмещало под своей крышей массу самых разнообразных крупных и мелких контор. Пройдя через центральный вход, можно было попасть в центр покупки акций, к нотариусу и в отделение газеты «Элеком». Над боковым входом весела вывеска «Сантехника», рядом втиснулась аптека и аудиторская компания «Сервис». Нужный же нам главный офис «Инженер-трейк» размещался во дворике, попасть в который можно было через арку.

Я припарковала «Фольксваген» напротив здания и вышла. Зубченко выскочил за мной и первым направился к подъезду. Мы поднялись по высокой металлической лестнице и попали в офис компании. Небольшая, обитая светлыми панелями комната была сплошь уставлена красивыми керамическими горшками с разнообразными экзотическими растениями.

За высоким столом сидела молоденькая привлекательная девушка с пышными формами, одетая в коротенькое облегающее платье, и слушала музыку через наушники. Кроме секретарши, в помещении никого не было, хотя из-за соседней двери доносился гул голосов.

— Здравствуйте, девушка, — не задерживаясь на пороге, метнулся к ней Анатолий Степанович. — Мы хотели узнать: не приезжал ли к вам сегодня менеджер из Поволжского банка?

— Откуда? — Девица сняла наушники и внимательно посмотрела на незваных гостей.

— Из Поволжского банка, — повторил Зубченко.

— Да нет, вроде не приезжал, — с минуту подумав, ответила она. — Вообще-то я в банк сама езжу, если нужно.

— Но как же! Ведь вы... то есть ваше руководство, должны были обговорить с этим менеджером совместный проект по внедрению пластиковых карт. Вчера от вас звонили, а сегодня его к вам направили.

— Раз направили, значит, должен был объявиться, — равнодушно откликнулась девица. — Я не расспрашиваю каждого о цели его визита. Это в компетенции директора.

— А вы можете у него узнать поточнее?

— Могу, только зачем вам это надо? — недоумевала секретарша.

— Это мой сын... Тот менеджер, который должен был сюда приехать. Видите ли, мне необходимо выяснить, приезжал тот молодой человек или нет, потому что он... знаете ли, пропал...

— Ладно, спрошу, — передернула плечами девица, не слишком поддаваясь жалостливому настроению. Она сняла трубку, понажимала на какие-то кнопки и почти сразу произнесла: — Олег Дмитриевич, пришел мужчина и интересуется, не приезжал ли к вам сегодня менеджер из... из какого, вы сказали, банка? — Девица требовательно взглянула на нас.

— Поволжского, Поволжского, — сгорая от нетерпения, дважды повторил Зубченко.

— Да, Поволжского банка. Он вроде собирался обсудить совместный проект, связанный с внедрением карт оплаты. Что им сказать?..

Директор что-то ответил, причем что именно, секретарша нам передать не успела, так как мужчина собственной персоной появился из соседней двери и изумленно уставился на странную делегацию в нашем лице.

— Это вы из банка? — окинув пристальным, несколько холодным взглядом меня и Анатолия Степановича, сухо спросил директор «Инженер-трейка» — высокий мужчина с солидным животиком и маленькой бородкой. Впечатление он производил двоякое: с одной стороны — ленивого человека, с другой — умного и расчетливого, ни за что не упускающего собственной выгоды.

— Мы не из банка, просто хотели... — заторопился было Зубченко, но почему-то запнулся и умолк. Пришлось мне прийти ему на помощь:

— Утром из Поволжского банка к вам направили представителя для обсуждения проекта внедрения банковских карт оплаты. Мы хотим лишь выяснить, был ли он здесь. Парень до сих пор не вернулся на работу, и руководство банка волнуется.

— Я не понимаю, о чем вы говорите, но точно знаю, что никаких совместных проектов наша фирма с Поволжским или любым другим банком не планировала и не вела. Я всегда в курсе всех событий, и мимо меня такая информация не проскользнула бы.

— Но, может быть, в Поволжский звонил ваш бухгалтер? Или коммерческий директор, или какой-нибудь менеджер... — растерялся Анатолий Степанович.

— У нас нет бухгалтера, и я сам веду всю документацию. К тому же бухгалтера на производстве никакими полномочиями не обладают и вряд ли стали бы вам звонить. То же самое касается менеджеров и всех остальных сотрудников.

— Позвольте, но ведь был же звонок, это подтвердили и там, в банке...

— Я вам повторяю, никаких звонков из нашей фирмы в Поволжский банк не было! У нас в ходу наличный расчет, и в картах оплаты мы не нуждаемся. А если бы и нуждались, то обратились бы в тот банк, с которым уже давно сотрудничаем.

— Я ничего не понимаю, — Зубченко развел руками и ошалело закрутился на месте, как пьяная юла, ища хоть какой-то помощи со стороны. — Такого просто не может быть! Это просто бессмыслица какая-то... Это... У меня не укладывается в голове...

— Успокойтесь, прошу вас, — положив руку на плечо мужчине, утихомиривала я его. Затем повернулась к секретарше и попросила: — Девушка, принесите ему, пожалуйста, воды.

Пока секретарша выполняла мою просьбу, я вновь обратилась к директору, подойдя к нему почти вплотную и пристально глядя в глаза:

— Скажите честно, вы действительно не делали такого звонка?

— Нет, зачем мне вам врать. Какой мне в этом прок?

— Тогда, может быть, кто-то из других ваших сотрудников? Скажите, кто еще, кроме секретарши и вас, здесь работает?

— А вы что, служба контроля, чтобы предоставлять вам такую информацию? — нахмурившись, возмутился директор. — Я вас впервые вижу и знать не желаю, зачем вы сюда заявились. Наверное, пора вызвать охрану и поскорее вас выпроводить.

— Не спешите, я сейчас все объясню! Понимаете, этот человек — отец того менеджера, что утром отправился якобы на встречу с вами. Однако в банк он до сих пор не вернулся и не позвонил. Поэтому мы попытаемся установить, добрался ли он до вашего офиса или же с ним что-то случилось в дороге... А вы заявляете, что никуда не звонили и никаких встреч не назначали.

— Да, именно так и заявляю, — повторил мужчина, продолжая хмуриться.

— И как прикажете это понимать?

— Вот уж не знаю, и это не мои проблемы, — взмахнул руками мужчина. Затем повернулся к двери и на прощанье бросил: — Лидочка, проводите этих людей к выходу и больше не беспокойте меня подобными глупостями.

— Погодите, но мы же...

Мне не дали закончить. Олег Дмитриевич снова окинул меня суровым взглядом и раздраженно повысил голос:

— Если не удалитесь сами, я вызову охрану!

— Хорошо, мы уходим. — Я подхватила возмущенного Зубченко и, выведя его на улицу, произнесла: — Думаю, что директор действительно ничего не знает.

— С чего вы это взяли? А может, он врет? Скрывает, что заманил моего сына в ловушку, лишь бы его никто не заподозрил.

— Если бы директор был причастен к похищению или хотя бы знал о нем, он повел бы себя совершенно иначе, — возразила я. — Ему достаточно было просто сказать, что ваш сын до их офиса, видимо, не доехал или побывал, но уже уехал... А директор утверждает, что никуда не звонил и никаких встреч не назначал.

— Но такого не бывает! Сотрудники банка ведь не могли придумать эту встречу? Или сам Егор... — Анатолий Степанович не желал соглашаться со мной. — Кто-то же ведь моему сыну звонил!

— Согласна. И даже предполагаю, что звонили сами похитители. Им ведь ничего не стоило назваться хоть самим президентом России, лишь бы выманить Егора на встречу. Что им стоило представиться директором или бухгалтером

«Инженер-трейка»? Скорее всего, именно так и произошло...

Зубченко молчал, и я продолжила развивать свои мысли вслух:

— Преступники выбрали место для похищения. Затем узнали номер рабочего телефона вашего сына, позвонили ему и предложили выгодную сделку. Лжебухгалтеры мастерски исполнили свои роли, а затем, настигнув Егора на полпути к офису, захватили его.

— Если все происходило так, как вы говорите, — Зубченко задумчиво почесал подбородок, — значит, бандиты хорошо знали в лицо моего сына.

— Естественно, — усмехнулась я. — Похитители всегда хорошо знают своих жертв, даже если ранее никогда не встречались с ними. Перед похищением за жертвой ведется слежка, изучаются фотографии. Исполнители могли и не знать Егора лично, хотя это тоже не исключено, а вот заказчик, вероятно, был знаком с Егором... Или с кем-то из членов семьи, то есть с вами или с вашей супругой... Так что вам стоит хорошенько покопаться в своей памяти и вспомнить всех своих, даже давнишних, недоброжелателей.

Зубченко проигнорировал мой совет и не стал долго раздумывать:

— У меня таких нет.

— Не верю, — возразила я. — У каждого человека есть враги или хотя бы недруги. Всеобщих любимцев не существует. Уж поверьте мне...

— Но я правда не знаю, кто бы это мог быть!

— Вы просто не хотите об этом задуматься. Или, скорее всего, не хотите себе в том признаться... Что ж, тем хуже, а ведь могли бы облегчить поиски.

Упрямый Зубченко наконец сдался:

— Ладно, я обещаю попробовать, но не уверен, что это даст какой-то результат. Я совершенно неконфликтный человек.

— Хотя бы попытайтесь...

Я направилась к машине. И вдруг, случайно скользнув взглядом по расположенному напротив зданию, замерла на месте...

Зубченко заметил, что я остановилось, и негромко спросил:

— Что-то задумали?

— Нет, увидела, — указав рукой в сторону близлежащего магазина, ответила я. — Жаль, что у вас нет фотографии Егора, могли бы поинтересоваться вон у того охранника, не встречал ли он здесь вашего сына. Заодно проверили бы, наврал нам директор или нет.

— Подождите, но у меня же есть его фотография! Я, когда собирался, на всякий случай сунул парочку в чемодан.

— Тогда что же вы стоите, давайте их сюда! — обрадовалась я.

Анатолий Степанович торопливо передал мне снимки. Я заспешила к скучающему на крылечке с сигаретой в руке охраннику — молодому пареньку лет двадцати, на редкость лохматому и взъерошенному.

— Добрый день, — поприветствовала я его, приблизившись. — Можно вас кое о чем спросить?

— Спрашивайте, — кивнул парень.

— Вот. — Я протянула один из снимков. — Мы ищем этого парня. Вы случайно не встречали его сегодня во дворе? Он должен был подойти вон к тому зданию, там располагается офис одной фирмы...

— Так там бы и спросили, — без всякого интереса глянув на фото, отмахнулся паренек. — Я за день столько народу вижу, всех и не упомнишь. Больно мне нужно всех рассматривать.

— А вы все же посмотрите повнимательнее, — настаивала на своем я. — Может, вспомните его.

— Да че толку смотреть, я и так знаю, что не видел.

Поняв, что разговор с охранником не принесет никакой пользы, я расстроилась.

— Ладно, извините...

Пришлось вернуться к ожидающему меня у машины Анатолию Степановичу. Тот все понял по моему лицу и даже не стал ни о чем спрашивать.

Мы молча сели в салон «Фольксвагена», затем я повернула ключ зажигания и спросила:

— Куда теперь?

— Наверное, домой. Буду обзванивать друзей и знакомых, — обреченно вздохнул мой клиент. — Может, кто-нибудь согласится дать взаймы крупную сумму денег...

Я надавила на педаль газа и стала выводить машину из дворика. Как назло, мне навстречу приближался другой автомобиль, так что пришлось сдать назад и немного подождать.

— Женя, Женя! — подпрыгнув на сиденье, заорал во все горло Зубченко.

От неожиданности я едва не задела бампером дерево позади нас. Заглушив мотор, повернулась к клиенту.

— Посмотрите туда. — Анатолий Степанович указал рукой куда-то вперед. Я скользнула взглядом по округе, но ничего такого, чему бы стоило так радоваться, не заметила.

— Я ничего не вижу, — растерянно развела я руками. — Объясните, что вызвало у вас такой восторг?

— Ну как же, камера! Вон там, видите, в витрине магазина!

Наконец я увидела, но не саму камеру, а только экран, на котором отражался сейчас мой собственный «Фольксваген». Следовательно, откуда-то нас снимали, а затем изображение передавалось на экран. Я перевела взгляд на вывеску магазина: «Крокодил — безопасность вам гарантирована».

Очевидно, в магазине продавались всевозможные противоугонные системы для автомобилей, сигнализации для квартир, частных коттеджей, дач и офисов, а также различные системы видеонаблюдения наподобие той, что наблюдала за нашей машиной. Это был наш шанс!

— Идемте скорее туда, — торопил меня Зубченко.

Я вышла из машины.

— Боюсь, что запись с той камеры сразу транслируется и нигде не сохраняется, — высказал Анатолий Степанович весьма нелепое, на мой взгляд, предположение.

— Как это не сохраняется? Зачем же тогда она вообще нужна? Система видеонаблюдения для того и устанавливается, чтобы фиксировать все происходящее. Если что — остаются записи, по которым можно опознать человека, узнать номера машины. Поверьте мне, Анатолий Степанович. Как-никак я профессиональный телохранитель, и все эти прибамбасы знаю как свои пять пальцев!

— Не знаю... Мне кажется, они просто в целях рекламы эту штуку в витрине установили. Не в целях повышения безопасности, а в целях повышения прибыли! Но проверить все-таки надо! — откликнулся уже в дверях магазина Анатолий Степанович и, не дожидаясь меня, вошел внутрь.

— Возможно, вы и правы...

Я не спеша проследовала за ним. А войдя в магазин, обнаружила, что Анатолий Степанович уже о чем-то с жаром переговаривался с продавцом-консультантом. Я подошла ближе.

— Да, да, принесите пожалуйста, если понадобится, я даже заплачу.

— Вот видите, я же говорила, что запись ведется!

— Есть, представляете, Евгения! Есть запись! Говорят, однажды уже был инцидент, с тех пор и стали снимать. Я договорился, чтобы нам разрешили посмотреть пленку. Этот парнишка сейчас должен заменить кассету. Я уверен, что их начальство не будет против, если мы ее посмотрим...

Вскоре вернулся и сам продавец. Он вставил кассету в видеомагнитофон и принялся перематывать пленку. Закончив, обернулся к нам и пояснил:

— Смотреть придется на улице, второй монитор — тот, что находился в помещении, — у нас позавчера сгорел, а новый упакован и не настроен.

— Ничего, ничего, — засуетился Зубченко. — Вы, главное, поставьте кассету, мы и с витрины посмотрим.

Парень кивнул и запустил запись. Минут через десять я снова заглянула в магазин и, перехватив вопросительный взгляд парня, спросила:

— А можно перемотать немного вперед, сохраняя изображение?

Тот кивнул. Теперь картинка замелькала и задвигалась, а через пару секунд остановилась. Мы снова принялись созерцать поднадоевший уже дворик и изредка мелькающих незнакомых людей. Прошло еще минут двадцать. Я начала немного скучать, тем более что уже и не верила, что камере удалось выхватить одного-единственного нужного нам человека и тех, кто на него напал. Тем более что мы не могли знать наверняка, что Егор доехал до «Инженер-трейка». Зубченко продолжал неотрывно пялиться на экран и в конце концов все же заметил там что-то достойное внимания.

— Перемотайте назад! Там... там Егор!

— Уверены? — на всякий случай уточнила я.

Зубченко энергично закивал. Я попросила продавца-консультанта перемотать пленку в обратную сторону и внимательно просмотрела ее вместе с Анатолием Степановичем, стараясь не упустить из виду никаких мелочей. Сначала экран отражал лишь пустое крыльцо фирмы «Инженер-трейк», затем возле него замельтешили какие-то люди, причем к нам они все время поварачивались спиной, так что рассмотреть их лица не представлялось возможным. Затем в фокус попали несколько случайных прохожих, одним из которых и оказался Егор.

— Видели, Женя, вы видели? — тормошил меня Зубченко. — Он все же был здесь!

— Да, и направлялся как раз к офису фирмы «Инженер-трейк», — кивнула я в ответ. — Тут есть над чем подумать...

— Этот человек нас обманул, — имея в виду директора, возмущался Анатолий Степанович. — Он солгал, что мой сын у них не был.

— Не думаю. Вы же заметили ту странную парочку у входа. Что-то подсказывает мне, что они там стояли не случайно, а поджидали вашего сына. Жаль, что камера не выхватила, куда они все затем удалились...

Еще раз заглянув в магазин, я попросила продавца перемотать запись назад. И, просмотрев эпизод повторно, сумела различить машину, стоящую рядом со входом. Не факт, конечно, но она могла принадлежать похитителям.

— Это нужно показать в милиции, — зачастил Зубченко. — У них наверняка есть аппаратура, позволяющая увеличить изображение...

— Ну да, и развернуть лицом тех, кто стоит спиной! — подивилась я наивности Зубченко. — Вы смеетесь? Откуда у нашей нищей милиции нормальная техника? Это вам не ФСБ и не охрана президента. У милиционеров даже оружия нормального нет... Да и потом, кассета слишком затертая, запись некачественная. За нее ни один профессиональный компьютерный дизайнер не возьмется ни за какие деньги... Если только знакомый... Да у меня и нет такого. Или, может, у вас есть?...

Я пристально посмотрела на заказчика. Тот понял, что действительно слегка перегнул палку, забыв, что живет не в Голливуде, а в захолустном Тарасове за много миль от столицы, смутился и даже покраснел.

— Пожалуй, вы правы. Я как-то не подумал... А ведь так хотелось надеяться, что эта запись нам что-то даст.

— А разве она нам совсем ничего не дала? Теперь мы можем предположить, что похитителями являются люди молодые, возможно, хорошо знакомые вашему сыну или даже его друзья.

— Нет, это вряд ли, — отрицательно замотал головой Зубченко. — Друзьям не понадобилось бы придумывать такую сложную схему, чтобы куда-то заманить Егора. Они могли просто перехватить его в тех местах, где он чаще всего бывает.

Я согласилась с доводами клиента:

— Тоже верно. Значит, все же не друзья. Тогда можно предположить, что этих людей кто-то нанял, очень хорошо им заплатив. Чаще всего похищения организуются именно таким образом.

— Ну и что теперь делать? Где их искать? — Анатолий Степанович находился на грани отчаяния. — Бедный Егорушка, что же с ним теперь будет... Господи, ну за что мне такое наказание! Что я такого натворил, что на меня навалились такие напасти? Сначала эти нападения и покушения, затем поджоги... Я едва не остался на улице, лишившись квартиры. Теперь еще...

Пропустив мимо ушей весь этот перечень бед и несчастий, я дала продавцу-консультанту знак, что просмотр завершен, и в задумчивости поплелась к машине. Как действовать дальше? Ведь безвыходных ситуаций не бывает!

Плавному течению мыслительного процесса помешал мой клиент:

— Женя, ну хоть вы что-нибудь предложите! Вы же профессионал, вы должны знать, как действуют в таких случаях!

— У меня пока наметился только один вариант.

— Какой?

— Можно попробовать определить похитителя по номеру мобильного телефона, с которого Егор звонил на ваш домашний телефон. Раз уж камера зафиксировала только первые минуты этого псевдоделового рандеву и из самой записи ничего толком не ясно. Ведь вы сказали, что он звонил не со своего мобильного?

— Нет, свой телефон он отдал в ремонт. Только... Женя, я не понимаю, каким образом это можно узнать... То есть с какого именно сотового номера был набран наш домашний номер... Это же очень сложно! И потом, вы думаете, что в салоне связи нам пойдут навстречу? Насколько я знаю, это конфиденциальная информация, и распечатку звонков могут предоставить только владельцу сотового номера, но никак не посторонним людям...

Я кивнула в ответ:

— Вы правы, это не так-то просто. Но в этом деле нам помогут! У меня есть знакомый парнишка, неплохо разбирающийся в компьютерах. Думаю, что в его силах раздобыть необходимые данные.

— Хакер-взломщик? — догадался Анатолий Степанович.

— Он самый, — согласилась я. — Хотя я считаю, что у парня талант. И ведь он всего-навсего студент пятого курса технического университета. Политеха, как его еще называют.

— Тогда что же мы медлим? Поехали срочно к этому вашему гению! Пусть покажет, на что способен!

Я глянула на часы:

— Боюсь, что сейчас студент как раз находится на лекции.

— Но вы ведь знаете, где он учится, можно поискать его там.

— Бегать по всем корпусам института? — Я рассмеялась. — Да это равносильно поиску иголки в стоге сена.

— Хорошо, тогда давайте подождем его возле дома! — не унимался мой нетерпеливый клиент.

— Может, сначала заедем куда-нибудь перекусить? Не знаю, как вы, а я просто умираю от голода!

— Где живет ваш знакомый? — с серьезным видом спросил Анатолий Степанович.

— Недалеко от вас. На Соборной. Там наверняка есть какие-либо кафе.

— Есть, но обедать в них я бы вам не советовал, — сев в машину и захлопнув за собой дверь, ответил Зубченко. — Лучше уж домой. Моя жена превосходно готовит. Заодно и узнаем, нет ли у нее каких-нибудь новостей.

— Я не против. К тому же мне так редко приходится есть домашнюю пищу...

* * *

У дома Анатолия Степановича мы оказались спустя полчаса. Слишком уж увлекшись своим расследованием и поиском следов преступников, мы с клиентом совершенно не обращали внимания на то, что происходит вокруг. Я даже забыла о своих прямых обязанностях. В общем, потеряла бдительность, что телохранителю, находящемуся на службе, делать не положено... Это-то меня и подвело.

Едва я вышла из машины, как кто-то набросился на меня сзади. Чьи-то сильные руки схватили меня и повалили на землю. От неожиданности я не смогла быстро отреагировать. Уже оказавшись на земле, попыталась оказать сопротивление. Неизвестный со всей силы вцепился мне в волосы, причинив резкую боль. Превозмогая боль, я изо всех сил дернула головой — клок моих волос остался в руке нападавшего, — развернулась и вцепилась ему в эту самую руку зубами, затем с силой двинула локтем в живот, попытавшись сбросить с себя тяжеленную тушу. Мне это удалось.

Вскочив на ноги, я увидела перед собой мужчину средних лет, весьма неопрятного вида и в пыльной одежде. Подбородок его густо зарос щетиной, на голове сияла лысина, нос был длинным и крючковатым. Поднявшись, он снова пошел на меня.

Но теперь-то я уже была наготове. Мне не составило никакого труда отбить его по-медвежьи нерасторопное нападение да к тому же двинуть по подбородку кулаком. Это разозлило негодяя. Прорычав что-то нечленораздельное, он торопливо вытащил из кармана брюк шило и метнулся мне навстречу.

Я отскочила в сторону. Резко выбросила правую руку вперед, ударив ею мужлана по руке, в которой тот держал холодное оружие. Однако пальцы его сжимались крепко, и выбить шило мне не удалось. Тогда я быстро сменила тактику, немного присела и сделала жесткую подсечку, в результате которой мужик тяжело рухнул на спину, нелепо взмахнув при этом руками.

Не давая ему возможности опомниться, я запрыгнула на него сверху, поймала обе его руки и скрутила их как следует, а затем, в качестве успокоительного, двинула болвана тыльной стороной ладони в область грудной клетки. Бандит испуганно вытаращил глаза, часто закашлял, а глаза его заслезились. Теперь уж он точно был не способен оказать какое-либо сопротивление...

Получив временную передышку, я отвлеклась на своего клиента, решив посмотреть, как у него обстоят дела. Во время драки я слышала какую-то возню неподалеку, но не имела возможности уточнить, что конкретно там происходит. Теперь я увидела, что Анатолий Степанович пребывает в полном здравии и рядом с ним совершенно никого нет.

— Вы как, в порядке? — поинтересовалась я на всякий случай.

— В порядке, — устало вздохнул Зубченко. — Помяли немного, но это не беда.

— А где тот, что на вас напал? — Я поискала глазами поверженного, теперь уже точно зная, что нападавших было двое.

— Убежал, — кивнул куда-то в сторону Анатолий Степанович. — Вон видите, подошвами сверкает.. Видать, одумался... А у вас что?

— Да вот. — Я не спеша поднялась, легонько пнув ногой поверженного разбойника. — Есть один пострадавший. Ну ты, чего развалился? Вставай, разговорчик к тебе будет.

Мужик попытался подняться, но отчего-то закувыркался, как неваляшка на пригорке, и снова опрокинулся на спину, изрыгнув какое-то проклятье. У меня в голове мелькнула нелепая присказка: «Водка пить — земля валяться», а вслух я произнесла:

— О, да это пугало еще и подшофе. — Я брезгливо сморщила носик, отмахиваясь от накрывшего меня стойкого запаха перегара. — А еще на рожон полез, бедолага. Да у вас, как видно, тут прямо двор чудес, — я повернулась к Зубченко, — пьяницы нападают на добропорядочных граждан, кто-то обливает двери бензином, а затем поджигает... Одним словом, веселый дворик.

— Смешно вам, — вздохнул Анатолий, отряхивая пыль с брюк. — А этот остолоп ведь мне чуть шею не свернул... Спасибо, чемодан в руке был — нашлось чем пристукнуть. Так что с этим будем делать? — Он подошел ближе.

— Попытаемся выяснить, кто его нанял. Что-то мне подсказывает, что это напрямую связано с похищением...

— Думаете, он в курсе? — засомневался Анатолий Степанович, недоверчиво поглядывая на алкаша. — Он не то что имени нанимателя, небось и своего собственного не вспомнит после недавней попойки. Что с него взять?

— Посмотрим, — возразила я, склоняясь над мужиком.

Схватив его за грудки, я почти силком поставила любителя приложиться на ноги, затем заломила ему назад одну руку и требовательно спросила:

— Кто тебя нанял, гнида?..

— Не знаю я, ничего не знаю, — жалостливо запричитал несчастный, переводя испуганный взгляд с меня, на Анатолия Степановича.

— Врешь, бесстыжая твоя морда! Кто нанял, последний раз спрашиваю? — Я еще сильнее заломила ему плечо, другой рукой ухватила его за шею и сдавила так, что мужик задергался и захрипел, из последних сил стараясь высвободится. Ослабив нажим, но не убирая пока руки с его загривка, я повторила: — Тебе лучше признаться, иначе сверну шею, и никто оплакивать не будет. Кому ты такой нужен?.. Менты даже виновного искать не станут.

— Я... я правда не знаю, — еще больше испугался алкаш, побледневший, как полотно. — Приходил один, фотокарточку показал...

— Чью?

— Его, — грязным морщинистым пальцем бедолага

ткнул в сторону Анатолия Степановича. — Обещал ящик водки дать, если помнем немного. Просто помнем, он не велел убивать. Правда.

— Описать можешь?

Алкаш отрицательно замотал головой.

— Но хотя бы где найти его, знаешь? — не спешила пока отчаиваться я.

Ответ оказался аналогичным предыдущему.

— Как же вы тогда у него водку свою забирать намеревались?

— Он сам обещал... прийти.

— И вы, наивные, поверили? — Я не торопилась так просто сдаваться.

— Так командир две бутылки вперед дал, — дрожащим голосом ответил мужик. Он, похоже, уже начал понимать, в какую историю влип, и желал только одного — поскорее с нами распрощаться.

— Молодой тот тип был или старый?

— Молодой... Лет около тридцати. Одет цивильно.

— А на лицо как?

— Не разглядывал я, ей-богу, не разглядывал, — умоляюще глядя на меня, промямлил алкаш. — Отпустите, а? Не хотели мы, просто так получилось... Душа у нас горела, а денег нет. Безработный я. Пустите!...

— Ладно, проваливай, — резко оттолкнув его от себя, смилостивилась я. — И постарайся больше не попадаться на глаза. А увидишь еще раз того типа — рассмотри как следует. Сможешь описать, получишь еще ящик...

— Д-да, да, конечно, — часто закивал мужик и мелкими торопливыми шажками засеменил прочь, то и дело оглядываясь, словно опасался получить выстрел в спину.

Я повернулась к Зубченко. Тот смотрел на меня вопросительно, будто ожидая, что я скажу ему что-то важное. Я лишь вздохнула и молча направилась к подъезду.

— Странный вы телохранитель, Женя, — с легким осуждением раздалось позади. — Вам бы вроде следовало сразу этих типов заприметить и заподозрить, а вы...

Упрек заказчика меня ничуть не смутил:

— Ну уж извините! Я не могу одновременно заниматься двумя делами сразу. Либо я вас охраняю от покушений на вашу жизнь... вернее, от инсценировок покушения, поскольку убивать вас по-настоящему, как видите, пока никто не собирается, либо помогаю вам искать вашего сына. Что для вас важнее?

Вопрос оказался не из легких. Зубченко всерьез задумался: с одной стороны, жизнь сына важнее. Но с другой стороны — как он сможет чем-то помочь Егору, если самого его уже не будет на свете? Все эти мысли отразились у него на лице.

— Конечно, сын, но все же...

Я не дала ему возможности закончить фразу:

— Учту на будущее. А пока давайте все же пообедаем.

Зубченко кивнул. Мы молча вошли в подъезд, поднялись на этаж. Анатолий Степанович открыл дверь своим ключом. Едва мы оказались в коридоре, навстречу выбежала встревоженная Любовь Андреевна и тихонько пролепетала:

— Ну что... что-нибудь уже узнали?

— Почти ничего. На работе Егор не появлялся, точнее, уехал на встречу, с которой не вернулся. Мы были в том офисе, куда он направлялся и... в общем, тут такая запутанная история, я до сих пор сам ничего не могу понять, — как всегда, почти на одном дыхании выпалил эмоциональный Зубченко. — Сейчас мы с Женей просто хотели бы отобедать, а затем уже продолжим поиски. Накроешь на стол?

Женщина кивнула. Анатолий Степанович прошел в комнату, но на полпути к гостиной спохватился:

— Никто не звонил?

— Нет. Я не отходила от телефона ни на минуту.

Зубченко вновь устало вздохнул и поплелся в свой кабинет. Я же переместилась на кухню, где помогла Любаше накрыть на стол. И вскоре мы молча уминали колбасную нарезку, горячие пельмени и свежий батон с маком. Разговаривать совершенно не хотелось, по крайней мере, мне. Любаша хоть и пребывала в волнении, но ни о чем спрашивать мужа не осмеливалась. Я решила хоть немного развеять ее страхи, а потому сообщила:

— Мы хотим попробовать отыскать похитителей по номеру телефона, с которого они звонили. У меня есть один знакомый, думаю, он поможет нам выяснить эту информацию. Если все выгорит, то найдем негодяев уже сегодня.

— Это правда? — Любаша ждала подтверждения моих слов от супруга.

Тот угрюмо кивнул, пребывая в мрачной задумчивости.

— Это было бы чудесно, — попробовала даже улыбнуться Зубченко.

Расправившись с едой, мы перешли к кофе. Наслаждаясь ароматным напитком, я глянула на висящие на стене часы и произнесла:

— Думаю, наш студент уже вернулся.

— Отлично. Тогда поехали. — Анатолий Степанович отставил в сторону недопитый кофе и спешно принялся собираться в дорогу. Со вздохом я последовала его примеру.

Мы спустились вниз, я внимательно осмотрелась. Лиц, не вызывающих доверия, поблизости не наблюдалось. Мы осторожно приблизились к машине и уселись по местам. Уточнив в записной книжке адресок юного гения, я завела мотор и немедля тронулась в путь.

Добраться до дома студента-компьютерщика нам удалось без каких-либо проблем и задержек. Никто на нас не напал, не попытался припугнуть. Мы перестали озираться по сторонам, словно напуганные воришки. Недавний инцидент выветрился из нашей памяти, мысли были заняты решением проблем совсем другого рода. Спокойно покинув машину, мы направились к дому, где жил наш предполагаемый спаситель.

Нужный дом оказался старинной постройкой с деревянными лестницами. Двери квартир располагались по обеим сторонам длинного коридора. У одной из них мы с Анатолием Степановичем и остановились. Я нажала на кнопку звонка. Послышалась соловьиная трель, и через минуту дверь открылась. Полная светловолосая женщина в ярко-красном халате с пестрыми цветами, близоруко щурясь, некоторое время молча нас разглядывала, а затем спросила:

— А вы к кому?

— Мы к Михаилу, — ответила я. — Он уже вернулся с занятий? Вот, приехали пораньше, боялись, что он куда-то уйдет...

— Уйдет! — Женщина насмешливо улыбнулась, криво растянув свои и без того тонкие губы. — Мишка у нас по улицам никогда не мотается, целыми днями дома сидит. А мы и рады — лучше уж так, чем переживать, где он, что с ним... А вы, наверное, из института?

— Ну да, из него самого. — Я соврала, не желая вдаваться в ненужные объяснения. — Хотели, чтобы помог сделать одну работу.

— Проходите... — пригласила нас женщина, — он у себя в комнате сидит. Прирастет уже, наверное, скоро к своей технике.

Мы вошли в квартиру. В нос ударил едкий запах хлорки. Видимо, женщина занималась кипячением или стиркой белья. Мы стали разуваться, и в этот момент перед нами выскочил белый, но до безобразия грязный котенок. Он одним махом прыгнул на мои брюки, вцепился в них острыми коготками и игриво задрал голову вверх.

— Снежок, брысь! — заметив котенка, прикрикнула на него женщина. — Не приставай к людям!

Я потрепала милое создание по шерстке и, с трудом оторвав его от штанины, опустила на пол.

«Значит, Снежок? Забавно. Если бы была кошечка, ее, вероятно, ряженкой бы назвали...»

Между тем настырному котенку висеть на моих штанах понравилось, очевидно, больше, чем сидеть на полу, а потому маленький нахал рискнул повторить попытку. Но на этот раз она закончилась плачевно: женщина жестоко ухватила его за ухо, отчего мелкий пакостник протяжно взвыл, и отшвырнула на диван в соседней комнате.

— Бестолковая живность, — заметила она. — Дочь приволокла, а сама им не занимается. Снежок уже всех достал. Да вы проходите, Миша вон в той комнате.

Я кивнула и направилась к указанной двери.

Глава 4

— Привет инженерам-автомеханикам! — толкая перед собой дверь, поприветствовала я симпатичного паренька с вьющимися светлыми волосами и глубокими ярко-зелеными глазами.

С Сиваковым Михаилом Николаевичем, а именно так звали юного гения, мы познакомились совсем недавно. Через одного из моих клиентов, которому я однажды едва ли не подарила вторую жизнь. Я имею в виду Конышева Вячеслава Евгеньевича, умнейшего программиста, разработчика всевозможных программ против взлома, которому в нашей стране так и не дали спокойно жить и работать. В связи с этим он был вынужден уехать за границу, предварительно имитировав здесь, на родине, свою смерть. Не без моей помощи, конечно.

Во время работы на Конышева я познакомилась со многими программистами, но особенно мне приглянулся один из тех ребят, которые так и не смогли пройти собеседования у Конышева. На всякий случай записала адресок парнишки, но обращаться к нему мне пока еще ни разу не приходилось. И вот, кажется, подходящий случай представился.

— Здрасьте! — с прищуром глядя на меня и, видимо, пытаясь вспомнить, откуда ему знакомо мое лицо, поинтересовался паренек. — А вы ко мне, да?

— К тебе. А что, разве не узнаешь? — Я широко улыбнулась.

— Вижу что-то знакомое... Только вот никак не вспомню, где мы с вами встречались.

— В одной фирме, куда вы приходили на собеседование, — напомнила я. — Помните, там вас еще принимал такой приятный на вид мужчина в темных очках. Слепой.

— А, ну да, — активно закивал парень. — Было дело. Мне бы сразу понять, что студента на такую работу не примут... Но попытка, как говорится, не пытка. А вы, кажется, в той фирме работаете?

— Нет, я к компьютерам никакого отношения не имею. Я телохранитель, и тогда занималась охраной жизни ученого. Ну а сегодня меня привели к вам дела, совсем с ним не связанные. Помнится, молодой человек, вы упоминали о том, что легко вскрываете любые коды, пароли...

— Ну да, брякнул, не подумав... — Парень почесал затылок. — И как меня только после этого не сдали куда следует, до сих пор не понимаю! Наверное, просто повезло...

— У нас к тебе дело. Сразу скажу — это не бесплатно... я

права? — Я обернулась за подтверждением своих слов к Зубченко. Тот энергично закивал, соглашаясь.

— Нужно кое-куда залезть и, конечно же, кое-что скачать. Справишься?

— Да плевое дело, — не вникая даже в суть работы, сразу же согласился парнишка. — Тут и гением быть не надо. Главное, вскрыть код — это самое сложное, а дальше уже дело техники.

— Вот видите, — обрадованно обернулась я к притихшему клиенту, — первый комп в нашей стране появился не так давно, а наши хакеры уже вышли на передовые рубежи!

— Это верно, — продолжая раскачиваться в своем крутящемся кресле, с гордостью откликнулся паренек. — Раньше боялись русской мафии, а теперь — русских хакеров.

Я вдохновенно поддержала паренька:

— Да уж, нам есть чем гордиться! Тем более что больше половины наших виртуозов взлома — ребята в возрасте до двадцати лет. А шестнадцать процентов компьютерных взломщиков — вообще подростки!

— Откуда у вас такая информация? — Компьютерный гений смотрел на меня с интересом.

— Когда я работала с Конышевым, он мне все это рассказывал...

— Для меня все же важнее мой сын, — деликатно напомнил Анатолий Степанович. Внимательно посмотрев на паренька, он спросил: — Ты можешь определить, с какого номера звонили на мой домашний телефон и на кого тот номер оформлен?

— Диктуйте циферки, дядя, — одарил нас очаровательной улыбкой беззаботный юноша.

И тут я поняла, чем он тогда так приглянулся мне — шармом, легкостью в общении и открытым взглядом. Эх, ему бы годков семь прибавить, я бы на него непременно запала...

Пока Анатолий Степанович диктовал, а Михаил записывал его номер телефона, я подошла к рекламному плакату, висящему на стене, заинтересовавшись надписью. Я не сразу поняла, что текст наклеен на плакат сверху, но, прочитав, от души расхохоталась: «Привет, Мозг! Я — Натс.

Привет, Натс! Я — Мозг. Привет, ребята! А я — трава, которая помогает мозгам разговаривать с шоколадом».

— Сам придумал или откуда-нибудь скачал? — поинтересовалась я у парнишки.

— В Интернете достал, там такой дребедени навалом. Если хотите, потом скину чего-нибудь, дома почитаете. Можете порыться вон на той полке. Кажется, там что-то было. Надо ж вам чем-то заняться... Мне особенно нравится там один анекдотец...

— Молодой человек, вы отвлеклись, — сдержанно заметил Анатолий Степанович.

— Так комп же перезагружается, — спокойно откликнулся юноша и тут же взялся пересказывать мне свой любимый анекдот.

— Ну ладно, не отвлекайся больше, — склонившись к парню, шепнула я, — а то заказчик обидится и лишит тебя заслуженных денег.

Паренек шаловливо подмигнул мне и взялся за работу. Пальцы быстро забегали по клавиатуре, защелкала мышка, на мониторе замелькали различные окна и таблицы. Все это было категорически непонятно. Я отошла в сторону и занялась изучением комнаты. Анатолий Степанович занялся тем же, периодически бросая выжидающие взгляды в сторону юного программиста.

Я подошла к незашторенному окну. Широкий подоконник его был уставлен цветочными горшками, среди которых теснились различные бумажки, распечатки, папки, канцелярские принадлежности, бейсбольные мячи и даже кубик Рубика.

Я усмехнулась. Разложить все это на столе было просто невозможно, поскольку там не хватило бы места. Монитор с семнадцатой диагональю, принтер, сканер и колонки полностью его загромождали.

Кроме этого, в комнате имелось несколько стульев, кровать, в настоящий момент не прибранная, а потому похожая на горбатого верблюда, на которого сверху еще накидали различных предметов одежды. Рядом с кроватью размещался бельевой шкаф. Даже не открывая его, вполне можно было себе представить, какой беспорядок творится внутри.

Да, с порядком и чистотой у паренька явно нелады... Причем, как я успела заметить, остальная часть квартиры как раз в идеальном состоянии. Стало быть, в частные владения парня его родители не суют свой вездесущий нос. Может, это и правильно: у каждого должна быть свобода выбора, даже в плане порядка и чистоты.

Все эти пустые, в общем-то, размышления заняли у меня почти два часа. Зубченко все это время стоял за спиной компьютерного гения и пристально смотрел на монитор, при этом вид у него был такой, будто он прекрасно разбирается в сути происходящих процессов.

— Есть! — оглушительно заорал Михаил, как ребенок радуясь успеху. — Есть ваш номерок. Даже не думал, что это будет так легко... А ваш неизвестный, похоже, парень осторожный. Он sim-карту только три дня назад приобрел, но я его все равно вычислил. Записывайте номер.

Зубченко засуетился, схватил с подоконника первый попавшийся листок и, не глядя на его обратную сторону, приготовился записывать.

— Э-э-э, ну не на моих же распечатках, — заметив это, возмутился Сиваков. — Возьмите чистую бумагу.

Анатолий Степанович торопливо закивал и поспешил заменить листок. Парнишка продиктовал ему номер, а затем спросил:

— Адрес-то искать?

— Ну ты так радовался, что мы решили, что он уже у тебя.

Тот молча почесал затылок и снова отвернулся к монитору. Через несколько минут мы получили нужные данные. Теперь у нас имелся и телефончик одного из похитителей, и даже его адрес. Михаил свою часть работы выполнил блестяще. Теперь дело за мной...

* * *

— Вы абсолютно уверены, что не знаете этого Лаптева Юрия Павловича? — подъезжая к поселку Квартальному, в котором проживал сей субъект, спрашивала я клиента.

— Я уже, кажется, сказал, что нет, — раздраженно ответил Анатолий Степанович. — У меня хорошая память на имена и фамилии, я не могу ошибиться.

— Ладно, — отступила я. — В конце концов, он может быть всего лишь сообщником похитителя. С вашим сыном, а тем более с вами, незнакомым.

Оставив в покое Зубченко, я переключилась на созерцание мелькающих мимо окрестностей. Поселок Квартальный, расположенный в самой дальней части городка, напоминал большую деревню. Маленькие деревянные домишки были обнесены серыми, покосившимися заборами. Почти к каждому примыкал земельный участок, у кого-то засаженный плодовыми деревьями, у кого-то заросший травой и заваленный различным строительным мусором или иным хламом. Асфальт в поселке хоть и был, но его, видно, укладывали еще в прошлом веке, так что теперь от былой дороги остались лишь редкие лепешкообразные асфальтовые кочки на грязной, местами посыпанной щебенкой поверхности.

Машин и людей наблюдалось не много. Лишь кое-где на лавочках мелькали греющиеся на солнышке старушки да бегала играющая ребятня. Средняя возрастная прослойка отсутствовала. Я даже решила для себя, что здесь все наверняка друг друга знают в лицо, как в настоящей деревне. А потому, дабы не тратить времени на поиски нужного дома, притормозила возле первого же встречного мужика. Тот прогуливал свою ободранную болонку.

— Здравствуйте! Скажите, вы случайно не знаете, где проживает Лаптев Юрий Павлович? — поинтересовалась я у обладателя замызганной, но симпатичной псины.

— Лаптев? Как же не знать, знаю, — закивал прохожий. — Семейка-то еще та... У их дома постоянно милицейские машины дежурят. То обокрали кого, то залезли куда. Ни дня спокойно прожить не могут. А дом-то их вон, прямо напротив того кривого дуба.

— Спасибо, — поблагодарила я мужчину и прибавила газу.

Пару минут спустя мы были у нужного нам дома. Постройка оказалась весьма колоритной: самый настоящий сарай с покосившейся крышей, почти полностью отсутствующим забором и грязными окнами, завешанными какими-то тряпками. Как люди живут в таких условиях? И что это вообще за люди... Может быть, дом заброшенный?

Пара стираных штанов, развевающихся на веревке в одном ритме с порывами ветра, указывала на то, что в доме все-таки кто-то обитает.

Мы вышли из машины. Я повернулась к Зубченко и произнесла:

— Не лучше ли вам остаться в машине? Мне будет сложно следить и за вами, и за теми, кто окажется дома. Подозреваю, что эти субъекты из отчаянных, могут и пальнуть, если есть из чего.

— Нет, я пойду с вами, — уверенно возразил Анатолий Степанович. — Если они и впрямь так жестоки, вам может понадобиться моя помощь.

— Ну да, как же, — усмехнулась я негромко, но возражать больше не стала.

Мы двинулись во двор. Повалившаяся на землю калитка скрипнула треснувшей штакетиной под ногами. Дальше последовала хорошо протоптанная, забросанная окурками тропинка, огибающая несколько бочек с застоявшейся водой и упирающаяся прямиком в дверь. Дверь была не заперта. Она скрипнула и распахнулась, открывая взору все безобразие, творящееся в доме. Глубоко вздохнув, я перешагнула через порог. Мой взгляд тут же упал на груду пустых бутылок из-под водки, сваленных в углу.

— Целая батарея, — обреченно проговорил Зубченко и опасливо покосился на следующую дверь. — Надеюсь, они не слишком пьяные?

— Можете не надеяться, — преспокойно заметила я, продвигаясь дальше. — В таких домах запои затяжные и длительные, а просветление наступает крайне, крайне редко, когда кошелек пуст и никто из соседей уже не дает взаймы «до зарплаты». Да и то это не просвет, а так, временный возврат в реальность.

— Может, позвонить в милицию, — шепотом предложил Зубченко.

— И что мы им скажем? Что у нас есть подозрение, будто жители этого... вертепа похитили человека? Так? Ну менты дом обыщут, никого, конечно же, не найдут. А пьяных что взять, если они лыка не вяжут? Нет уж, все эти процедуры мы и без их участия выполним. Главное только, чтобы численность обитателей хижины не превышала десяти человек. С большим количеством, боюсь, мне не справиться... Ну, с богом!

Набрав в легкие побольше воздуха, я рывком отворила следующую дверь и прошла вперед. Первое, что предстало моему взору в комнате, — жирная свинья, преспокойно разгуливающая по хате, словно это ее собственное жилье и мы просто ошиблись адресом. Увидев меня, толстушка равнодушно хрюкнула. Откуда-то донеслось ответное похрюкивание. Вероятно, это откликнулись на материнский зов невидимые пока поросята.

«Что делает свинья в доме? Неужели для нее нет какого-нибудь сарая? — сами собой возникали в голове вопросы. — Допустим, нет. Так можно было выпустить гулять во двор... Если только свинья не ворованная. А что, тот мужик ведь говорил, будто семейка совершенно неблагополучная, так что вполне может случиться и такое...»

Внезапно в комнате раздался хриплый голос. Определенно, человеческий...

— Че надо?

Я вздрогнула. Взгляд мой заметался по серым, заросшим паутиной стенам в поисках присутствия обладателя замогильного голоса. В комнате, кроме свиньи, явно находился представитель рода человеческого. Но, как ни старалась, разглядеть его я не могла.

— Че приперлись, спрашиваю? — снова послышался голос, и только теперь я увидела его обладателя — валяющегося прямо на полу то ли мужика, то ли парня с классически вспухшим красным носом.

Он был в чем-то с ног до головы перемазан, одет в черные спецовочные штаны и бесформенную куртку. Силуэт его почти полностью сливался с окружающим «ландшафтом», именно поэтому я его сразу и не заметила. — Ну че смотришь? Штаны, что ли, мои нравятся? Снять? — Мужик, обладающий утонченным чувством юмора, хихикнул. — Так это я запросто, — он предпринял попытку расстегнуть ширинку, но тут, видимо, заметил за моей спиной Зубченко. — А этому чего? Я педиков не обслуживаю!

— Вы Лаптев Юрий Павлович? — стараясь держаться как можно строже, спросила я.

Мужик не ответил, но как-то ехидно ухмыльнулся. Из соседней комнатенки вывалились еще двое, причем оба едва стояли на ногах. Один где-то уже обзавелся красочным сине-фиолетовым фингалом и потерял первые три зуба, другой от постоянных запоев отек до такой степени, что стал походить на раздувшийся мешок с узкими прорезями для глаз. При огромном животе у него были по-обезьяньи длинные ручищи. Сейчас обе эти карикатуры пялились на нас, замерев в дверном проеме и забыв, видимо, об изначальной цели своего путешествия по «квартире».

— Лаптев, тут тебя дама видеть хочет, — икнув, сообщил лежащий на полу.

— Да-а? — удивленно протянул тот, что с фингалом.

Я едва успела открыть рот, дабы пояснить парню, что конкретно нас сюда привело, как меня сильно толкнули в спину. Я пролетела несколько шагов вперед, и из-за моей спины вынырнул обидчик. Им оказался Зубченко. Вся степень серьезности намерений отражалась у него на лице. Подскочив почти вплотную к парню с фингалом, он отчаянно завопил:

— Я тебя урою, сукин ты сын! Где мой Егор?

Разъяренный Зубченко с разгону двинул беззубому в живот коленом. Тот упал, успев прихватить с собой нападавшего, и теперь оба принялись кататься по полу, стараясь одолеть друг друга.

Я, как и полагается телохранителю, кинулась на помощь своему клиенту, но тут мне наперерез подался дружок Лаптева. Несмотря на невменяемое состояние, ему удалось, схватив стоящую у стены швабру, больно двинуть меня прямо по ребрам. Я зарычала от боли и страшно разозлилась. Во мне прямо вскипела ярость. Мгновенно забыв про Зубченко, я ловко изогнулась и «железным» кулаком вложила немного ума в больную голову алкоголика. Мужик отлетел, впечатался хребтом в стену а затем, отпружинив от опоры, снова ринулся на меня.

Я вновь двинула ногой. Швабра переломилась пополам. Мужик отбросил одну ее часть в сторону, а другой замахал так, словно перед его носом маячила стая разъяренных ос.

Активности в нем было хоть отбавляй, а потому мне не всегда удавалось уворачиваться и выставлять блоки. Несколько раз нещадная деревяшка все же прошлась по моим плечам. В этот момент с пола поднялся третий парнишка. Вид у него был весьма воинственный.

Желая поскорее закончить поднадоевшую свалку, я резко отскочила в сторону, схватила в охапку спешащего на подмогу и буквально подставила его под шквал ударов, что сыпался на мои плечи и голову. Не сразу сообразив, что бьет вовсе не меня, а своего же товарища, длиннорукий лишь через пару минут перестал махать обломком. Но опоздал — «доброволец» успел прекрасно справиться с поставленной перед ним задачей, избавив меня от лишних хлопот.

— Ах ты тварь, — почтил он меня изысканным обращением, сообразив наконец, что происходит. — Да я тебя щас...

Но дело было сделано. «Невинно пострадавший», порядком потрепанный, утирал хлынувшую из его носа кровь. Я небрежно отшвырнула его в сторону и, не медля ни секунды, принялась орудовать кулаками с немыслимой скоростью. По крайней мере, именно так показалось бедолаге, ошарашенно взирающему на меня и не успевающему шевельнуть ни рукой, ни ногой. В эти минуты он напоминал битейную грушу, пошатывающуюся после каждого удара и отлетевшую на максимальное расстояние после самого последнего, сокрушающего.

Расправившись со своими врагами, я обернулась туда, где, катаясь по полу, пыхтели Лаптев и Зубченко.

— Идиот, — негромко буркнула я себе под нос, видя, как неумело Анатолий Степанович лупит парня по ребрам. Будь тот хотя бы немного потрезвее, уже давно размазал бы Зубченко по стене.

Понимая, что необходимо вмешаться, я кинулась на выручку к своему клиенту.

— Что вы делаете? Немедленно прекратите! — отпихнув мужчину в сторону, теперь уже громко прокричала я. — Сейчас же!

Мне пришлось закрыть Зубченко своим телом, выставив вперед блок. Отбив очередной удар пьянчуги и не оборачиваясь назад, я вовсю орудовала кулаками, стараясь утихомирить разошедшегося драчуна. Вскоре выяснилось, что Зубченко и не подумал меня слушаться. Он снова полез в драку, норовя отпихнуть меня, чтобы самостоятельно разобраться с предполагаемым обидчиком своего сына. Все это потихоньку начинало меня бесить, тем более что я заметила, как один из нейтрализованных ранее ребят начинает приходить в себя, а значит, вскоре присоединится к нашей милой «беседе».

Другой же и вовсе выскочил из дома и понесся прочь, оглашая окрестности дикими воплями. Пришлось предпринять экстренные меры: несильно пихнув локтем своего заказчика, я отшвырнула его в сторону и, быстро развернувшись, двинула носком ботинка по и без того уже подпорченной физиономии Лаптева. Последний зашатался на месте, замахал руками в поисках опоры, но, так и не найдя ее вовремя, рухнул на пол, подмяв под себя своего собутыльника. Того самого, что начал было возвращаться к жизни и уже сыпал «комплиментами» в наш адрес.

Не колеблясь ни минуты, я схватила Анатолия Степановича под руку и поволокла прочь. Тот возмущенно заворчал, попытался отпихнуться, но я гневно на него прикрикнула:

— Бегом! Марш к машине!

— Оставьте меня!!! Я должен...

Я остановилась и, развернув мужчину к себе лицом, по возможности спокойно произнесла:

— Вы разве не заметили, что один парнишка убежал? Полагаю, вскоре он вернется, прихватив с собой пару-тройку отчаянных молодцев. Знаете, мне что-то не хочется быть насаженной на кол. Так что лучше нам уйти подобру-поздорову...

В доме послышался шум. Судя по всему, поверженные начали приходить в себя и теперь готовились кинуться за нами следом.

— Где топор? — громко завопил один из них. — Я этих сволочей на куски порублю... Вован, чмо ты недобитое, ты куда смотрел, когда их сюда пер?

— Ты че, офонарел? Да я их вообще знать не знаю и

вижу первый раз! — отозвался упомянутый. — Мать ее... эта сучка мне руку вывихнула...

— Уходим, — повторила я еще раз и, потянув Анатолия Степановича за собой, подалась к двери.

— Я не уйду, пока не разберусь с этими подонками!

Зубченко вырвался из моих рук и метнулся обратно в хату. Ему навстречу выскочил длиннорукий с топором в руках.

Я судорожно сглотнула, торопливо схватилась за ручку распахнутой двери и со всей силы дернула ее назад. Дверь соприкоснулась со лбом мужика, тот завопил. Что-то с грохотом упало... Я тряхнула Зубченко за плечо и развернула к выходу, не желая слушать никаких возражений.

* * *

Как только мы оказались на улице недалеко от машины и перевели дыхание от быстрого бега я, как сараннача, налетела на Анатолия Степановича:

— Что вы натворили? Вы же все испортили! Зачем на Лаптева кинулись?.. Разве не видели, что их много и все пьяны?

— Я не смог сдержаться. Как только представил, что эти подонки могли сделать с моим сыном, у меня перед глазами все поплыло. А вы... вы должны были мне помочь разделаться с этими негодяями, а не вытаскивать меня оттуда! Нам нужно вернуться! Сейчас же! Я не покину этого дома до тех пор, пока они не вернут мне Егора! — Зубченко был полон решимости.

— Вашего сына здесь нет! — резко схватив мужчину за руку в тот самый момент, когда он направился назад, уверенно заявила я. — И быть не может!

— Вы не знаете! Мы же даже ничего там не осмотрели!

— А вы разве так этого не поняли? Эти парни не полные идиоты, чтобы прятать похищенного человека там, куда в любой момент могут заглянуть работники милиции! Или вы думаете, что какие-то пьяницы могли организовать продуманное похищение? Вы хоть понимаете, насколько нелепо такое предположение?

— И не нужно на меня кричать, я все понимаю. Но они похитили моего ребенка, и я намерен...

Но деликатничать я уже была не способна. Зубченко довел меня до точки кипения.

— Они его не похищали! Они вас знать не знают, да и сотовый телефон вряд ли есть хоть у одного из них! В этом убогом доме таких вещей не держат. Конечно, алкоголики могли украсть у кого-нибудь трубку. Вполне возможно, неоднократно этим и промышляли, продавая потом за бутылку. Но вот подключаться, оформлять sim-карту... Никогда в жизни они бы так делать не стали!

Настырный Зубченко продолжал сопротивляться:

— Вы не можете этого знать наверняка!

— Нет, могу! Поверьте, у меня есть кое-какой опыт в делах подобного рода... И вообще, здесь даже опыт ни при чем, здесь нужен элементарный здравый смысл! В данный момент в ваших словах он полностью отсутствует. Если же рассуждать логически, ситуация становится абсолютно ясной. Настоящие преступники просто оформили телефон на третье лицо... То самое лицо, которое вы сейчас так нещадно разрисовывали. Заказчики могли ему за это даже заплатить — и дело в шляпе... — Я устало вздохнула и чуть тише продолжила: — В осторожности им не откажешь. Вы еще не поняли, что преступники все время используют случайных людей, каких-нибудь алкашей, которые их наутро даже не вспомнят? Возьмите, к примеру, вчерашний случай с покушением. Или сегодняшнюю нашу «экскурсию»... Нет, наши противники — люди грамотные и очень умные, а не какие-то там деградирующие ублюдки. Они точно знают, чего хотят. Они знают, как этого добиться...

Анатолий Степанович насупился, видимо, начав осознавать, что правда на моей стороне. Однако идти на попятную ему определенно не хотелось.

— Ладно, пусть Лаптеву заплатили за использование паспорта. Тогда этот парень должен был их видеть. А значит, способен их описать...

— Вполне, — согласилась я. — До того момента, когда вы на него набросились. Теперь он вам и под дулом пистолета ничего не скажет.

— Подождите-ка, — спохватился вдруг Зубченко. — А ведь

у вас же есть пистолет! Я видел, как вы убирали его в барда-чок своей машины. Мы можем попробовать...

— Свернуть себе шею, — закончила я за него без особого оптимизма. — Вы что, рассчитываете беспрепятственно размахивать оружием перед этими пьяными рожами? Неужели вам не понятно: сейчас ублюдки находятся как раз в таком состоянии, что, явись к ним хоть сам дьявол из преисподней, они вряд ли его испугаются. Да для них мой пистолет покажется обычной игрушкой, а делать предупреждающие выстрелы я не намерена. Не дай бог, еще кого-нибудь раню...

— Но что-то же мы обязаны предпринять! Мы не можем уехать отсюда, так ничего и не выяснив.

— Мы выяснили...

— Что?

— Что ищем не там и не так.

— Я вас не понимаю, — закачал головой Анатолий Степанович. — Объясните.

— Сначала мне нужно еще раз все обдумать. Возникло подозрение, что против вас действует не одна группа, а целых две.

— Издеваетесь? — Зубченко замер напротив меня, упе-рев руки в бока и глядя так, будто я сморозила немыслимую глупость.

— Ничуть. Посудите сами: преступники похитили у вас сына и ждут выкупа... Им совсем ни к чему отвлекать вас сейчас от сбора денежек и ввергать в ненужную заботу о собственном здоровье. Я бы еще поняла, если бы они продолжили покушения после того, как получили запрошенную сумму. Это было бы объяснимо. Но заставлять вас вздрагивать от страха за свою жизнь — как-то не логично. Следовательно, покушениями заведует кто-то другой, и ребятки между собой никак не пересекаются.

Зубченко в ответ рассмеялся мне в лицо:

— Мне кажется, вы насмотрелись американских блок-бастеров! В обычной жизни такого не бывает, чтобы на одного человека начинали охоту сразу несколько врагов, причем день в день. Возможно, вы правы, предположив, что наши противники — профессионалы. Но я не считаю, что покушения на мою жизнь не вписываются в их планы.

Ведь, по сути дела, целью этих нападений является запугивание. Вы не находите, что это весьма эффективный метод подстегнуть человека к более активным действиям? Я имею в виду сбор денег... Поймите, Евгения, преступники просто стараются показать, что с ними шутки плохи, что они пойдут на осуществление своих угроз, если не выполнить их указаний. Вот и все.

Я возразила:

— Тогда они должны были все время следить за вами, а слежки пока незаметно.

— Это потому, что бандиты и без того знают, где я чаще всего бываю. Они еще ни разу не нападали где-то далеко от дома или моего места работы.

Сказав это, Зубченко замер в задумчивости. Я тоже остановилась, не зная, как действовать дальше. Одно было ясно наверняка: вернуться назад в дом Лаптева мы уже не можем, да это и не имеет никакого смысла — вряд ли парень вспомнит и сумеет описать тех, кто воспользовался его паспортом для регистрации сотового номера. Или он вообще свой паспорт давно потерял, а те шантажисты нашли и использовали по назначению...

— Давайте, наверное, вернемся домой, — выдержав недолгую паузу, предложила я. — Нам обоим нужно успокоиться и еще раз все тщательно обдумать. Времени осталось мало, так что все же придется где-то искать деньги...

— Эх, была бы у меня машинка, штампующая левую «зелень», даже проблема бы эта не стояла, — разочарованно вздохнул заказчик. Затем как-то странно посмотрел на меня и спросил: — А у вас случаем нет еще какого-нибудь полезного знакомого, способного помочь в этом деле?

— Если бы был, я давно бы уже стала миллионершей. К сожалению, нет.

Анатолий Степанович тяжко вздохнул и вяло поплелся по направлению к машине. Я засеменила следом. В эту минуту из дома Лаптева как раз выскочили двое и ринулись за нами вдогонку. Ускорив шаг, мы буквально запрыгнули каждый на свое место. Я завела мотор и, развернув машину и забрызгав домчавшихся до моего «Фольксвагена» алкоголиков дорожной грязью, помчалась прочь.

Увы, день прошел впустую, и ничего толкового нам так

и не удалось узнать. Оставались еще сутки, но и они, я знала наверняка, пролетят так же молниеносно и бездарно, как и прошедшие. Срочно нужно было что-то предпринимать. Но что именно, я пока себе даже не представляла.

* * *

Когда мы добрались до дома Зубченко, на улице уже стемнело. Помня, что на моего клиента обычно нападали либо возле дома, либо у офиса, я принялась сосредоточенно осматриваться по сторонам. Дворик был фактически пуст, лишь небольшая толпа тинейджеров ютилась на лавочке неподалеку, над чем-то весело хихикая. Среди них могли быть и те, кому в очередной раз «заказали» Анатолия Степановича...

— Старайтесь держаться поближе, — предупредила я Зубченко. — Хватит с нас на сегодня приключений.

Мужчина кивнул и, дождавшись, пока я закрою машину, пошел следом. Расстояние от места парковки автомобиля до подъезда мы преодолели без особых проблем. Осталось сделать пару шагов, чтобы оказаться в доме, но в эту минуту откуда-то с правой стороны раздался голос:

— Эй, дядя, дай прикурить.

Я обернулась на голос и увидела совсем юного парнишку. Он стоял в тени, поэтому четко рассмотреть его лицо было трудно. «Справиться с таким не составит особых проблем, хотя вряд ли малец отважится на активные разбойные действия», — решила я.

— Рано тебе еще курить. Вали отсюда.

Мальчишка только усмехнулся в ответ и швырнул нам под ноги какую-то штуковину. Что это было, я не успела рассмотреть, но догадалась сразу же. В следующую секунду во все стороны повалил какой-то удушливый, едкий дым, а сама штуковина зашипела, как готовящийся к взрыву газовый баллон. И я, и Анатолий Степанович закашлялись.

— Быстро в подъезд! — скомандовала я, опасаясь, что в дыму на нас беспрепятственно нападут.

Зубченко рванулся было вперед, но тут же попятился назад и отрицательно замотал головой:

— Не могу, там нечем дышать.

Я оглянулась назад. Недавняя компания молодежи направилась в нашу сторону, о чем-то переговариваясь. Их было человек десять. Даже с моими способностями одолеть такое количество нападающих мне не под силу. К тому же рисковать жизнью клиента совершенно не хотелось...

— Нужно пройти! Задерживайте дыхание, зажимайте нос и двигайтесь к двери. Ну же...

— Не могу... кхе-кхе, я ничего не вижу, — закашлявшись, отозвался Анатолий Степанович. — Режет глаза.

Поняв, что придется прорываться первой, я попыталась на ощупь отыскать его руку.

Наконец мне удалось это сделать. Зубченко крепко ухватился за меня, а я со всех ног метнулась к подъездной двери. Едкий газ заполнял легкие, заставлял слезиться глаза. Ноги и руки становились какими-то ватными, не желая больше подчиняться командам мозга. Я настойчиво продвигалась вперед, даже не представляя своего маршрута. Зубченко спотыкался и то и дело тянул меня обратно, но я не давала ему возможности дать задний ход.

Наконец моя рука, вытянутая вперед, на что-то наткнулась. Я пошарила ею по твердой поверхности и, нащупав кодовый замок двери, облегченно надавила пальцами три заветные кнопки в правом нижнем углу. Замок щелкнул, дверь открылась...

Из последних сил вломившись в подъезд, я затащила за собой Зубченко и захлопнула дверь.

Теперь мы оба закашлялись, пытаясь освободить легкие от заполнившего их газа.

— Нужно срочно подняться в квартиру, — скомандовала я и вызвала лифт.

Лифт прибыл сразу, двери распахнулись, и мы с Зубченко буквально через силу ввалились в него. Я нажала на кнопку нужного этажа, двери закрылись, и кабина лифта заскользила вверх. Анатолий Степанович почему-то закачался, словно у него под ногами поплыла почва, а затем с грохотом рухнул вниз. Поняв, что причина обморока — яд, попавший в организм через дыхательные пути, я постаралась успокоиться и не думать о том, что через пару секунд со мной может случиться то же самое. Чувствовалось, что и мой организм ослабевает и я перестаю себя контролировать. Держась из последних сил, присела рядом с Анатолием Степановичем и обхватила его за плечи. Как только лифт остановился и двери раскрылись, я принялась вытаскивать бесчувственное тело клиента на площадку.

Зубченко оказался довольно тяжелым. Будь я в норме, мне бы, наверное, удалось дотащить его до квартиры, но в данной ситуации это представлялось невозможным... Поняв, что одной мне не справиться, я бросила Анатолия Степановича лежащим наполовину в кабине лифта, наполовину на бетонном полу приквартирной площадки. Требовательно нажав на кнопку звонка, едва уже не теряя сознание, я ждала, когда же откроют дверь. Через пару секунд с той стороны что-то зашебуршало, лязгнули задвижки... Моя рука упала вниз, не в силах удерживаться на весу... Перед глазами все поплыло, очертания предметов стали мутными, мысли медленно растворялись и рассыпались красноватыми искрами. Я медленно сползла на пол, и в сознании наступила полная темнота.

* * *

Сколько времени прошло с тех пор, как потеряла сознание, мне было неизвестно. Первое, что я увидела над собой, открыв глаза, — чье-то омерзительное, заплывшее старческое лицо. Волосы, напоминающие паклю, низко свисали на лоб, пряча пронзительный взгляд. Я едва не закричала, испытав от подобного зрелища настоящий шок. Неприятное лицо склонилось надо мной еще ниже, обдавая меня отвратительным запахом чеснока и лука, исходящего из старческого рта.

— Ну вот, видите, ей уже лучше, — увидев, как я вздрогнула, прошепелявил гнусный тип. — Думаю, через пару минут совсем оживет.

— Большое вам спасибо, Юрий Владимирович, — заговорила где-то рядом жена Анатолия Степановича. — Если бы не вы, не знаю, что бы я делала. Пока эта «Скорая» прибудет... человек может сто раз умереть!

Я попыталась приподнять голову от подушки.

— Лежите, лежите, — напористо вернул меня на место

мой странный и неприятный на вид спаситель. — Вам нужно собраться с силами, а встать... всегда успеете.

— Где Анатолий Степанович? — потихоньку вспоминая, что произошло, с трудом выдавила из себя я. Мои губы и рот пересохли.

— В соседней комнате, и ему тоже уже значительно лучше, — поведала Любаша. — Что с вами произошло? Я открыла дверь и чуть сама не упала в обморок! Представьте себе картину: мой муж лежит на полу, наполовину в кабине лифта, вы тоже валяетесь на полу без чувств, не подавая признаков жизни... Я думала, вас убили, кинулась поднимать... Спасибо нашему соседу, определил, что вы живы, просто без сознания... Он меня слегка успокоил, помог перенести вас в дом, сбегал в аптеку за нашатырным спиртом...

— А почему вы не вызвали «Скорую»? — поинтересовалась я у Любаши.

— Да я так испугалась, так переполошилась, что про «Скорую» даже и не подумала сразу... Пока вас заносили, пока в чувство приводили... А потом, знаете, Юрий Владимирович немного разбирается в симптомах разных болезней. Он сказал, что с вами ничего серьезного...

— Да уж, ничего, — усмехнулась я через силу. — Нас всего лишь траванули какой-то гадостью, как колорадских жуков.

— Хорошо хоть, что все это случилось поблизости от дома, а не где-то еще... — сокрушенно покачала головой женщина. Затем вздохнула и вновь зачастила: — Я так за вас переживала, так волновалась! Как назло, никто не звонил, никаких известий от Егора...

Она на некоторое время замолчала, видимо, пытаясь справиться с волнением и выступившими на глазах слезами, потом поинтересовалась:

— Да, кстати, а откуда у моего мужа кровоподтеки?

— Участвовал в драке, — коротко ответила я. Вдаваться в подробности не хотелось, да и лишний раз ворочать языком, честно говоря, тоже. — Сам набросился на подозреваемого, к которому мы поехали, ну и схлопотал... Я его с превеликим трудом от той пьяной компании отбила, чудом ноги унесли.

Мой короткий рассказ сильно удивил супругу Зубченко. Она высоко приподняла брови и медленно проговорила:

— Странно... Толик никогда не отличался агрессивнос-
тью, на него это так не похоже...

Я слабо усмехнулась в ответ:

— Да уж, я и сама от него такого не ожидала. Но лучше
бы уж он себе не изменял, продолжая оставаться сдержан-
ным...

Любаша нахмурилась, видимо, посчитав мое замечание
оскорбительным.

— Ладно, не обижайтесь, я это не со зла... Просто он
действительно малость переборщил. Даже я, имея навыки
борьбы, никогда необдуманно не вступаю в драку, а уж
ему-то, при его бумажной работе, от дел рукопашных
нужно держаться подальше. Кстати, который час?

— Начало первого, — не глядя на часы, ответила мне
женщина.

— Самое время отдохнуть, — зевнув, произнесла я, — а
утром, на свежую голову, попробуем что-то придумать.

Любаша кивнула и направилась к двери, за которой
пару минут назад незаметно исчез сосед. Обернувшись на
пороге, она добавила:

— Отдыхайте. Я пойду провожу Юрия Владимировича.
Нехорошо оставлять человека без благодарности, он нам
так помог.

— Люба! — окликнула я Зубченко, когда та уже вышла
из комнаты. — Вы случайно не догадались проверить почту?

— Нет, а что?

— Если не сложно, сделайте это сами или попросите
своего соседа. Возможно, похитители прислали еще одно
письмо с требованиями или угрозами....

Женщина кивнула и вышла из комнаты. Я закрыла
глаза и попыталась расслабиться и даже вздремнуть. Но
сон, как назло, не шел, и я решила проанализировать последние события,

«Итак, что мы имеем? Сын клиента похищен, и похитители неизвестны. Кто-то шантажирует Зубченко и одновременно устраивает на него различного рода нападения.
Знать бы, одних ли рук это дело... Тогда было бы проще
отыскать смекалистых ребят. Предположим, что похитите-

лями являются недруги Анатолия Степановича. Им наверняка известно о его достатке, потому они и похитили сынка, рассчитывая на богатый выкуп. Но тогда к чему устраивать покушения? Чтобы припугнуть, отравить жизнь...

Малоубедительно! А если предположить, что покушения на моего клиента и похищение его сына организованы людьми, не имеющими никакого отношения к Зубченко-старшему? К примеру, в роли похитителей выступают люди, хорошо знающие Егора. Возможно даже, кто-то из его приятелей... Они отлично знали все и о самом Егоре, и о его отце, знали и номер рабочего телефона, по которому можно было позвонить Зубченко-младшему, назвавшись представителями фирмы, заинтересованной в сотрудничестве с банком. Преступникам не составило бы труда вызвать молодого человека на встречу, а затем похитить. Кстати, прежние нападения на Зубченко-старшего могли понадобиться для нагнетания обстановки, дабы заставить мужчину подчиняться их требованиям беспрекословно, не обращаться в милицию... Иначе говоря, преступники его просто запугивали, подготавливая почву для дальнейших действий».

Эта версия выглядела более правдоподобной...

И если все действительно так, остается только придумать, как вычислить этих ребят.

Внезапно из коридора донесся вопль жены Зубченко:

— О боже... Женя, Толя!!

Я поспешно приняла вертикальное положение, собираясь вскочить с кровати, но позабыла о своем состоянии. Перед глазами замелькали черно-фиолетовые сферы... Пришлось немного подождать и далее действовать более осторожно. Придерживаясь руками за стену, я потихоньку выбралась в коридор.

Там Анатолий Степанович в наспех наброшенном халате и его жена уже что-то читали, склонившись над листком бумаги. Мне не составило труда догадаться, что это очередное письмо от похитителей.

— Что пишут? — почти равнодушно спросила я.

— Напоминают, что времени у нас осталось мало и что если мы не соберем нужной суммы к сроку, то больше Егора не увидим, — уныло сообщил Зубченко. — Теперь они требуют перевести деньги на счета трех разных фирм и предупреждают, что, если эти фирмы вдруг начнет кто-то проверять, никакого обмена не состоится и Егора убьют... Если же мы все сделаем именно так, как они требуют, Егора пришлют домой на поезде чем через восемь часов после того, как деньги окажутся у них... Думаете, блефуют?..

— Я уже даже не знаю, что и думать, — честно ответила я. — Единственное, что сразу бросается в глаза, так это их наглость. Ребятки ведут себя слишком уж бесцеремонно... Похоже, что они ничего не боятся и абсолютно уверены в безнаказанности. Их нахрапистость существенно осложняет дело...

— Может, все же обратиться за помощью в милицию? — задумчиво предложил Зубченко.

— Нет, ни в коем случае! — встрепенувшись, зачастила Любаша. — Ты что, хочешь, чтобы Егора убили? Нет, не позволю... Мы должны собрать необходимую сумму! Снимем все, что осталось на счету, займем... Только не в милицию, прошу тебя, Толя!

— А если мы не соберем всей суммы? — засомневался Зубченко. — Или они запросят еще, так и не отпустив Егора... Кто может гарантировать, что они выполнят свои обещания, что их требования на этом прекратятся? Если бы они хоть позвонили, мы бы могли все обговорить... Но они ведь даже не звонят!

— Постойте-ка! Где конверт, в котором пришло письмо? — спросила я, кое о чем подумав. — Кто прикасался к нему руками?

— Наш сосед и я, — непонимающе произнесла Любаша. — А что?

— Появилась одна мысль. Думаю свозить конверт на экспертизу, вдруг на нем имеются отпечатки пальцев...

— Да их там море, — взмахнул руками Зубченко. — Конверт продавался в киоске — значит, к нему прикасался киоскер. Из почтового ящика доставал сосед — значит, на нем есть отпечатки пальцев соседа...

Я не дала Зубченко возможности закончить перечисления.

— А на внутренней стороне? Ведь, когда письмо вкладывали, преступники касались внутренней поверхности конверта. Мне кажется, идея стоящая. Вдруг кто-то из похитителей имеет судимость? Тогда... поиски упростятся.

— А если нет? — Анатолий Степанович пристально посмотрел на меня.

— Нет — значит, нет! Но проверить-то не помешает... Или у вас есть какие-то другие соображения по поводу дальнейших действий?

По комнате пронесся вздох разочарования. Затем Анатолий Степанович расправил полы халата, сел в кресло, выдержал паузу и произнес:

— Наверное, вы правы, хвататься следует за любую ниточку. Кто знает, какая из них приведет к выходу из этого загадочного и запутанного лабиринта. Вы отвезете письмо на экспертизу, а я тем временем займусь сбором денег.

— Что значит — я отвезу? — удивилась я.

Зубченко поднял на меня глаза. Пришлось объяснить ему причины своего недоумения:

— Неужели вы забыли о том, что с нами только что приключилось? Я ваш телохранитель и не должна допустить повторение чего-либо подобного. А значит, обязана постоянно находиться рядом с вами. Или вы — рядом со мной, как вам больше нравится...

У Зубченко нашлись возражения:

— Да, но в таком случае мы потратим уйму времени, тогда как, действуя по отдельности, могли бы...

— Я не оставлю вас одного, — упрямо повторила я.

— Ладно. В любом случае о результатах экспертизы наверняка можно будет узнать по телефону. Я прав?

Я кивнула.

— Вот и отлично. Значит, решено — завезем письмо, а затем займемся сбором денег. А пока... давайте все же попробуем отдохнуть. Завтра нам предстоит тяжелый денек!

Глава 5

— Женя, тормозите! — подпрыгнув на сиденье, выкрикнул Зубченко.

Я резко свернула к обочине и, надавив на тормоза, повернулась к заказчику:

— Что случилось, что-то забыли?

— Нет, но нам только что перебежала дорогу черная кошка...

— И всего-то? Не думала, что вы верите в приметы...

— Не верю, — согласился Зубченко, — но, когда в твоей жизни происходит такое, начнешь верить хоть в самого черта.

— Глупости все это, — вновь трогаясь с места, с усмешкой заметила я. — Самая страшная примета: если черный кот разобьет зеркало пустым ведром, быть апокалипсису! Но такое, как вы сами понимаете, просто нереально. Расслабьтесь, все будет хорошо.

— Вашими бы устами... — Анатолий Степанович вздохнул и повернулся к окну.

Я же сосредоточилась на дороге. Сейчас мы как раз направлялись к месту работы Зубченко, где тот хотел попросить у руководства в долг недостающие деньги.

Конверт на экспертизу мы уже доставили, а результаты следовало ожидать лишь к середине дня. Анатолий Степанович с самого утра пребывал в крайней степени возбуждения. Чувствовалось, что он взволнован и очень боится за сына.

Впереди показалось здание научно-исследовательского центра. Со всех сторон его окружал высокий забор с колючей проволокой. На въезде размещалась будка с охранником, проверяющим пропуска. Анатолий Степанович, едва мы стали приближаться, приготовил свой.

— Скорее всего, вам на территорию центра войти не позволят, так что придется подождать меня здесь, в машине, — предупредил он. — У нас тут с этим строго.

— Понятно, не бумажная же фабрика, в конце концов. Ладно, подожду. Только уж вы звоните, если что. Телефон-то у вас с собой?

Зубченко кивнул. Я остановила машину и заглушила двигатель. Анатолий Степанович не спеша вышел, как-то нерешительно потоптался на месте с пару минут, как будто собирался мне что-то сказать. Но, так ничего и не сказав, побрел к пропускному пункту. Я осталась сидеть в машине, дожидаясь его возращения.

Скучать мне пришлось недолго: спустя пятнадцать минут позвонила моя тетушка и с ходу выпалила:

— Женька, негодница, ты когда возьмешь себе за правило хоть раз в день звонить своей беспокоящейся родственнице? Я места себе не нахожу, не зная, где ты и жива ли вообще!

Я вздохнула в ответ:

— Давно пора привыкнуть, что у меня, как у кошки, восемь жизней.

— Все смеешься? — заворчала тетя Мила. — А я, между прочим, действительно за тебя волнуюсь!

— Ну и зря, у меня все нормально.

— Ну теперь-то я уже это поняла... Домой-то когда заглянешь?

— Не знаю, но не сегодня, это точно. У меня много дел. Ну ладно, завтра позвоню...

— Не забудь, ты обещала...

— Да позвоню, позвоню... — завздыхала я, отключая телефон.

Не успела я повесить трубку, как увидела выскочившего из ворот исследовательского центра Анатолия Степановича. По его виду я сразу догадалась: что-то произошло. Подскочив к машине, Зубченко запрыгнул на сиденье и, не переводя дыхания, выпалил:

— Быстро домой! Моей жене... только что кто-то плеснул в лицо серной кислотой!

— Что-о? — Я изумленно открыла рот.

— Женя, ну быстрей же! — торопил меня Анатолий Степанович. — Возвращаемся!

— Вы уверены? Мы же просили ее не покидать квартиру...

— Не знаю, я сам толком ничего не понял... Юрий Владимирович сказал, что ее только что увезли на «Скорой».

— Так об этом сообщил тот страшный черт, — само сорвалось с губ.

Зубченко осуждающе глянул на меня, а я предпочла воздержаться от дальнейших реплик и поскорее заняться делом: повернула ключ, завела машину и развернулась. А Анатолий Степанович принялся заламывать руки и болезненно чесаться, возмущенно бормоча себе под нос:

— Чертовы сукины дети! Найду — самолично на тот свет отправлю! Они у меня за все заплатят... Я им собственное правосудие учиню! Суд Линча, или как там это называется... Сволочи! Ублюдки недоношенные! Моего Егорку, мою Любушку...

Я слушала все это молча. По большому счету, я разделяла мнение клиента, а добавить к сказанному мне было нечего.

По дороге я, нарушив сумбурный поток его речи, поинтересовалась:

— А зачем домой-то нужно? Вы же сами сказали, что Любашу отвезли в больницу, так и нужно ехать туда...

— Я забыл спросить в какую, — развел руками Зубченко.

— Так перезвоните!

— Пробовал, никто трубку не снимает. Видимо, сосед куда-то вышел.

Я больше не стала ни о чем спрашивать. Въехав во двор, остановила машину и по примеру Зубченко быстро выпрыгнула из «Фольксвагена», поставила машину на сигнализацию и помчалась вслед за Анатолием Степановичем, успевшим уже добежать до подъездной двери. На площадке нас поджидал Юрий Владимирович. Опережая наши вопросы, он замямлил своими сморщенными губами:

— Увезли ее, увезли уже. Врач объяснил, что ничего серьезного: лицо почти не тронуто. Люба вовремя успела увернуться, так что больше всего ожогов пришлось на плечи и шею.

— Кто плеснул, она знает? — не подумав, спросила Зубченко у соседа.

— Вряд ли, — вздохнул тот. — Бедная женщина: в магазин за хлебом вышла, и вот какое дело... И кому это только понадобилось... Прямо напасть какая-то на вашу семью!

— И не говорите! Да, в какую больницу ее увезли?

— В нашу... Ту, что недалеко от площади. Как же она называется-то... — Старикан задумчиво поскреб сальную голову.

— Да, да, понял. Спасибо, Юрий Владимирович, я вам очень благодарен!

Анатолий Степанович кубарем скатился вниз. Мог бы позвать и меня, тем более что на своих двоих он до больницы добираться будет ох как долго. И все же я не обиделась, списав непочтительную забывчивость клиента на его взволнованное состояние. Воспользовавшись лифтом, спустилась вниз.

Когда я вышла на улицу, Зубченко уже раздраженно топтался у моего «Фольксвагена»:

— Женя, ну где вы запропастились? Едемте же быстрее...

— Зачем так торопиться? — Я не понимала смысла этой спешки. — Вам же объяснили, что с женой все в полном порядке. Сейчас ей, скорее всего, обрабатывают ожоги. И не факт, что вас к ней допустят. Я бы на вашем месте вспомнила про сына, которого может ожидать еще худшая участь, если вы не найдете денег.

— О господи! — Зубченко со всей дури пнул мою ни в чем не повинную машину по ободу колеса и схватился за голову. — Я скоро сойду с ума! Ну за что мне все это, Женя? За что?...

Я неопределенно развела руками.

— Вам должно быть понятнее...

— Издеваетесь?! Я никому ничего плохого не делал, чтобы надо мной вот так глумиться и буквально уничтожать всю мою семью! Да я в жизни мухи не обидел! Что делать? Что делать?...

— Ну так что там с деньгами? — напомнила я. — Вы придумали, где одолжить необходимую сумму или нет?

— Не успел... Я ждал, когда у руководства закончится совещание, а тут позвонил сосед... Ладно, давайте все же заглянем сначала в больницу, иначе я не смогу успокоиться, а потом вернемся ко мне на работу, — определился наконец Зубченко.

Я не стала спорить. Мы вновь загрузились в «Фольксваген» и направились в сторону ближайшей больницы.

* * *

— Жень, это Сиваков, — донесся из трубки знакомый голос.

— Да, Миша, я тебя слушаю!

— Твой клиент там как, раскошелиться еще немного может?

— А что? Что-то надыбал?

— Да есть информашка, — довольным голоском сообщил парнишка. Тут просто ваши бандюганы засветились... — Сиваков ядовито хихикнул. — Короче, я установил, кто является истинным владельцем трубки.

— Каким образом?

— Есть у меня один приятель, он в гарантийной мастерской работает, стационарные аппараты и мобильники ремонтирует. Я вчера вечером к нему заглянул, и в это время ему как раз позвонили по поводу починки аппарата. А телефон у него с определителем. Я случайно увидел, что номер высветился знакомый... Тот самый, который по вашей просьбе в компьютере искал. Клиент пожаловался, что труба вроде на гарантии еще, но аккумулятор слишком быстро садится... В общем, я попросил своего приятеля все данные с гарантийного талона мне по электронной почте отправить. Вот, только что получил и распечатал... Нужны данные-то?

— Еще спрашиваешь, — обрадованно протянула я.

— Так что, заслужил я свой гонорар или нет?

— Безусловно, заслужил, но... Сам понимаешь, нам нужно сначала проверить, насколько верна твоя информация, — хитро начала я.

— Думаешь, пургу сбрасывать стану? — догадался Сиваков. — Не-е. Ты клиент отменный, такими разбрасываться нельзя, глядишь, еще парочку калымов подбросишь. Не волнуйся, тебя не кину.

— Берусь поверить на слово. Ну, так что ты там выяснил?

— Записывай: хозяином трубки числится Вячин Альберт Сергеевич. Проживает в Октябрьском районе, улица Строителей, семь, квартира двадцать три. Ему тридцать два года, не женат, детей не имеет.

— А эти-то данные у тебя откуда? В гарантийном талоне вроде бы, кроме фамилии и имени-отчества, больше ничего не указывается?

— Обижаешь! — усмехнулся Мишка. — А на что, спрашивается, нужна электронная база данных паспортного стола? Там все и нашел... Правда, повезло, что фамилия не распространенная. Если бы какой-нибудь Иванов, трудновато пришлось бы...

— Спасибо. Ты нас очень выручил. Если все подтвердится, деньги привезу лично.

— О'кей! Я тебе верю, — откликнулся Михаил и сразу же отключился.

Я слегка улыбнулась. Мне было приятно работать с этим пареньком, от одной беседы с ним поднималось настроение. Люблю веселых и легких людей...

Еще раз глянув на сделанную запись, я вышла из машины и направилась в больницу, искать запропастившегося Зубченко. Теперь нужно было доложить ему обо всем и, не теряя времени, отправиться на поиски Вячина. Вдруг он и в самом деле окажется похитителем?

Анатолия Степановича я нашла на третьем этаже. Он нервно расхаживал по коридору, теребя в руке угол наброшенного на спину белого халата. Меня он даже не заметил, пребывая в задумчивости. Я подошла ближе и окликнула его.

— Ах, это вы, Женя, — устало вздохнул он, не переставая метаться у двери палаты. — Надоело сидеть в машине?

— Нет. Появились новости. Только что звонил Сиваков, тот компьютерный гений, к которому мы ездили. Он вычислил истинного владельца трубки, с которой тогда звонили.

Анатолий Степанович наконец остановился и поднял на меня глаза.

— Откуда он знает, что теперь не ошибся?...

— Он не знает, а потому мы с вами должны это проверить. Если вы, конечно, еще не передумали спасать своего сына.

— Конечно, не передумал! Что вы такое говорите!.. Но сейчас я не могу отсюда уйти, ведь у Любаши аллергия на половину медикаментов, а на какие, знает только ее лечащий врач. Но тот уехал куда-то отдыхать, и теперь... врачи не знают даже, что делать. Они взяли у жены какие-то анализы, ждут результатов. Меня даже в палату не пускают, говорят, у нее какие-то осложнения... Женечка, милая, поезжайте туда без меня, прошу вас, — вдруг принялся умолять меня Зубченко. — Я знаю, вы сами справитесь и сможете все выяснить, а я... я все равно буду вам только мешаться. Еще по глупости выкину что-нибудь и опять все испорчу. И потом, мне нужно еще занять денег.

Я не торопилась поддаваться на уговоры:

— Занять денег? То есть вы снова хотите отправиться в институт? Я не могу допустить, чтобы вы поехали без сопровождения. Вдруг на вас снова напалут — виновата буду я.

— Я туда не поеду! Я просто позвоню отсюда, из больницы, — быстро нашелся Анатолий Степанович. — И потом, тут меня вряд ли кто тронет... Вы уж поезжайте, прошу вас...

— Хорошо, я наведаюсь к этому пареньку, — немного подумав, ответила я. — Поговорю, а там будет видно, что делать дальше. А вы ждите меня здесь и никуда не выходите из больницы. Помните, вы обещали!

— Да, да, — активно закивал Зубченко. — Торопитесь... Может, вам все же удастся найти негодяев и спасти моего сына. Я не пожалею никаких денег, только бы он остался жив и здоров.

Я собралась было отправиться в путь, но тут вдруг сообразила, что мне известно имя подозреваемого и не мешало бы поинтересоваться у Анатолия Степановича, знает ли он этого парня.

— Вы случайно никогда не сталкивались с субъектом по фамилии Вячин?

Зубченко сдвинул брови в задумчивости, пару минут помолчал, а затем ответил:

— Сталкивался. Под моим началом когда-то работал паренек с такой фамилией, еще в то время, когда я трудился не в исследовательском центре, а на заводе по производству различных сплавов. Он тогда совсем еще молоденький был...

— Это случайно не Вячин Альберт Сергеевич? — прищурившись, уточнила я.

— Да, он, — слегка удивившись моей осведомленности, кивнул заказчик. — Его уволили, когда я уличил его в краже и махинациях по подмене готового товара. Мальчишка пытался перекинуть всю вину на меня. Мол, я начальник, и с моего согласия все и осуществлялось. Но мы быстро разобрались и уволили его.

— Что ж, в таком случае полагаю, что мы нашли вашего недоброжелателя. А вы еще утверждали, что таких не имеете.

— Вы думаете, это он?...

— Пока не знаю. Знаю только, что трубка, с которой звонили на ваш номер, оформлена именно на Вячина Альберта. Не совпадение же это! — Я слегка усмехнулась. — Я с самого начала была почти уверена в том, что вам кто-то за что-то мстит, да еще и пытается на вас нажиться.

— Да, но почему ответ за отца должны нести его близкие — сын, жена? — никак не мог поверить в услышанное Зубченко.

— Не знаю, но за родителей всегда в ответе дети. Так повелось исстари, и так происходит уже не один век. Мы не в силах этого изменить.

— Вячин... — Анатолий Степанович, казалось, выуживал из памяти воспоминания об этом парне, настолько сосредоточенным он выглядел. — Никогда бы не подумал, что он на такое способен! Одно дело — что-то украсть с завода. Что греха таить, многие люди этим промышляют. А в принципе он всегда казался мне приятным парнем. И за что мстит?... Неужели за то увольнение, которое было совершенно справедливым?

— Может, я, конечно, не права, но что-то подсказывает мне, что увольнение — не единственная причина, по которой парень вас преследует. Попробую выяснить все точнее.

— Д-да, да, — закивал Зубченко и, устало вздохнув, присел на подоконник.

Я не стала больше задерживаться. Наконец-то появилась возможность действовать, и это радовало: терпеть не могу бессмысленное сопровождение клиента от дома к работе, не сопряженное с какими-либо приключениями. Нет, я не сумасшедшая, которой нравится влипать в авантюры или все время ходить по лезвию ножа... Но согласитесь, когда вокруг кипит и бурлит — жить намного приятнее, чем когда все идет по накатанной, не преподнося никаких сюрпризов. В конце концов, вся наша жизнь — игра!

* * *

Попав в Октябрьский район, я очень быстро нашла улицу Строителей. Нужный дом оказался расположенным прямо у дороги, только вот попасть в него можно было лишь со стороны двора. Пришлось мне въехать во дворик. Там я остановила свой «Фольксваген» перед самым первым подъездом, не зная точно, где размещается двадцать третья квартира.

Я заглушила двигатель и вылезла из машины. Легкий, но пронизывающий насквозь холодный ветерок торопливо проскользнул под мою распахнутую курточку, заставив меня запахнуться. Не спеша заходить в подъезд, я направилась к лавочке, расположенной в тени двух старых деревьев и занятой двумя старушками и молоденькой, стильно одетой девушкой, держащей на поводке юного долматинца. Вся эта компания уже давно таращила на меня глаза, видимо, найдя в моем лице новый объект наблюдения.

Я подошла ближе и поздоровалась. Старушки тоже кивнули мне в ответ, а полнотелая девица лишь одарила высокомерным взглядом. Похоже, она была о себе очень высокого мнения, только вот меня это мало волновало.

— Скажите, пожалуйста, в каком подъезде следует искать двадцать третью квартиру?

— Во втором, — ответила старушка в фетровой шляпе и старом зеленом пальто. — А к кому надо-то? Это коммунальная квартира, там несколько жильцов.

— К Вячину Альберту Сергеевичу, — ответила я, надеясь, что та сразу поведает мне о парне много чего интересного. Но я просчиталась: бабка всего лишь протянула длинное «а-а-а» и замолчала, продолжая с любопытством меня рассматривать.

Я поняла, что вряд ли узнаю что-то еще, а потому поспешила ко второму подъезду. Там поднялась по лестнице, поскольку лифт в доме вообще не был предусмотрен, и остановилась у двустворчатой красной двери, поставленной еще, наверное, при царе Горохе. Дверь выглядела обшарпанной, из-под одного слоя краски проглядывал другой. Очевидно, проблема косметического ремонта заботила жителей двадцать третьей квартиры в самую последнюю очередь. Помня о том, что это коммуналка, я поискала глазами ряд звонков, но нашла всего один, со слегка обугленными проводами и, непонятно, функционирующий ли вообще. Не рискнув сразу им воспользоваться, постучала костяшками пальцев по самой двери. Результата это не дало, а потому, замерев в предчувствии электрического удара, я осторожно ткнула указательным пальцем в кнопку и... даже услышала, как звонок запиликал в глубине в квартиры. Я убрала палец и стала ждать. Сначала ничего не было слышно, затем зашаркали чьи-то шаги, потом что-то щелкнуло, и из слегка приоткрытой двери выглянула сухая, сморщенная, как изюм, старуха с пушистыми, торчащими в разные стороны волосами. Она одновременно напоминала одуванчик и старуху Шапокляк. Дама окинула меня скользким взглядом и неразборчиво буркнула:

— П-чта?

— Что? — переспросила я, слегка растерявшись.

— П-сьмо, — «пыская», повторила та, продолжая таращиться на меня своими выпуклыми зенками.

— А, нет, — с трудом уловив смысл сказанного, отрицательно замотала головой я. — Я к Вячину. Он дома? К нему можно пройти?

— Два раза звони, — буркнула в ответ старушенция и самым бесцеремонным образом захлопнула дверь прямо перед моим носом.

Я застыла в недоумении. Затем глубоко вздохнула и надавила на кнопку звонка два раза, как и велела старуха. Послышалась очередная трель. Я насторожилась, ожидая услышать еще чье-то шарканье. Ничего подобного не произошло — за дверью царствовала тишина. Я нажала кнопку еще раз, понадеявшись, что хозяин комнаты просто не услышал звонок. Но безрезультатно. Скорее всего, Вячина нет дома.

Хотя... чему тут удивляться! О том, что его не окажется на месте, я могла догадаться, и не приезжая сюда. Ведь если Вячин причастен к похищению Егора, то сейчас, скорее всего, пребывает там, где и сын Зубченко. Только вот где?

Я позвонила в дверь один раз, планируя снова вызвать Шапокляк и попробовать ее расспросить о соседе. Бабка на звонок откликнулась сразу — быстро распахнув дверь, она раздраженно выпалила мне прямо в лицо:

— Два расса! Я же сказала.

— Так ведь никто не отзывается, — торопливо ухватившись за край двери, чтобы не дать ее тут же закрыть, пожаловалась я.

— Значить, нету его! — Бабка попыталась закрыть дверь, но я просунула ногу в щель. Старуха расценила это по-своему, вновь забурчав: — Ждать тут не п-пщу. На улице жди.

— Вы не подскажете, где вашего соседа можно найти? — тягаясь со старухой в открывании-закрывании двери, спросила я.

— Нет.

— Но, может, вы все же знаете, куда он ушел и когда вернется?

— Не знаю я ничего, — насупилась бабулька. — Делать мне неча, за всеми следить.

— А кто-то еще из соседей есть дома? — видя, что общаться со мной у старухи желания нет, поинтересовалась я.

— Нету никого. Уходите, иначе милицию пзову.

— Ладно, извините, — оставив дверь в покое, вздохнула я и направилась вниз, решив попробовать еще раз поговорить с теми, кто сидит на лавочке.

Но когда я вышла на улицу, скамейка оказалась совершенно пуста: бабки куда-то разбрелись весьма некстати. Мне явно не везло, но я не торопилась отчаиваться. Понимая, что все равно нужно дождаться Вячина или хотя бы выяснить, куда он уехал, я сама села на лавку и принялась изучать окрестности, попутно цепляя взглядом каждого, кто двигался в направлении к дому. Однако в интересовавший меня подъезд пока никто не входил.

Прошло минут семь-восемь. С неба начал накрапывать мелкий, препротивный дождик, усилился ветер. Я встала и поплелась к машине. В этот момент из второго подъезда вышел потрепанного вида мужчина с ампутированной кистью руки. В здоровой руке он держал авоську, из чего я заключила, что мужчина направляется в магазин. Его-то я и решила расспросить про Вячина. Хотя бы выяснить, как он выглядит, чтобы знать, кого дожидаться. Жаль, что я сразу не сообразила уточнить его внешние данные у Зубченко, это значительно упростило бы дело. Но разве предусмотришь все заранее?

— Мужчина, извините, можно к вам обратиться? — заторопившись навстречу, вежливо обратилась я к незнакомцу.

Тот остановился, внимательно посмотрел на меня, затем кивнул:

— А что вы хотели?

— Вы в этом доме живете? — на всякий случай уточнила я.

— Ну да, а что?

— А Вячина Альберта Сергеевича из двадцать третьей квартиры случайно не знаете?

— Ну знаю, а что?

Я облегченно вздохнула: это уже кое-что! Затем продолжила расспрос:

— Скажите, а в какое время он обычно бывает дома? Я заходила сейчас к нему, никто не открыл, а соседка говорит, что ничего не знает.

— Да эта Утешева сроду ничего не знает, — пренебрежительно усмехнулся мужчина. — А может, и знает, только фиг из нее че вытащишь, партизанка недобитая. — Чувствовалось, что со старухой у мужчины напряженные отношения. Впрочем, мне было безразлично, что там у них случилось, меня интересовал только Вячин, а потому я перебила обвинительную речь своего «осведомителя»:

— Так вы знаете, где можно найти Альберта, или нет?

— Дома его дожидаться бесполезно. Он может только под утро явиться, а то и вовсе по неделям неизвестно где пропадает.

— Он работает?

— Да шут с вами, какой из него работник? — усмехнулся мужчина. — Альберт больной весь, искалеченный. Ему почти все работы противопоказаны. Куда устроится, неделю выдержит, а потом все, уходит. Не повезло бедняге... Ему даже хуже, чем мне, — однорукий потряс своей культяпкой. — У Вячина опухоль какая-то в голове, умственно напрягаться нельзя, физически он тоже слаб, вот и мается бедолага.

— Ну так где же можно его найти? — Я начинала нервничать.

Мужик моего вопроса будто не расслышал.

— А не одолжишь двадцатку на пиво? Жена всю получку выгребла, даже расслабиться не на что...

Я не стала ему отказывать, быстро достала из сумки кошелек, вынула из него двадцать рублей и протянула ему. Однорукий молча принял мой дар и сразу же вернулся к интересующей меня теме:

— Где-то с друзьями Вячин последнее время пропадает. Я краем уха слышал от своего оболтуса, что на даче они отдыхают.

— На чьей даче?

— Шут его знает. Но точно не на своей. У него дачи нет, это я точно знаю.

— А как можно найти его друзей? Где они живут? Не в этом ли дворе?... — Вопросы из меня так и сыпались.

Мужику, видимо, наскучило отвечать, да и хотелось поскорее добраться до прилавков с пивом, а потому он только пожал плечами и ничего не ответил.

— А ваш сын может их знать? — не отставала я.

— Может, — коротко выдал мужчина.

— Как я могу с ним поговорить?

— Поднимитесь в квартиру, он сейчас дома, — спокойно предложил однорукий. — Мы живем в девятнадцатой. А вы случаем не из милиции?

— Нет, но мне очень нужно найти Вячина.

Мужчина вздохнул и, не прощаясь, торопливо засеменил по направлению к магазину. Я же вновь вошла в подъезд и, отыскав девятнадцатую квартиру, нажала на кнопку звонка. Мне открыли почти сразу. Причем открыл, судя по всему, сам сынок — молоденький парнишка с прыщавой кожей и вытянутым лицом с выдвинутой вперед нижней челюстью и большим ртом. В общем, на плейбоя он явно не тянул.

С минуту я созерцала его несовершенство, а затем, не поинтересовавшись, как зовут паренька, сразу перешла к делу:

— Это у твоего папы одна рука ампутирована?

— Ну да, а че?

Интересно, что у этого юнца рот не закрывался даже в тот момент, когда он молчал.

— Он сказал, что ты можешь мне помочь. Меня интересует один молодой человек из вашего подъезда... Хотелось бы узнать, где и как можно найти его или его друзей.

— Из милиции, что ли?

Испуг, промелькнувший в глазах парнишки, не ускользнул от моего внимания. Я отрицательно замотала головой, а затем соврала:

— Родственница. Срочно нужно найти племянника — Вячина Альберта. Он живет в вашем доме.

— Да знаю я, — небрежно махнул рукой парень.

— Тогда, — я заметно оживилась, — поможешь его найти?

Парнишка кивнул и жестом пригласил меня пройти в квартиру. Я вошла, разулась в коридоре и проследовала за ним в зал. Там мы сели на диван, заброшенный разноцветными подушками, и продолжили разговор. Точнее, говорила я, а юноша меня слушал.

— Твой отец сказал, что Альберт в последнее время живет на чьей-то даче, но на чьей именно, не знает. Мы предположили, что, скорее всего, это дача одного из его друзей. Ты что-нибудь об этом знаешь?

— Ну так... — Парнишка неуверенно пожал плечами. Его жест был для меня абсолютно непонятен.

— Так знаешь или нет?

— Знаю. Был на той даче я один раз. Она от города далеко находится, но дачка что надо. Клевый домик, сад, Волга недалеко.

— Чья это дача?

— Олежкина, друга Алика. Они вместе давно тусуются.

— Объяснить, как до нее добраться, можешь?

— А чего там объяснять: выезжаешь на южную трассу и сразу сворачиваешь на Воронеж. Там едешь до поселка какого-то, названия не помню, но прямо перед ним пути железнодорожные пересекать приходится. А там остается совсем немного: километров семь до поворота направо, а там уже дачки. Дементьева дачка в самой середине находится.

— А ты уверен, что Альберт именно на даче Олега, а не чьей-нибудь еще? — на всякий случай спросила я.

— Да, скорее всего, там, где ж ему еще-то быть... Это

единственная халявная хата, куда можно девчонок водить. Демыч-то с родителями живет, а у Алика сами знаете, какая комнатенка маленькая.

Я кивнула со знанием дела, хотя, конечно же, слышала об этом впервые.

— А этот Демыч, он тут рядом живет? — Я решила, что лучше уж сразу выяснить адрес нового персонажа, нежели возвращаться к этому потом, если на даче никого не окажется или я ее вообще не найду.

— Не знаю, я у него ни разу не был. Может, по соседству здесь где-нибудь живет. А может, в центре...

По-видимому, парень больше ничего не знал. Я не стала его больше загружать и, поблагодарив за помощь, покинула квартиру.

Открыв машину, опустилась на водительское сиденье и, достав из сумки сотовый, набрала номер Зубченко. Оставалось лишь нажать на кнопку вызова, но я отчего-то медлила. Наверняка Анатолий Степанович откажется ехать со мной на эти дачи, сославшись на занятость. Ему нужно найти деньги, проследить за тем, чтобы жене не прописывали препараты, вызывающие аллергию... Так что, скорее всего, нет даже смысла звонить: все равно придется ехать мне одной. Хотя... Связаться будет нелишним, вдруг появились какие-то новости от похитителей?

Рассуждая таким образом, я все же нажала на кнопку вызова. После нескольких протяжных гудков услышала усталый голос заказчика:

— Да, Женечка, слушаю!

— Анатолий Степанович, я от дома Вячина. Его здесь нет, и соседи говорят, что появляется редко. Но мне удалось выяснить, где он может находиться. Сейчас я планирую отправиться туда. А как обстоят дела у вас? Бандиты не звонили?

— Еще нет. Но деньги я нашел.

— Не вздумайте пока переводить их на те счета! У нас еще осталось время до полуночи.

— Конечно, нет... Я очень надеюсь, что вы найдете негодяев. Уж извините, с вами не могу поехать. Я, конечно, понимаю, что это не ваша работа и вы не обязаны рисковать из-за моего сына своей собственной жизнью, но я вас прошу не как телохранителя, а как человека помочь нашей семье. Я хорошо заплачу вам, можете быть уверены, только не бросайте нас сейчас...

— Да я как-то об этом даже не думала.

— Вы замечательный человек, Женя, — сделал мне комплимент Зубченко. — Я не ошибся, остановив выбор именно на вас. Такие отзывчивые люди сейчас редкость. И...

— Ладно, ладно, — прервала я его хвалебную речь. — Я всего лишь делаю то, что могу.

— Желаю вам удачи! Если вдруг что — сразу звоните, я останусь на связи.

Поговорив с клиентом, я положила телефон обратно в сумку, завела машину и вырулила на трассу. Теперь мой путь лежал в некий дачный поселок, и я очень надеялась, что прокатаюсь не зря.

* * *

Однако прежде, чем выехать из города, я заскочила в ближайший магазин и прикупила там кое-каких продуктов. Я планировала перекусить прямо во время пути, ведь при моей работе никогда не знаешь, когда в следующий раз удастся утолить голод.

На посещение магазина ушло минут десять-пятнадцать. И вскоре мой «Фольксваген» мчался по шоссе. Дорога оказалась хорошей, причем вдоль нее против обыкновения не тянулась лесополоса. Напротив, всюду простирались поля, образуя волнующийся от легкого дуновения ветерка океан хлебных злаков, луговых трав и цветов.

Я открыла окно и с удовольствием втягивала в себя душистый аромат цветущих полей.

«Как же хорошо! Вот так бы мчаться прямо, никуда не сворачивая и ни на что не отвлекаясь. Просто ехать и наслаждаться окружающим великолепием».

Очарованная красотой природы, я даже не заметила, как оказалась возле упомянутого пареньком железнодорожного переезда, и вынуждена была сосредоточиться на дороге. Тем более что близился нужный поворот, а пропускать его не стоило. Я поехала чуть медленнее. Вскоре моему взору открылась, словно мираж, темная полоса лесопосадки.

Впереди показался поворот. Я завернула и резко сбросила скорость: асфальта тут не было, одна прикатанная щебенка. Пришлось трястись на ухабах. Километр сменялся километром, а перед глазами так и не показывалось никаких дач — одни поля разных оттенков зеленого и желтого цветов.

Въехав на пригорок, я слегка затормозила, пораженная дикой красотой окружающей местности. По склону, поросшему ковылем, время от времени пробегал легкий ветерок, бережно раскачивая зеленые волны. Под горой, на берегу поблескивающей на солнце Волги, расположились дачные участки. Домики были самыми различными: деревянными, кирпичными, одноэтажными и двухэтажными, с крышами из шифера и черепицы. Сам дачный поселок казался сравнительно небольшим и на первый взгляд очень чистеньким и аккуратным.

Приготовившись к поискам, я осторожно съехала вниз и затормозила у первого же забора, за которым, выставив кверху попу, копошилась на грядках какая-то тетка в синем спортивном костюме. Увлеченная своим занятием, женщина ничего не замечала вокруг.

— Женщина, подскажите, пожалуйста!.. — довольно громко закричала я, высунувшись в окно. Дачница обернулась. — Как мне найти дачу, принадлежащую Дементьевым?

— Не знаю. — Женщина пожала плечами. — Я здесь приобрела участок недавно, еще не успела освоиться. Спросите тех, что живут у Волги.

Добраться до Волги не составило никакого труда, тем более что все дороги от дач вели именно туда. Спустившись, я заметила на берегу пристань. Здесь толпились люди, видимо, дожидавшиеся теплохода, чтобы вернуться обратно в город. Внезапно отовсюду, словно из-под земли, повыскакивали мальчишки. Несмотря на прохладную погоду, ребята были одеты очень легко. На большинстве красовались лишь потрепанные шорты да вытянутые майки или рубахи. Но, судя по всему, даже в таком легкомысленном прикиде они не мерзли.

Увидев все это полчище, я резко притормозила. Предположив, что детвора живет здесь на протяжении всего бархатного сезона, а значит, знает большую часть дачников, высунулась в окно и спросила:

— Ребята, скажите, вы тут всех знаете?

— Ну да, почти всех, — промямлил в ответ тот, что стоял к машине ближе.

— Тогда скажите, где находится дача Олега Дементьева.

— Не, мы знаем только по кликухам, — протестующе замахал головой его товарищ.

— По кликухам? — Я задумалась, а затем, покопавшись в памяти, сообразила: — Тогда Демыч.

— А, Демыч, — ударил себя по лбу мальчишка, давая понять, что теперь понял, о ком именно идет речь. — Да вон там его дача. — Он небрежно махнул куда-то в сторону.

— Покажешь дорогу? — предложила я.

— Если прокатишь, — решил поторговаться паренек и уставился на меня с хитрой ухмылкой.

Я от души рассмеялась и произнесла:

— Конечно, прокачу! Запрыгивай! Будешь моим личным Иваном Сусаниным.

— А кто такой Иван Сусанин?

— Ну, был такой мужик... Знаешь, очень хорошо умел дорогу показывать...

Мальчишка заулыбался и, вполне довольный, забрался в мой «Фольксваген». Остальные ребята с завистью провожали его взглядом.

— Ну, а вы чего? — решив порадовать ребят, поинтересовалась я у остальных. — Особого приглашения, что ли, ждете?

Обрадованная малолетняя братва мигом заполнила мою машину. Загудев, как улей встревоженных пчел, пацаны наперебой принялись указывать мне дорогу.

— Вон, колодец видите?

— Ну, вижу, — кивнула я, присмотревшись.

— Давайте до него. Там будет камень посреди дороги, специально врыли, чтоб не катались тут. Придется объехать... Теперь вон туда, — парнишка указал влево. — Это дача тетки Малявихи и деда Шмыря, а вон и Демыча дача.

— Понятно. Спасибо! — поблагодарила я мальчишек, тормознула чуть поодаль нужной дачки и, обернувшись, скомандовала: — Все, ребятки, хорошего понемногу. Вы-прыгивайте!

— У-у-у, — расстроенно загудели мальчишки. — А че так мало?

— Так прибыли уже. Ладно, если освобожусь пораньше, еще прокачу, — пообещала я.

Они нехотя освободили салон.

Затем я сама вышла из машины, установила сигнализацию и, пройдя немного вперед, остановилась напротив дачи, принадлежащей другу Вячина.

Глава 6

Не зная, на месте ли те, кто мне нужен, и действительно ли сын Зубченко находится в данный момент здесь, я не стала поступать опрометчиво и спокойно прошла во двор. Даже если бы жильцы дачки меня и заметили, сомневаюсь, что сразу бы поняли, кто я такая и зачем к ним пожаловала. Мало ли дачниц решает зачем-либо заглянуть к соседям?

Пройдя по заросшей асфальтированной дорожке до крыльца, я не спеша поднялась по ступенькам, в целях предосторожности окинула взглядом пустой участок и только затем взялась за дверную ручку. Дверь оказалась не заперта. Это меня не удивило: дача — та же деревня, здесь днем мало кто закрывает дверь на все запоры. Как можно тише приоткрыв ее, я проскользнула внутрь маленькой кухонки со скудным набором мебели. Здесь был поцарапанный, произведенный еще в советские годы холодильник марки «Волга», деревянный, покрытый рваной клеенкой стол, два стула, сервант без стекол и газовая плита. На плите бурлила кастрюлька — видимо, достаточно долго, так как я заметила свежие потеки по бокам. Похоже, дачнички собирались обедать...

Закончив осмотр помещения, я обратила внимание на две двери. Обе были плотно закрыты. Рядом с одной располагалась крутая деревянная лестница, ведущая в комнату на верхнем этаже, откуда доносилась музыка. Кто-то слушал «Арию». Не спеша подниматься наверх, я сначала заглянула в обе комнаты: они оказались не заперты, но при этом совершенно пусты. Теперь я точно знала, что те, кто мне нужен, находятся наверху.

Но подняться не успела: вверху показались чьи-то ноги. Решив, что поочередно справлюсь с ребятками значительно быстрее, я спешно заскочила под лестницу, где меня совершенно не было видно. Неизвестный протопал прямо над моей головой, затем свернул к плите. Звякнула крышка, вслед за этим послышался мерный стук ложки о поверхность кастрюли. Видимо, кашевар шкрябал по дну, стараясь перемешать пригоревшее варево.

Я выступила вперед. Оказавшись за спиной поваренка, замерла, ожидая, когда он обернется. Парень, стоящий у плиты, был темноволос, неплохо сложен, но ему недоставало мышечной массы. Лица его я пока не видела.

Юноша, подпевая себе под нос звучащей наверху мелодии, даже не почувствовал присутствия постороннего, продолжая колдовать над кастрюлькой.

Когда песня сменилась музыкальным фоном, парнишка замурлыкал что-то свое:

— «Кактусы, больные люди. Желтый цвет и свет огня... Что-то есть, а что-то будет, только будет без меня». — Парнишка смешно вильнул бедрами и в такт музыке постучал по краю газовой плиты, а затем продолжил: — «Я, наверное, подохну, я, наверно, застрелюсь. И на солнышке иссохну или до смерти упьюсь...»

Не сдержавшись, я фыркнула от смеха, но парень этого не услышал, продолжая напевать свою странную песенку. Предчувствуя его шоковое состояние, я с нетерпением ждала, когда он обернется, тем более что с готовкой было покончено, газ выключен и... Вот оно: не спеша парень повернулся в сторону лестницы... И тут его взгляд наткнулся на меня — стоящую на пути и ехидно улыбающуюся. В первое мгновение парнишка оторопел и растерялся: открыл рот, вытаращил глаза и часто-часто захлопал ресницами.

— Что-то есть, а что-то будет, только будет без тебя, — слегка перефразировала я его слова. Затем широко улыбнулась и добавила: — Здравствуйте, юный похититель. Как поживаете? Ждете пополнения счета? А вам никто не говорил, что ничего задаром не бывает? Впрочем, вы же это вроде как заслужили!.. Вроде как...

Парень испугался, задергался. Его взгляд заметался вокруг в поисках орудия борьбы со мной. Подходящего предмета не нашлось, а потому он просто бросился вперед, планируя управиться со мной голыми руками... Все говорило о том, что рыльце паренька в пушку и к похищению он имеет прямое отношение.

Кинувшись на меня, юноша схватился цепкими руками за мои плечи и попытался припереть меня к стене. В первую минуту я попятилась, а затем, схватив парня за волосы, увернулась в сторону, а его голову резко потянула вперед. Крепко приложившись лбом о перила, мальчишка взвыл. Не дожидаясь, пока он соберется с силами, двинула коленом в живот и оттолкнула от себя в сторону.

Бедняга сообразил, что ему со мной не совладать. Вопреки моим ожиданиям, что он вновь ринется в атаку, парень метнулся по лестнице наверх, перескакивая через несколько ступеней и громко крича:

— Демы-ыч!.. Сдали...

Я кинулась следом за Вячиным — теперь я сообразила, что это, скорее всего, он и есть. Очевидно, парень спешил наверх совсем не случайно, а рассчитывал на подмогу. Так оно и оказалось: едва моя голова нарисовалась в люке на уровне пола второго этажа, чей-то пыльный ботинок просвистел прямо мимо уха и точно бы угодил по подбородку, если бы я вовремя не увернулась. Пришлось слегка пригнуться, а затем с удвоенной силой рвануть вперед, где меня уже ждали двое: Вячин, уже схлопотавший весьма заметный синяк на лбу, и незнакомый пока упитанный молодец в черном спортивном костюме с контрафактной надписью «Адидас». Этот тип заслонял собой дружка и выглядел куда более агрессивным. Судя по тому, как обращался к нему Альберт, это был хозяин дачки — Дементьев Олег Юрьевич.

— Я ее видел, она с его папашей якшается, — негромко буркнул дружку Вячин.

Тот никак на это замечание не прореагировал, сразу двинувшись мне навстречу. Решив показать себя крутым, Дементьев не стал размахивать кулаками, а сразу же мотнул в моем направлении ногой, собираясь сбить и скинуть вниз. Не будь я профессионалом, так бы и случилось. Однако благодаря опыту мне не составило особого труда ухватить эту ногу обеими руками и крутануть ее так, что послышался хруст костей. Дементьев взвыл и шумно рухнул на пол, ухватившись за поврежденную конечность.

— Ноги, ноги, — вспоминая старый мультфильм про страуса, шутливо произнесла я. — Главное — крылья! — Я дурашливо помахала руками. Затем, посерьезнев, спокойно добавила: — Все, страусята мои, долетались. Я бы вам советовала больше не шутить со мной и беспрекословно выполнить мои требования.

— Ага, щас, — продолжая сидеть на полу, огрызнулся перекошенный от боли Дементьев. — Ты мне ногу сломала, придурошная!

— А чего ты ею размахивал? — равнодушно переспросила я. Затем строго глянула на притихшего Вячина, чей взгляд выражал тревогу, и на невозмутимого Дементьева. Последний вел себя более сдержанно, отчего казалось, что все запланировал именно он, а не Альберт. Впрочем, я еще пока ничего не знала наверняка... — Ну мальчики, — я выдержала небольшую паузу, — сами все расскажете или придется заставлять?

— Кто ты такая? — со злостью глядя на меня, переспросил Олег, растирая ногу. — Не из милиции, это точно. Менты одни не ходят.

— Я же тебе сказал, это девка Зубченко, — негромко буркнул Вячин.

— Угадали, я не из милиции. Я частник.

— Детектив, что ли? — прищурился Дементьев.

— Вроде того. Телохранитель, но бывает, что работаю и не по профилю. Но вы от темы-то не уходите! Признавайтесь, чья была идея все это провернуть? Хотя я и сама догадываюсь... Но все же хотелось бы прояснить некоторые моменты. Ну так что, с кого начнем?.. — Я внимательно посмотрела на подельников.

Ребятки молчали. Вячин продвинулся в самый дальний угол и осторожно присел на край стола. Дементьев, словно ему так было удобнее, продолжал сидеть на полу, даже не пытаясь приподняться. Орущая все это время музыка стихла, так как кончилась кассета, а перевернуть ее никто не торопился. В комнате повисла угнетающая тишина.

Я продолжала сверлить дружков пронзительным взглядом, стараясь понять, кто же из них зачинщик и где вообще находится похищенный, как вдруг услышала какой-то скрежет по правую сторону от себя. Не сразу догадавшись о его причине, я насторожилась, затем смело шагнула по направлению к встроенному в стене шкафу и, отщелкнув шпингалет, открыла дверцу. Оттуда на меня с отчаянием смотрело уставшее и осунувшееся лицо с заклеенным скотчем ртом и покрасневшими глазами. Это было лицо Зубченко Егора, которого негодяи связали по рукам и ногам и упекли в душный ящик. Липкий пот широкими ручейками струился с висков и волос парня, увлажняя одежду.

Оглянувшись на ребяток, я криво усмехнулась, давая понять, что отпираться теперь бесполезно. Затем вывела едва держащегося на ногах парня из шкафа и, схватив за край скотчевой полоски, резко рванула ее в сторону, давая Егору возможность нормально дышать и говорить. Парень стойко вынес боль: он даже не застонал, только слегка поморщился.

— Это Вячин придумал, — не дожидаясь моих вопросов, объявил Егор, не собираясь тянуть время зря и стремясь поскорее со всем этим покончить. Зубченко с ненавистью посматривал на своих недавних тюремщиков, ожидая только одного — получить свободу и воздать им по заслугам. Я не торопилась его развязывать, понимая, что мальчишка может мне все испортить, если окажется таким же вспыльчивым, как и его папаша. Так было безопаснее. — Я его помню. Мы давно еще встречались с ним, у отца на работе, — продолжил между тем спасенный. — Там эта рожа мелькала.

— Ну я, ну и че такого? — вызывающе вскинув голову вверх, сознался Вячин. Затем нагло ухмыльнулся, закинул одну ногу на другую и заносчиво выпалил: — Мне ничуть не стыдно. Эту идею я ох как долго вынашивал, продумывал, планировал... Все бы получилось, если бы не ты. Нам не хватило всего нескольких часов.

Сейчас паренек уже не казался таким хиленьким и слабеньким, каким я посчитала его в самом начале. Да, он мелковат, щупловат, возможно, не отличается крепким здоровьем, но это не мешает ему быть злым, наглым и самоуверенным. Как раз в эту минуту все вышеперечисленные качества проявились наиболее ярко.

— Вам не хватило ума, — поправила его я. — Ума и сообразительности. Хотя, не скрою, вы действовали продуманно.

— Как тебе удалось нас вычислить? — не отводя проницательного взгляда, поинтересовался Вячин.

Его любопытство было оправданно — парню казалось, что он сделал все безупречно, не допустил ни одной ошибки. Не вдаваясь в подробности, я сказала только:

— Видите ли, мои дорогие... Чужая sim-карта в телефоне — еще не гарантия того, что невозможно определить хозяина трубки. Конечно, это вы не смогли предусмотреть...

Вячин усмехнулся и, отведя взгляд в сторону, уставился в пол. Я вытащила из кармана брюк маленький складной ножичек и, присев рядом с Зубченко, перерезала путы на его ногах и руках. Затем, отодвинув Егора в сторону, снова спросила:

— Зачем ты все это затеял? Ведь не ради одной только мести Анатолию Степановичу за то, что он тебя уволил. Это слишком несущественная причина для того, чтобы похищать человека, да еще пытаться его убить.

— А мы разве пытались? — На лице Вячина отразилось недоумение, возможно, даже не наигранное. Хотя по его поведению сложно было распознать, когда он искренен, а когда нет. Парнишка усмехнулся: — Если бы я хотел кого убить, то не тратил бы время зря и сделал это сразу.

Я не торопилась верить на слово:

— Хочешь сказать, что не вы покушались на Зубченко?

— Да мы тут всю неделю почти торчали, — поспешил на помощь товарищу Дементьев. — В город приезжали только за ним, — он кивнул в сторону Егора. — Ну и сегодня еще собирались...

— За деньгами, — закончила за него я. Ответом мне было молчание, а потому я продолжила: — Ладно, это мы пока оставим. Вы же ведь еще не объяснили, что послужило причиной похищения сына Анатолия Степановича.

— А что обычно является причиной для любого похищения? Бабки, конечно, — насмешливо заметил Альберт. — Если б не их нехватка, в гробу мы видели такое развлечение.

— И на что же, позвольте узнать, вам такие солидные средства понадобились?

— Захотелось хорошо жить, — цинично заметил Вячин. — А что, нельзя? Или, думаете, только таким, как вы, это позволено... Мы тоже люди, не один год на таких, как он, пахали, а результат? Нашу работу оценивали в копейки, а их безделье — в миллионы.

— Хорошо жить хочется всем, но не каждый идет на преступление, — понимая, что чего-то они недоговаривают, возразила я. — И потом, почему вы выбрали именно Зубченко? Вам было известно о его достатке? — Я пристально посмотрела на Вячина.

— А за кого же еще браться? — небрежно передернул плечами парень, не глядя на меня. — Солидный мужик, работает на закрытом предприятии, имеет квартирку в дорогом райончике... И потом, если бы не он, я бы, может, тоже обогатился в свое время...

— Ясно. А зачем ты пошел на это? — Я глянула на Дементьева. Тот, нелепо раскинув ноги, сидел на одном месте, растирал ушибленное место и периодически вздыхал. В общем, вел себя, как обиженный ребенок. Невероятно, насколько резко меняются люди в одно мгновение под давлением внешних обстоятельств, над которыми они не властны.

Олег нехотя поднял на меня глаза и скривил рот. Что это означало, я так и не поняла, но расспрашивать не стала, тем более что Егор, видимо, окончательно придя в себя, вдруг подал голос:

— Они собирались меня убить!

Я обернулась к нему с застывшим на лице удивлением. Это был весьма неожиданный поворот событий!

— Да, да, я это хорошо слышал. Они говорили, что если меня отпустить, то я их сдам и тогда им так и не удастся воспользоваться полученными деньгами.

— Это правда? — Я вновь устремила взгляд на похитителей.

Оба молчали. Егор же разошелся не на шутку. В нем определенно присутствовали качества, присущие его папаше, — вспыльчивость и внезапная агрессия. Сразу видно, родная кровь. Так сказать, яблоко от яблони...

— Чего ж молчите? — едва сдерживаясь, шипел он. — Слабо признаться, что испугались? Вы же трусы, вы оба... Если бы не ваш обман, вам бы ни за что со мной не сладить. Вы это знали, потому и вырубили меня электрошокером, а потом связали и притащили сюда. И здесь меня постоянно проверяли, боялись, что развяжу руки и сбегу. Меня боялись... вы самые настоящие трусы, вы...

Не выдержав потока обвинений, Вячин сорвался с места и метнулся навстречу Зубченко, но я преградила ему путь. Альберт сумел сдержаться. Сжав кулаки, он зашипел мне прямо в лицо, обращаясь, правда, к Егору:

— Возможно... возможно, я и боялся. Ведь меня плохо кормили в детстве. Я вообще временами голодал. У меня не было возможности посещать спортивный клуб, зато пришлось пойти работать с двенадцати лет. Мы слишком разного телосложения, чтобы я смог с тобой тягаться. И потому обошел тебя в другом...Там, где тебе меня не переплюнуть: я затеял игру... Я играл тобой, как кошка играет мышкой, обвел тебя вокруг пальца, а ты... — Он издал хрипловатый смешок, а затем продолжил: — Ты этого даже не заметил! И принял за чистую монету все мои уловки.

— Вы заставили меня написать письмо, угрожая задушить, — втянулся в перебранку Егор, не пожелав отмалчиваться. — Но я держался слишком уверенно и твердо, и вы не выдержали. Вас пробрал страх. Я видел, как вы переглядываетесь...

— Ты прав, мы бы тебя все равно убили, — признался наконец Вячин. — Ты не желал сломаться, все хотел выглядеть героем. И это бесило меня больше всего: ты не заслужил такой жизни, которую имеешь.

— Вы больные... вы оба больные, — возведя руки к потолку, обреченно вздохнул Егор. — Таких, как вы, нужно держать в психушке, изолировать от общества. Вы же... вы деградировали! Вы даже не люди, вы...

На этот раз мое присутствие не остановило Альберта. Обойдя меня сбоку, он метнулся с кулаками к Егору. Ребята схватились, завязалась драка. И Вячин, и Зубченко дубастили друг друга кулаками с такой яростью, будто это являлось главным делом в их жизни. В стороны летели клочья одежды, брызнула кровь. А я стояла в стороне и не спешила вмешиваться. Почему?.. Да просто иногда людям бывает необходимо выплеснуть все накопившееся в них зло, чтобы потом оказаться способными на критическую оценку своих поступков. Нет, конечно, я бы не допустила убийства и контролировала каждое движение обоих, готовая вмешаться в любую секунду. Но пока этого не требовалось.

Через какое-то время оба драчуна начали уставать. Движения их замедлились, они периодически отталкивали друг друга в стороны, чтобы перевести дух, а значит, дело близилось к развязке. Я решила не дожидаться решающего момента. Эти «половецкие пляски» мне уже порядком поднадоели. Вклинившись между забияками, я громко выкрикнула:

— Все! Хватит! Угомонились, оба...

Меня не услышали. Пришлось силой растащить обоих в разные стороны и даже двинуть Вячину в челюсть, чтобы поубавить его агрессию.

— Полагаю, что вы достаточно друг другу сказали, — видя, что теперь меня слышат, произнесла я. — Теперь настал мой черед говорить. Еще раз спрашиваю: вы устраивали покушения на отца Егора?

— Нет, — сплюнув на сторону, выдохнул Вячин.

— Тогда кто? Кто их устраивал?

— Спросите у других недоброжелателей этой семейки, — предложил с издевкой Альберт. — Наверняка таких немало найдется.

— Кого ты имеешь в виду? — насторожилась я.

— Спросите у его папика, — буркнул в ответ Вячин.

— Я спрашиваю у тебя.

Вячин покосился на меня так, словно я перешла все границы, но ничего не сказал. Он молча прошел к стоящей в углу кровати, плюхнулся на мягкий матрас, давая понять, что ему вообще нет больше никакого дела до меня и идти со мной он никуда не собирается. Я поискала глазами Дементьева, собираясь задать тот же вопрос ему, но он забился в самый дальний угол и тихо выл. Судя по всему, ему срочно требовалась медицинская помощь.

— Найди веревку и свяжи его, — кивнув в сторону Вячина, попросила я Егора, а сама направилась к Дементье-ву. Присев рядом, осторожно коснулась рукой его ноги — Олег вздрогнул и резко оттолкнул меня в сторону. — Не бойся. Дай посмотрю.

— Спасибо, как-нибудь сам, — почти не разжимая губ, отмахнулся тот.

— Нужно наложить шину, — попробовала еще раз предложить свою помощь я.

— Тебе я не дамся, — лихорадочно замотал головой парнишка. — Лучше вызови «Скорую».

Я отошла в сторону. Что ж, мое дело — предложить... Со стороны кровати донеслась какая-то возня. Я обернулась. Вячин продолжал лежать на кровати, развалившись на ней, как барон. Егор пытался связать его ноги, но никак не мог пододвинуть одну к другой, что вызывало нескрывае-мую насмешку на лице его недавнего тюремщика.

— Дай я. — Я отпихнула Егора в сторону и сама взялась за работу. Надавив на болевые точки, я заставила парня переместить руки и ноги туда, куда следовало, и ловко свя-зала его.

— Ну и что вы теперь собираетесь со мной делать? — непонятно чему улыбаясь, спросил Альберт, поводя перед собой связанными руками. — На себе понесете или носил-ки поищете? Кстати, не забудьте, что нас двое.

— Может, хватит уже издеваться? Через пару часиков тебе совсем не до шуток будет, это я гарантирую.

— Думаешь, я испугался твоей ментовки? — хихикнул Вячин. — Ха, да там одни придурки работают, таких еще поискать. Им любой лапши на уши навешаешь, они во все поверят.

— Спасибо, что предупредил, — съязвила я в ответ. — Теперь-то я передам тебя надежным людям, тем, с кем лапша не прокатит.

Я подошла к лестнице и, достав из кармана сотовый, набрала номер отделения милиции. Как только трубку сняли, я вкратце поведала обо всем дежурному и попроси-ла выслать в дачный поселок оперативную группу. Учиты-вая тот факт, что отделения милиции я беспокоила весьма часто, меня там уже фактически знали и без каких-либо проблем сразу высылали помощь. Оставалось только дождаться ее, передать задержанных и отвезти Егора к родителям.

Вызванная бригада прибыла довольно быстро. Вячина и Дементьева погрузили в милицейский «уазик» и повезли в отделение. Мы же с Егором последовали за ними, дабы юноша мог написать заявление о своем похищении и преступникам было бы предъявлено обвинение в похищении человека, шантаже и вымогательстве денег за его жизнь.

Машины быстро катили одна за другой. В салоне моего «Фольксвагена» было тихо. Егор, раздобыв что-то наподобие платка, оттирал кровавые потеки со своего лица, развернув к себе зеркало заднего вида. Я незаметно наблюдала за ним. Паренек обладал довольно-таки приятной внешностью и казался куда интереснее, чем на фото, что мне показывал его отец. Юноша явно не относился к фотогеничным людям. Черты его лица были немного неправильными, но в то же время назвать Егора некрасивым значило ошибиться. Выразительные глаза светились умом. Умело подобранная прическа маскировала высокий лоб и частично скрывала брови. Егор был одет в тот же костюм, в котором его похитили. Правда, не хватало пиджака, да и рубашка теперь имела вид совсем непрезентабельный. Кроме того, от молодого человека разило потом. Чтобы малоприятным запахом не пропитался весь салон моей машины, мне пришлось открыть настежь все окна.

Как только мы покинули территорию дачного поселка, я спросила:

— Отцу позвонишь сам или это сделать мне?

— Лучше вы с ним поговорите, пе желаю выслушивать его нудеж, — не слишком дружелюбно отозвался о собственном родителе Егор.

— Как хочешь, — равнодушно ответила я и принялась набирать номер телефона Зубченко-старшего.

— Евгения, что у вас? Есть какие-нибудь новости про Егорушку? — зачастил взволнованный папаша.

— Все в порядке, Анатолий Степанович, — поспешила успокоить его я. — Вашего сына я нашла и везу в город. Мы скоро будем там, и вы сможете его увидеть. А как Любаша?

— Мама? — услышав странный вопрос из моих уст, негромко переспросил Егор.

Я не стала пока отвлекаться на объяснения, продолжив разговор:

— С ней все в порядке?

— Слава богу! — видимо, даже не расслышав моего вопроса, радостно отозвался клиент. — Какое счастье, Женя! Мой сын... Он здоров, с ним все в порядке? Вы не представляете, как помогли нам! Я прямо сейчас сообщу об этом Любаше, успокою ее... — Зубченко, видимо, собирался бросить трубку и бежать с замечательной новостью к супруге, но вспомнил кое о чем и задержался: — Женечка, спасибо вам большое. Я не знаю, как...

— Оставьте, об этом поговорим при встрече. — Я отмахнулась от неуместных в данный момент расчетов. — Скажите лучше, куда доставить Егора — домой или в больницу к матери?

— Лучше в больницу. Я буду здесь.

— В больницу? При чем тут больница? — заволновался Зубченко-младший. — Что с мамой? Что они ей сделали?

Я отключила телефон и, отложив его в сторону, произнесла:

— Сейчас с ней уже все в порядке.

Столь лаконичный ответ, видимо, не удовлетворил встревоженного юношу:

— Но что произошло? Что случилось с мамой?

— Ей кто-то плеснул в лицо серной кислотой.

— Что-о?..

— Не волнуйся, все обошлось. Она вовремя успела увернуться, и кислота попала только на шею и плечи. Сейчас она в больнице вместе с твоим отцом.

— Черт! — Егор даже подпрыгнул на сиденье. — Почему вы не сказали мне раньше? Если бы я знал, я бы...

— Вот именно, ты бы натворил глупостей, — перебила его я. — Ты и без того хорошо отдубасил Вячина, с него вполне достаточно.

— Достаточно? Да он же едва не убил мою мать... Вы понимаете это?

— Вполне, — спокойно ответила я, даже не глядя на

парня. — Только вот как-то не верю, что это дело рук твоих похитителей.

— Ну да, как же, — протестующе взмахнул руками Егор. — А чьих же еще? Это Вячин на нашу семью взъелся за то, что его когда-то уволили по наводке моего отца. Он попросту мстил.

— Глупо, — скептически усмехнулась я.

— Что?

— Глупо мстить за такие мелочи.

У Егора нашлось свое объяснение:

— Вы не понимаете! Они больные!

— Возможно, они и впрямь не в себе, — согласилась я. — Но я все равно не верю, что ребятки успевали все сразу — приглядывать за тобой, да еще и мотаться в город, для того чтобы то утром, то вечером нападать на твоих родителей. Здесь не так много транспорта, на котором туда можно было бы добраться. Кстати, а на чем они тебя сюда доставили?

— На какой-то машине. Возможно, помог кто-то из дружков.

— Ну вот, выходит, что своего автомобиля у ребят нет. Слишком с большими сложностями для них были бы связаны частые визиты в город. И потом, я подозреваю, что за родителями следили все время и потому точно знали, кто из них где находится.

— Тогда откуда они узнали, что вы работаете на моего отца? — весьма справедливо заметил Егор.

— Хм, верно, откуда? — Я задумалась.

— Говорю же, это они. Кто-то из них все время мотался в город, а другой оставался караулить меня. Я почти уверен. Они должны ответить за все, что сделали! Нужно еще раз позвонить отцу, пусть тоже приедет в отделение.

— Успеет, сейчас достаточно будет и твоих показаний. А потом посмотрим.

— А если их отпустят?

— После такого — вряд ли.

— Да, но одному вы сломали ногу, и его переведут в больницу. Вдруг Дементьев сбежит? — сомневался Зубченко. — Он может.

— Тебя волнуют эти парни или судьба твоих родителей? — осадила я юношу.

— Меня волнует все. Я не допущу, чтобы эти отбросы общества оказались на свободе, я...

— В таком случае ты выбрал не ту профессию. Тебе бы следовало пойти в следователи или в прокуроры.

Егор умолк. Несколько минут сидел тихо, затем, снова впадая в раздражение, взялся стаскивать с себя рубашку, а сняв ее, выбросил в окно и облегченно вздохнул. Я едва заметно усмехнулась и, перестав цепляться к парню, сосредоточилась на дороге.

* * *

Проведя около часа в отделении милиции, мы с Егором только к вечеру попали в больницу, где лежала его мать. Я вместе с юношей отыскала палату и, удивленная отсутствием старшего Зубченко в коридоре, тихонько постучала в дверь. В ту же секунду Егор бесцеремонно ворвался внутрь и кинулся к кровати, на которой лежала перебинтованная женщина.

— Мама, мама... как ты? С тобой все в порядке? Что эти сукины дети с тобой сделали?..

Егор нежно гладил мать то по руке, то по лицу. А та, радуясь его возвращению, плакала, глядя счастливыми глазами на сына. Чуть в стороне на стуле сидел Анатолий Степанович. Причем он смотрел почему-то не на сына, а на меня. Я посчитала нужным что-то сказать. Неловко, словно провинившись, развела руками:

— Ну вот, я же обещала вам его отыскать и доставить... Преступники уже в отделении и...

— Мы в неоплатном долгу перед вами, — подался мне навстречу Анатолий Степанович.

Схватив меня за руку, он то тряс, то целовал ее, осыпая меня словами благодарности. Не выдержав, я вырвала ладонь и, увидев смущение на лице Анатолия Степановича, напомнила ему:

— Вообще-то моя работа еще не завершена.

— То есть? Но вы же сказали, что все виновные... Разве я вас неправильно понял?

— Давайте лучше выйдем, — скосив глаза на занятых друг другом счастливых мать и сына, едва слышно предложила я.

Анатолий Степанович кивнул и последовал за мной в коридор. Когда мы остались одни, я заявила:

— Вячин и Дементьев отрицают свою причастность ко всем покушениям на вашу жизнь и жизнь вашей супруги. Я склонна им верить.

— Естественно, они будут все отрицать, им же не хочется получить по полной программе, — по-своему расценил мое сообщение Зубченко. — На их месте любой бы сделал то же. Тем более что за руку они пойманы только на одном преступлении. Нет, нет, можете быть уверены, это они, это их же работа... Ведь все началось одновременно, а таких совпадений не бывает. Вы, Женечка, безупречно выполнили свою работу и можете собой гордиться. Если вы не торопитесь, то я предложил бы дождаться нас, а затем отправиться к нам в гости. Я должен с вами рассчитаться, да и просто отблагодарить замечательным ужином. Вы не знаете, но я прекрасный кулинар, — подмигнул мне воодушевленный Зубченко. А затем, чуть смутившись, добавил: — По крайней мере, так считают те, кто пробовал мои творения. Ну так что, вы согласитесь потратить еще пару часов на нашу неспокойную семейку?

Я, не задумываясь, кивнула. Не знаю, но меня почему-то не покидало ощущение того, что моя работа на этом еще не закончена. Профессиональное чутье подсказывало, что Вячин и Дементьев мне не соврали, а значит, можно ожидать новых покушений, куда более серьезных, чем все предыдущие. Но только вот как убедить в этом Анатолия Степановича?..

Глава 7

Домой к Анатолию Степановичу мы отправились на моей машине. Я была за рулем, сын и отец сидели позади и активно обсуждали случившееся. Жену Зубченко домой не пустили, посчитав, что ей необходим полный покой, какого дома добиться редко удается.

— Как хорошо, что этот кошмар наконец-то закончился, — облегченно вздыхал Анатолий Степанович. — Я думал, что сойду с ума, если с тобой что-то случится.

— Ну да, как же, — отчего-то не поверил в искренность слов отца Егор. — Тебя больше волнует, что о тебе будут говорить, чем моя судьба. Мной всегда мама занималась, у тебя же времени никогда не хватало.

— А вот тут ты не прав. — Я позволила себе вмешаться в разговор. — Ты не видел своего отца в тот момент, когда он узнал о твоем похищении. На нем лица не было, он искренне переживал! Можешь мне поверить...

— Ты прав, сынок, — со вздохом продолжил Зубченко. — Я не слишком много времени отводил вам с мамой, для меня всегда важнее была работа. Но когда все это случилось, понял, что не переживу, если с вами что-то случится. Я не находил себе места. Так переживал, так волновался. И даже поколотил одного парня, думая, что это он тебя похитил.

— Это правда? — Егор даже рассмеялся, не веря, что такие перемены возможны с его отцом.

— Полная, — подтвердила я слова заказчика. — Кинулся на такого бугая, с которым бы даже я не рискнула тягаться. И это при его-то телосложении!

В зеркале я заметила, как Анатолий Степанович слегка покраснел. А Егор, словно разглядев в отце доселе неизвестные ему качества, издал некоторое подобие радостного клича и кинулся обнимать папаню. Ну а пока они изъявляли родственные чувства, я успела довести машину до дома и, резко затормозив у подъезда, объявила:

— Прибыли. Выгружаемся!

Мы дружно высыпали из машины, я закрыла ее и направилась вслед за отцом и сыном к подъезду.

— Нет, я от тебя такого не ожидал, — все еще вглядываясь в отцовский синяк, как ребенок, радовался Егор. Впрочем, его возраст был не так уж и далек от детского, тем более что это женщины взрослеют не в меру рано, а парни еще и в тридцать большие дети.

Оказавшись в подъезде, я вызвала лифт. Мы дружно загрузились в него и поехали наверх.

— Почему вы так натянуто держитесь, Женя? — прицепился ко мне Зубченко. — Можете уже расслабиться, все благополучно закончилось!

— Не уверена, что закончилось, — мрачно возразила я. — Мое профессиональное чутье подсказывает, что так просто все не бывает. Понимаете, если следовать вашей точке зрения, получается, что Вячин и Дементьев успевали мотаться в город и устраивать всевозможные покушения на вас и вашу жену, при этом охраняя на даче плененного Егора. Что-то здесь не стыкуется...

— Так, может, у них в городе были сообщники, — не раздумывая, произнес Зубченко, а когда я повернулась и посмотрела ему в глаза, все понял и резко изменился в лице: радостное выражение мгновенно сошло на нет, его заменила озабоченность. — Думаете, этот третий рискнет еще что-то предпринять?

— А почему нет? — переспросила я. — Сейчас у этого человека куда больше причин вас ненавидеть — вы же на свободе, а его товарищи задержаны.

— Вы правда так считаете? — Анатолий Степанович никак не хотел верить в то, что что-то вновь может случиться.

— А я считаю необходимым еще раз поехать в ментовку и заставить их во всем сознаться. Если их хорошо обработать, они сдадут и того, — не отчаиваясь, бодренько предложил Егор. — Мы его возьмем и покончим с этим. Ведь так, па?

Анатолий Степанович растерянно развел руками. В это мгновение двери лифта раскрылись, и чья-то тень метнулась вниз. Я кинула настороженный взгляд на дверь квартиры Зубченко. Заметив на ней какое-то непонятное приспособление, быстро попятилась назад, заталкивая внутрь лифта отца с сыном. Затем ударила сразу по всем кнопкам лифта и громко выкрикнула:

— К стенам! Быстро!...

Не успевшую полностью закрыться лифтовую дверь ударной волной пихнуло на нас. Она искривилась, пропуская в щель огненное пламя. Сам лифт закачался, и, как мне показалось, в этот момент оборвался железный трос, удерживающий кабину над шахтой. Лифт понесся вниз со скоростью света... Это был конец.

Анатолий Степанович и Егор, насмерть перепуганные, сползли по стене вниз и свернулись калачиком. Причем Егор успел что-то прокричать мне. Слов я не разобрала. У меня было всего лишь несколько секунд в запасе для того, чтобы попытаться спастись самой и спасти жизни своих клиентов. Однако не смогла сосредоточиться, из-за того что в следующий миг осознала, что на мне горят брюки.

Наверное, я визжала как резаная, потому что Егор резко припечатал меня к стене лифта и, рванув мою блузку на себя, отодрал от нее приличный кусок. Им он принялся тушить огонь, тогда как Анатолий Степанович судорожно тыкал пальцем в кнопку «стоп». Все эти события произошли в считаные секунды, и в следующее мгновение раздался чудовищный грохот.

Лифт резко остановился, и нас подкинуло вверх, почти под потолок, затем мы все свалились вниз, на пол кабины, подминая друг друга. Судя по всему, лифт достиг дна шахты. Несколько минут после чудовищной встряски в лифте было тихо. Я лежала под чьим-то тяжелым телом, ногу жутко жгло, одна моя рука как-то неестественно вывернулась, в голову упирался чей-то ботинок... Но радовало уже хотя бы то, что все мы остались живы.

— Вы-ы... похоже, оказались правы, — с трудом выдавил из себя Анатолий Степанович. — Это еще не конец.

— Ур-роды! — первым начав подниматься на ноги, злобно прорычал Егор. — Они за это поплатятся! Я их из-под земли достану, скотов...

— Нужно вызвать милицию, — решительно заявил Зубченко-старший.

Я не стала спорить. Поднявшись на ноги, первым делом осмотрела свою слегка обожженную ногу, а затем занялась дверьми лифта. Так как они смыкались не плотно, мне не составило труда просунуть в узкую щель руки и начать раздвигать створки. Однако они почему-то не поддавались. Пришлось позвать подмогу:

— Егор, Анатолий Степанович, помогите, — обратилась я к остальным «заложникам».

Мужчины подскочили ко мне и также принялись тянуть двери в разные стороны. Дело осложнялось тем, что во время взрыва дверцы сильно прогнулись и теперь просто не могли войти в пазы. Разобравшись, в чем вся проблема, я попросила мужчин отойти в сторону, а затем несколько раз ударила ногой по выпуклой части двери, чтобы хоть немного выровнять ее. Мне это удалось. Затем мы снова повторили нашу попытку. На этот раз получилось раскрыть створки наполовину. Стало очевидно, что больше дверцы не поддадутся, поэтому придется протискиваться сквозь образовавшуюся щель.

Я выбралась из лифта первой. Впереди было темно. Судя по всему, мы оказались в подвале. Я помогла остальным выйти из лифта и только затем осмотрелась по сторонам, пытаясь отыскать хоть какой-то намек на свет.

— Кажется, там что-то блестит, — прошептал Анатолий Степанович, кивнув куда-то в сторону.

Я тоже это заметила. Попросив своих спутников быть поосторожнее, первой двинулась по направлении тусклого огонечка. Ступала осторожно, чувствуя тяжелое дыхание мужчин за спиной. Неожиданно кто-то вскрикнул. Я вздрогнула и поспешно обернулась назад.

— Что случилось?

— Кажется, мышь, — брезгливо отозвался Егор. — Ненавижу эту мерзость.

Я совершенно искренне удивилась «женской» слабости Егора.

— Не думала, что вас так легко напугать...

— Я их не боюсь, просто не думал... Не ожидал, что они здесь обитают...

— Интересно, а где бы им еще обитать? — с усмешкой поинтересовалась я. — Здесь как раз самое место. Ну давайте, не отставайте. Там, впереди, кажется, есть окошко...

— В подвалах нашего дома нет окон, — засомневался Анатолий Степанович. — Скорее уж крысиная щель. Только вот боюсь, что нам в нее не пролезть.

— Раз есть подвал, должна быть и дверь в него.

— Ага, запертая, — попробовал пошутить Егор. — Наверняка имеется, что и говорить.

— Предложишь сразу начать делать подкоп? — не поняла его иронии я.

— Да нет, но...

Я его перебила:

— Если дверь закрыта не на навесной замок, я без труда ее взломаю. Если же нет, придется стучать до тех пор, пока нас кто-нибудь не услышит и не выпустит.

— А если нас заметят они?.. Ну, преступники... — осторожно предположил Анатолий Степанович.

— Это вряд ли. Они ведь здесь такого шума наделали, что наверняка уже успели смыться с места преступления. О, действительно дверь! — успев прощупать часть стены перед собой, радостно воскликнула я. И тут же сосредоточилась на поиске замочной скважины. Мужчины терпеливо ждали результатов, боясь нарушить тишину. Наконец я что-то нащупала. Достав из кармана отмычку, я принялась за дело. В темноте ничего нельзя было разглядеть, но мои руки действовали безошибочно. Спустя какое-то время замок поддался, и дверь со скрипом поползла вперед, пропуская в темный и холодный подвал едва различимый лучик света.

Мы благополучно выбрались наружу и с облегчением вздохнули. Но тут Зубченко-старший вспомнил о взрыве и бегом метнулся наверх.

— Квартира! Там же наверняка все горит...

Мы с Егором переглянулись и бегом последовали за ним, не задавая лишних вопросов. Когда влетели на нужный этаж, нашему взору предстала жуткая картина. Вся лестничная площадка почернела от копоти, металлическая дверь, ведущая в квартиру, была искорежена так, будто по ней промчалось стадо бизонов. Верхний угол железной пластины выгнулся наружу, открывая для обзора небольшое пространство коридора.

Анатолий Степанович замер у входа с растерянным и мрачным видом. Мы остановились за его спиной и тоже молчали.

— Опять придется менять дверь. Это которая уже за нынешний месяц? — первым заговорил Егор.

Отец неопределенно махнул рукой. Затем, подойдя ближе к двери, подергал ее за ручку и достал из кармана ключи. Стоя за его спиной, я почувствовала запах гари, доносившийся, как мне показалось, из квартиры.

— Мне кажется или что-то все-таки горит? — спросила я у своих спутников, насторожившись.

Как оказалось, я не ошиблась: висящие в коридоре осенние вещи, плохо просматриваемые в щель, полыхали огромным кострищем. Огонь упрямо полз по стене вниз, к мягкому, ворсистому паласу, всерьез собираясь перекинуться на другие предметы мебели...

— О боже! — не зная, что делать, воскликнул Анатолий Степанович, понимая, что нужно как можно быстрее попасть внутрь и потушить пожар.

Из квартиры этажом выше выглянула какая-то старушка. Увидев закопченную лестничную площадку и почувствовав запах гари, она испуганно вскрикнула:

— Что, пожар? Горим?..

— У вас есть огнетушитель? — поспешно перебила ее я.

— Откуда? Нету и никогда не было. Вызовите пожарных! Вызовите, угорим!

Теперь из дверной щели вовсю валил дым — очевидно, пожар усиливался.

— Можно набрать у вас воды? — крикнула я, не обращая внимания на бабулькину истерику.

Старуха энергично закивала и заторопилась к себе в квартиру, взволнованно бормоча себе под нос о том, что сейчас весь дом загорится и она лишится с таким трудом нажитого жилья.

— Егор, несите воду, — скомандовала тем временем я. — Мы попробуем вызвать пожарную машину.

Все засуетились, забегали, стараясь хоть как-то спасти жилье и имущество многострадальных Зубченко. Анатолий Степанович трясущимися руками вставил ключ в замочную скважину и принялся ожесточенно его крутить, но дверь не поддавалась. Я поняла, что ключ заело и открыть замок ему не удастся. Решив прекратить мучения бедолаги, я отодвинула его в сторону и занялась замком сама. Вскоре дверь поддалась, и проход в квартиру оказался свободен. Я влетела в помещение первой. За мной проследовал Зубченко.

Оказавшись рядом с очагом возгорания, я на мгновение растерялась, не зная, что предпринять. Затем подхватила с пола уцелевшую куртку и принялась лупить ею по стене, стараясь тем самым утихомирить пламя. Кто-то за моей спиной сильно закашлялся, видимо, наглотавшись дыма.

— Перекройте кран подачи газа! Отключите ток! — приказала я Зубченко, в одиночку пытаясь справиться с полыхающим огнем. — Передвигайтесь ползком, внизу дым не такой плотный!

Неожиданно на меня что-то выплеснули. Я вздрогнула, не сразу сообразив, что это обычная вода, которую Егор приволок от соседки. Он, видимо, неверно прицелился, а может быть, просто поторопился — так или иначе, но в результате вода попала не на пылающую вешалку с одеждой, а на меня. Раздраженно огрызнувшись, я выхватила у него из рук ведро и ринулась с ним в кухню. Там быстро набрала воды и, вернувшись назад, выплеснула на очаг возгорания. Все зашипело и еще больше задымилось, зато огонь окончательно погас. Я обернулась к остальным и, утерев выступивший на лбу пот, искренне побеспокоилась:

— Все живы, никто не пострадал?

— Вроде бы нет, — ответил за всех Анатолий Степанович. — Только дымом надышались, но это ничего.

— Ну да, ничего, — с иронией заметил Егор. — Да тут вся прихожая сгорела дотла. Ничего... Ничего хорошего, это точно.

Я с осуждением посмотрела на паренька. В данной ситуации его ирония была неуместной. Устало вздохнув, я отвела взгляд в сторону. Скользнув им по стене лестничной площадки, я заметила какую-то надпись, проглядывающую сквозь слой копоти. Недолго думая, подошла ближе и попыталась стереть сажу ребром ладони. Рука мгновенно испачкалась, а надпись на стене слегка смазалась. Я поняла, что ее нанесли совсем недавно, а краска еще не успела просохнуть. И все же разобрать буквы оказалось возможным. Я отступила на шаг назад и прочла: «Это вам за осень 54-го».

— А что произошло осенью пятьдесят четвертого? — не оборачиваясь пока к мужчинам, задумчиво спросила я.

Я спиной почувствовала, что все смотрят на меня. Пришлось обернуться и, слегка отстранившись, указать на загадочное послание, смысл которого до сих пор оставался мне неясен. Увидев надпись, Анатолий Степанович сначала растерялся, затем на лице его отразилось смятение. По хоже, ему не удавалось восстановить в памяти столь давние события.

— Идиотизм какой-то, — по-своему расценил загадочные слова Егор. — Видно, у этих идиотов крыша совсем поехала. При чем тут какой-то пятьдесят четвертый? Меня вообще тогда даже в помине не было, да и отец пребывал в отрочестве. Что мы могли сотворить?

— Не знаю. — Я развела руками. — Но, согласитесь, неспроста они все это написали. Значит, в послании есть какой-то смысл... Нужно просто хорошенько подумать, вспомнить...

— Так, может, это и не в наш адрес, — предположил Егор.

— В наш, — угрюмо буркнул Анатолий Степанович, вздохнул и отвернулся.

— Что вы имели в виду, говоря, что надпись адресована именно вам? — догнав Зубченко, поинтересовалась я.

— Если вы про смысл, то и мне он тоже пока не ясен. Знаю лишь, что это послание по нашу душу, только не пойму почему.

— Пятьдесят четвертый! — Я задумчиво почесала подбородок. — Знаете, у меня такое ощущение, что где-то я уже слышала упоминание об этой дате... Может быть, вы все же попытаетесь вспомнить, что такого тогда произошло?

— Оставьте, — отмахнулся от меня, как от назойливой мухи, Анатолий Степанович. — Незачем ломать себе голову по поводу всяких глупостей. Эти люди, очевидно, психически нездоровы и что-то напутали. Они могли что-то спутать. В пятьдесят четвертом я еще был полным несмышленышем. Ну что я мог сотворить в такое время?

— Действительно, что?.. — сделав вид, что согласилась, поддакнула я. Сама же еще сильнее напрягла память, вздрогнув от явственного сознания того, что пятьдесят четвертый год был кем-то упомянут совсем недавно в разговоре со мной. Но вот кем и при каких обстоятельствах? Над этим нужно было подумать...

— Па, я вызываю милицию, — засуетился тем временем Егор. — Нужно, чтобы они нашли тех негодяев. В конце концов, сколько это все еще будет продолжаться?!

Зубченко-старший молча кивнул. Егор оккупировал домашний телефон. Сам Анатолий Степанович занялся «выкорчевыванием» двери, стараясь таким образом сбросить негативные эмоции и на что-то отвлечься. Я поняла, что лучше мне сейчас не попадаться ему под горячую руку, а потому отошла в сторону и, устроившись поудобнее в кресле, уподобилась Эркюлю Пуаро.

Итак, теперь уже стало очевидно, что взрыв — дело рук вовсе не похитителей Егора, то есть Вячина и Дементьева. Ребятки давно в камере предварительного заключения, но кто-то все равно продолжает охоту на семью Зубченко. И этот «кто-то» вряд ли является соучастником задержанных. У него какие-то свои, одному ему понятные причины, по которым он постоянно угрожает Анатолию Степановичу, ничего при этом не требуя. Такое ощущение, что злоумышленник просто стремится отравить жизнь моему клиенту... Что у него пока неплохо получается.

Кстати, я заметила, что наш мистер Икс все время остается за кадром, используя для осуществления своих планов каких-то случайных людей — алкоголиков, готовых на все за бутылку водки, или несмышленых юнцов.

Причем, что характерно, никто из участников покушений не может вспомнить, кто именно их нанимал, как он выглядел. Как будто, встречаясь с ними, мститель надевает на лицо черную маску или вообще дает указания исполнителям, находясь в соседней комнате. Вычислить его можно, лишь установив, что же такое случилось в этом самом пятьдесят четвертом... И какая тут связь с моим заказчиком. Кстати, у меня появилось ощущение, что Анатолий Степанович примерно догадывается о причинах, подтолкнувших его врагов к мести, но отчего-то не спешит признаться в этом мне. Неужели ему не надоела такая чехарда?

Приготовившись к нелегкому разговору с Зубченко, я поднялась было с кресла, но тут откуда-то снизу послышалось всполошное завывание сирены. Надо отдать работникам милиции должное, прибыли они удивительно быстро. Поняв, что с беседой придется повременить, я, вздохнув, подошла к окошку. Пару минут спустя в квартиру ввалились молодые люди в милицейской форме. Их оказалось четверо, все примерно одного возраста. Старшему по званию было около двадцати четырех — двадцати пяти. Зайдя в квартиру первым, он представился:

— Уваров Иван Николаевич. Это у вас тут взрыв произошел?

— А что, разве не видно? — не сдержался Егор, с легкой насмешкой окидывая взглядом моложавого представителя правопорядка и мало доверяя его возможностям.

Светловолосый следователь несколько минут потоптался на лестничной площадке, затем, отдав какие-то приказания своим ребятам, прошел в квартиру.

— Кто был свидетелем взрыва? — спросил он.

— Все, кто сейчас здесь, — небрежно ответил Егор, падая на диван.

Я с некоторым равнодушием следила за действиями ментов и поведением собственных клиентов. Подобные эпизоды почему-то всегда вызывали у меня усмешку.

— Вы знаете, кто мог совершить поджог? — Уваров пробежался взглядом по нашим лицам. Мы с Егором не скрывали своего полного равнодушия, а вот Анатолий Степанович смотрел на следователя внимательно и озабоченно. Поэтому Уваров обращался преимущественно к Зубченко:

— У вас есть какие-нибудь версии?

— Нет, никаких, — ответил Зубченко. — Но там, на лестничной площадке, — он махнул рукой в направлении двери, — есть какая-то надпись. Сути ее я так и не понял. Похоже, что мою семью в чем-то обвиняют, но вот в чем именно...

— Что за надпись? — Следователь, похоже, ничего не заметил. — Пройдемте со мной, посмотрим.

Зубченко поплелся вслед за опером. На площадке они долгое время о чем-то разговаривали, затем вернулись. Следователь сообщил, что все мы должны отправиться в отделение, чтобы оформить бумаги, касающиеся поджога, а заодно присутствовать при допросе Вячина и Дементьева. Судя по всему, всю вину Анатолий Степанович все же свалил на похитителей Егора, предположив, что они как-то связаны с организаторами взрыва. Нам не оставалось ничего другого, как отправиться в отделение. Следователь не забыл оставить двоих человек присматривать за квартирой.

Мы спустились вниз. Анатолий Степанович и Егор загрузились в милицейский «уазик». Я не торопилась следовать за ними.

— Девушка, не отставайте, — подстегнул меня Уваров. — Чем быстрее все сделаем, тем быстрее вы сможете вернуться.

— Ненавижу бумажную волокиту, — буркнула я себе под нос, а вслух произнесла: — Если вы не против, то я бы предпочла поехать за вами на своей машине. В конце концов, нам нужно будет на чем-то возвращаться назад.

Следователь что-то задумчиво промычал, а затем согласно кивнул:

— Хорошо, только не отставайте.

Я кивнула и, вполне довольная, направилась к своему «Фольксвагену».

Услышав привычное рычание родного мотора, я слегка улыбнулась. Все-таки приятно ездить на своей собственной машине, что бы там ни говорили. Я совершенно не понимаю тех людей, которые нанимают шофера, вместо того чтобы получать удовольствие от скорости, сидя за рулем...

Милицейский «уазик», нервно дернувшись, тронулся. Я плавно покатила следом, рассуждая про себя, как это на работу в милицию могут брать таких молоденьких ребят, которые вон даже машину нормально водить не умеют. Неужели не нашлось более взрослых и опытных мужчин?

Постепенно мои мысли вернулись к надписи в подъезде. Этот пятьдесят четвертый не давал мне покоя. Я приблизительно подсчитала, сколько лет в то время могло быть Анатолию Степановичу, и действительно признала, что в такие годы совершить нечто противозаконное он никак не мог. Тогда он был совсем ребенком, причем ребенком из интеллигентной семьи. Родители, вероятно, воспитывали сына в лучших традициях... Родители?!

«Стоп, а ведь верно, родители! Вероятнее всего, именно они совершили в то время что-то такое, за что теперь приходится расплачиваться их потомкам, так как сами виновники давно отбыли в мир иной. Как же я раньше об этом не подумала! И ведь даже по годам тогда все сходится... — Я радостно подскочила на сиденье. — Помнится, жена Анатолия Степановича рассказывала, что его отец был разработчиком ядерного оружия. Участвовал в каком-то испытании... А что, если именно в этом и кроется вся разгадка? Что, если кто-то из пострадавших от тех испытаний сейчас преследует продолжателя дела Степана Владимировича? Нужно бы выяснить поподробнее про те события!»

Я заметила, что милицейский «уазик» заметно вырвался вперед. Нужно было нагонять, пока меня не хватились, но я медлила. В голове созревала еще одна, какая-то важная, значимая мысль, и мне не хотелось ее упускать. Я попыталась сосредоточиться.

«Осень пятьдесят четвертого. Ядерные испытания. Подробности о них Анатолий Степанович, вероятнее всего, знает, но только со слов отца. И, конечно же, может поведать, когда и как все происходило, но только в общих чертах. Вряд ли отец рассказывал сыну о каких-то негативных последствиях знаменательного события — к тому же он и сам мог о них лишь догадываться... Наверняка информация об испытаниях секретна, а все его участники подписывали документы о неразглашении. Впрочем, — я вспомнила о том, что все это случилось пятьдесят лет назад, — в живых остались немногие. Ведь тем, кого задействовали в испытаниях атомного оружия, тогда было приблизительно около тридцати. Сомневаюсь, что кто-то из них прожил более семидесяти-восьмидесяти лет. Хотя...»

И вдруг я вспомнила историю, приключившуюся со мной недавно и вроде бы никак не связанную с теперешними событиями. История называлась «Малолетняя разбойница и ее семейка». Был там один весьма колоритный персонаж — некий старичок, которому, вероятно, уже перевалило за девяносто... Что-то он бурчал себе под нос про какие-то ядерные испытания... Теперь я отчетливо вспомнила невнятную речь старичка и последовавшие за ней комментарии хозяина хибары:

«Сбрендил он малость после своей ядерной атаки. Жаль, что совсем его тогда не шарахнуло. Глядишь, сейчас бы лишний угол не занимал...»

Кстати, именно пятьдесят четвертый год и фигурировал в обвинительной речи престарелого доходяги! И верно, как я раньше не вспомнила про того несчастного дедка, чью внучку застукала за грабежом. Наверняка он участвовал в тех испытаниях, а значит, может знать больше самого Анатолия Степановича!

«Необходимо срочно с ним переговорить, прямо сейчас, пока выдалось свободное время и пока мой заказчик находится под охраной милиции!»

Я еще раз поискала глазами милицейский «уазик». В этот момент он благополучно миновал очередной светофор и теперь сворачивал налево. Не задумываясь, я резко сбавила скорость и развернула машину. В конце концов, заполнить все протоколы Анатолий Степанович и Егор могут и без моего присутствия, тем более что я видела ровно столько же, сколько они.

Развернув машину, я прибавила газу и, превышая скорость, помчалась по направлению к райцентру Коброво, где жил дедок. Необходимо как можно скорее переговорить со старым чудиком, если он, конечно, еще способен что-либо рассказать... Я знала, что на все про все у меня часа три-четыре. В милиции не привыкли работать быстро — а значит, Зубченко отпустят не так скоро. Времени у меня предостаточно...

Вскоре я покинула пределы города и ехала по трассе со своей любимой скоростью — сто двадцать пять километров в час. Мимо поплыли бескрайние поля, но мне было не до созерцания природных красот. Через некоторое время на горизонте начали прорисовываться крайние ветхие домики райцентра Коброво. Я выделила среди них знакомую трехэтажку. В эти дневные часы она показалась мне еще более убогой, чем накануне. Обшарпанное, лишь в отдельных местах сохранившее окрашенные элементы фасада здание смотрелось весьма уныло. Наполовину сгнившие оконные рамы и голые деревья усиливали грустное впечатление.

Я объехала здание и притормозила возле подъезда. Заглушив мотор, вышла из машины и вскоре ступила в подъезд. На лестнице мне попался какой-то пьяненький батюшка в рясе, бултыхающийся от стены к перилам и, видимо, уже неспособный различать предметы перед собой. Проходя мимо, «божий сын» дыхнул на меня перегаром. С трудом выдержав «газовую атаку», я набрала в легкие побольше воздуха и решила не дышать до тех пор, пока источник зловония не окажется на безопасном расстоянии. Священнослужитель же, то ли забывшись, то ли решив, что находится в стенах своей обители, ухватил меня за руку и, едва ворочая языком, забормотал:

— Дит..ть-я-а мое, бог в-с-се видит.

— Ага, и видит, и слышит, — скривив лицо от смрада, ответила ему я.

— В-вы наверня... к-ка думаете, что я пьян, — по-своему расценил мои слова святой отец, икнув. — Но это не так... ик, я...

Я не стала дослушивать его оправдания и, вырвав руку, продолжила подниматься дальше. Не хватало еще тратить время на всяких алкоголиков... Однако почтенного священнослужителя мое поведение, видимо, задело. Он забурчал вслед:

— Алко-оголь, враг... ик, здоровью. А бог сказал: воз... вз-злюби врага своего.

— Великолепное оправдание, — усмехнулась я про себя.

Добравшись наконец до нужной двери, нажала на кнопку звонка и стала ждать, пока мне кто-нибудь откроет.

Глазок на двери отсутствовал. Однако из-за закрытой двери я не услышала ожидаемого вопроса: «Кто там?» Видимо, жильцы этой квартиры грабителей не боялись — впрочем, не без оснований, потому что красть в их доме было абсолютно нечего. Дверь открылась...

— Опять ты. Ну, чего надо?..

Передо мной стояла Верунька, та самая девица, которую я отловила и доставила по месту жительства. Ее я узнала сразу. Слегка туповатое выражение лица, разрисованного всеми мыслимыми цветами (девица, видимо, полагала, что имя такой боевой раскраске — макияж), и вызывающе дерзкий прикид — в таком виде предстала передо мной моя недавняя подопечная. Сейчас на ней были короткие шорты с бахромой и сетчатая кофтейка, совершенно не скрывающая ее девичьих выпуклостей третьего размера, которые она не посчитала нужным прикрыть даже символическим топом.

— Да вот, решила заглянуть в гости, — улыбнувшись, ответила я. — А ты разве не рада?

— Ага, нужны нам такие гости! Так че приперлась-то? — не спеша пока пропускать меня в квартиру, вновь поинтересовалась юная разбойница. — Только не говори, что на чай...

— Угадала, я к твоему деду, — не став более тянуть резину, призналась я честно.

— К кому-у? — удивленно протянула Верочка, уставившись на меня вытаращенными глазами. — К нашему деградирующему предку?... Шутишь. Что тебе от него могло понадобиться? Анализ мочи для больничного листа...

— Нет. Я хочу просто с ним поговорить.

— Ну да, ну да, — закивала головой девица, улыбаясь. — Просто... — Она вновь хихикнула, но на этот раз в квартиру все же пропустила. Проводив меня до кухни, с порога громко крикнула: — Але, старый хрыч, к тебе тут поклонница...

Покосившись на меня хитрым взглядом, Верунька добавила:

— Смотри, не прелюбодействуй тут! Извините, я вас оставляю, — и, довольная, быстро выскользнула в коридор и исчезла.

Я неловко замерла в дверях. У самого окна, покачиваясь туда-сюда, с отсутствующим выражением лица сидел щупленький старичок. Сегодня он выглядел гораздо хуже, чем в прошлый раз. Казалось, даже тлеющий огонек в серых, затуманенных глазах теперь уже потух окончательно. Голова поникла, спина ссутулилась, руки дрожали мелкой дрожью. От одного только взгляда на него щемило сердце.

Помимо него, в кухне был только раненый малец, вновь занятый струганием деревяшки, остальные домочадцы отсутствовали.

— Здравствуйте, — подступая ближе к дремлющему дедку, негромко произнесла я. Старик, казалось, меня даже не услышал. Я повторила приветствие погромче. На этот раз дедок вздрогнул и поднял на меня моментально ставший осознанным взгляд.

— А-а, что?...

— Здравствуйте, говорю, — снова повторила я. — Вы меня помните, я к вам не так давно приезжала, привозила из города вашу внучку.

— А-а-а-а! — снова запел прежнюю песню дедок.

Мне даже показалось, что он пребывает в каком-то забытьи и сегодня совершенно неспособен осознанно отвечать на мои вопросы. Наверное, я вообще зря приехала... Но, с другой стороны, раз приехала, нужно попробовать!

— Я хотела с вами поговорить... об испытаниях, что

проводились в пятьдесят четвертом году. Вы, кажется, что-то о них упоминали.

Дедок снова закачался на стуле, о чем-то задумавшись. Возможно, вспоминал былые годы. Я молча ждала его возвращения на грешную землю. Наконец это произошло, и старик заговорил:

— Сейчас это уже... кхе-кхе, никому не интересно. Столько народу полегло, а никому дела нет...

— Мне интересно, расскажите...

Старик поднял на меня свои потухшие глаза и несколько минут внимательно смотрел. Затем опустил голову и негромко забурчал:

— Мы шли на те учения... с радостью, не зная, кхе-кхе, что за этим последует. Масса военной техники... в зоне взрыва... — Старик периодически прерывался, пытаясь бороться с кашлем. — Около пятисот минометов, столько же бронетранспортеров и танков, тягачей и обычных машин. Они... они не пожалели даже самолеты. А сколько было животных, одного только рогатого скота более тысячи голов. Его силком заталкивали в технику и запирали.

— Зачем? — не поняла последнего я.

— Испытать... — многозначительно протянул старик, так толком ничего и не пояснив. — А потом сбросили ее: маленький кхе-кхе... шарик, натворивший кучу дел. Тогда писали... что его мощность равняется сорока килотоннам, но мы-то, — дедок смачно сплюнул в стоящее неподалеку ведро, а затем снова продолжил: — Те, кто выжил... знаем, что цифра эта во много раз занижена. В ней было не меньше ста. Э-это в восемь раз больше мощности бомбы, которую сбрасывали американцы на Хиросиму... — Голова старика вновь закачалась. — В восемь раз...

— А что случилось потом? — Я осторожно подтолкнула деда к продолжению повествования. Честно говоря, меня его рассказ сильно взволновал.

— Потом... — из сухих, потрескавшихся губ старика вырвался дребезжащий смешок. — Когда эта игрушка жахнула, нас... кхе-кхе... погнали в самый эпицентр. Мы не получили ни единого противогаза, никаких... средств для защиты от радиации. Нас уверяли, что там нет никакой опасности для жизни и здоровья, никакой... — Старик замер с душераздирающей улыбкой на лице и так и сидел молча несколько минут. Когда какой-то шум с улицы отвлек его от воспоминаний, старик, не глядя на меня, продолжил: — Они говорили, что доза... радиации... та же, как и во время рентгена в поликлинике. А потом заставили подписать подписку о неразглашении. Целых двадцать пять лет мы вынуждены были молчать... целых...

Старик резко согнулся пополам и затрясся. Это напоминало начало припадка. Я испуганно сорвалась с места. Схватив со стола какую-то грязную кружку, черпанула ею воды из серого ведра и протянула старику. Бедняга жадно отпил несколько глотков. После этого ему на какое-то время полегчало.

— Спасибо.

— Угу. — Я не знала, что на это ответить, и снова вернулась на свое место.

Дедок с благодарностью — то ли за поданную воду, то ли за то, что я вдруг дала ему возможность выговориться, — посмотрел на меня, попробовал даже улыбнуться, а потом продолжил свой рассказ. Похоже, теперь говорить ему стало несколько легче:

— Я был сержантом инженерно-саперной бригады. Как и многие, я не ушел тогда в бункер, желая увидеть... как взорвется бомба. Мы стояли в окопе, хотя и спиной к эпицентру. Когда бомба взорвалась... небо озарилось бледно-розовой вспышкой, в лицо ударил сильный жар и с головы сорвало фуражку. Я кинулся в укрытие, но подоспела новая волна, и нас сшибло с ног... Когда мы поднялись, местность вокруг было не узнать. Страшная картина... — Дед вновь закашлял. — Там, где раньше раскинулась степь и рос лес.... все... все исчезло, испарилась начисто. Птиц и траву спалило заживо, деревья выгорели на корню... оставив после себя только дотлевающие, кхе... головешки и щепки. Вокруг осталась пустыня, которая дымилась страшными кострищами. Это невозможно забыть. Этого лучше никогда не видеть. Все погибло, все животные, люди... В живых остались единицы. Те, кто выжил, — на глазах старика сверкнули слезы, — не имеют никаких льгот, ни дополнительных пенсий, ничего. Мы даже заявить о том, что участвовали в учениях, не можем. Государство использовало нас как подопытных кроликов... Вот он какой был, Советский Союз... Мы все для них игрушки.

— Какой ужас, — только и смогла вымолвить я, тогда как старик продолжил:

— Никто из нас не получает никаких пособий... врачам запрещают ставить диагнозы, в которых есть хоть какой-то намек на тот взрыв и его последствия. Я это знаю по себе. Я видел... как они умирали. Те, кто участвовал в испытаниях. Истаяли от различных опухолей или просто от каких-то необъяснимых, редких заболеваний. Я тогда тоже пострадал... — Старик вновь закашлял.

Я снова протянула ему кружку с водой, но он отмахнулся. Я неловко ерзала на качающемся стуле, не зная, что сделать, как помочь этому человеку. Хотя нуждался ли он в моем сочувствии? В моем или же чьем-то еще? Его жизнь и судьба из-за того испытания были исковерканы, его дети, внуки... Я вновь вспомнила про слегка странноватую Веру, а затем глянула на ее братца, все еще присутствующего на кухне. Похоже, что мальчонка отстает в развитии, что на нем, как и на всех остальных, сказались последствия той ужасной осени. И ведь таких людей не десятки, а тысячи!

Мне даже стало немного не по себе из-за того, что я заставила дедка ворошить в памяти неприятные для него моменты истории. «Но ведь это нужно для дела», — успокаивала я себя. Теперь мне, по крайней мере, стало понятно, что кто-то из участников того испытания теперь мстит Анатолию Степановичу за одно только то, что он является сыном первого изобретателя.

Осталось только выяснить, кто именно...

Понимая, что вряд ли смогу почерпнуть для себя еще что-то интересное из дальнейшего рассказа старика, я поблагодарила его за беседу, обещала непременно заглянуть еще и, попрощавшись, поспешила покинуть квартиру. Верка вышла меня проводить.

— Ну и что он вам там наплел? — язвительно поинтересовалась она. Я не спешила отвечать, и девица добавила: — Вы ему не особо-то верьте, он головой давно уже тронулся. И вообще, зачем вам понадобилось сюда приезжать?... Не хотите отвечать — ладно, мне все равно до лампочки. Чешите своей дорогой! Надеюсь, больше не увидимся...

— Я тоже надеюсь, — искренне заметила я, вышла за дверь и не спеша стала спускаться вниз.

Оказавшись в машине, я не сразу смогла взяться за

руль. Мое воображение слишком уж живо рисовало все те картины, что происходили осенью пятьдесят четвертого. От этих картинок становилось жутко и страшно. Еще страшнее было от сознания того, как мало у нас в стране ценится человеческая жизнь и как ею играют сильные мира сего. А ведь люди, попавшие в зону атомного взрыва, ни в чем не виноваты... Они хотели просто жить, растить и воспитывать детей.

Я никогда не относила себя к категории сентиментальных личностей, но сейчас на глаза наворачивались слезы... Резко тряхнув головой, я нажала на педаль газа.

* * *

Оказавшись на знакомой лестничной площадке, я увидела совершенно новую металлическую дверь, установленную в квартире Зубченко. «Да уж, оперативно работают ребята, ничего не скажешь», — подумала я и нажала на кнопку звонка.

— Женя, черт вас побери, куда вы пропали? — налетел на меня Анатолий Степанович. — Этот следователь... Ваш телефон не отвечал...

— Как не отвечал? — не припоминая, чтобы я слышала хоть один звонок, удивилась я. И, тут же достав телефон, глянула на дисплей. Как выяснилось, у моего агрегата просто села батарейка. — Нужно было его подзарядить, но я совсем забыла, — пояснила я Зубченко.

— Я вас спрашивал не об этом, — удивленно посмотрев на меня, заметил клиент. — Вы, похоже, витаете в облаках и даже не слышали, что я вам говорил.

— А что вы говорили?

Анатолий Степанович подозрительно прищурился, строго сдвинул брови и уставился на меня вопросительно. Я поняла, что мысли мои все еще заняты историей, поведанной мне несчастным старичком. Поэтому я и пропустила мимо ушей последние слова Зубченко. Надо же, как меня проняло!

— Так о чем вы там говорили? — еще раз встряхнувшись, с улыбкой поинтересовалась я у клиента.

— Сообщил вам, что милиции так и не удалось доказать причастность Дементьева и Вячина к сегодняшнему взрыву. Похитители полностью все отрицают и никого не сдают.

— Это было очевидно с самого начала, — спокойно заметила я. — Еще что-то новенькое есть?

— У нас нет, а у вас, судя по тому, как нагло вы нас бросили, должно быть.

— Угадали, кое-что мне удалось выяснить. Кстати, о терзающих меня догадках я и хотела бы с вами прямо сейчас поговорить.

— Прежде придется позвонить в отделение. Этот следователь, Уваров, решил, что вы скрылись от них, так как причастны к взрыву! Мне так и не удалось убедить его в обратном. Он заявил, что, как только вы появитесь, мы должны сразу же поставить его в известность.

— И вы поставите? — Я слегка приподняла одну бровь вверх и вопросительно посмотрела на заказчика.

— Да нет, нет, конечно, — отчего-то засмущался он. — Ведь это все так глупо и бесполезно. Лучше давайте поговорим... о чем вы там хотели?

— Я только что навестила одного человека. Его зовут Василий Иванович, фамилия Канавин. Впрочем, вряд ли вам это о чем-то говорит.

— Действительно, я впервые слышу такую фамилию, — подтвердил мои слова Анатолий Степанович. — Ну и что он?

— Когда-то, будучи значительно моложе, Канавин участвовал в испытаниях первой атомной бомбы. Они проходили в тысяча девятьсот...

— Знаю, знаю, пятьдесят четвертом. Об этом ведь вам рассказывала моя жена, когда вы к нам приехали, — перебил меня Зубченко. — Только что-то не пойму, какое отношение все это имеет ко мне и сейчас.

— Боюсь, что самое прямое, — вздохнув, произнесла я. — Вы являетесь продолжателем этих исследований и сыном одного из главных разработчиков.

— И что такого? У всех отцов есть сыновья... — не понимал меня пока Анатолий Степанович.

— Да, но не все отцы были пусть косвенно, но причастны к смертям сотен людей и к созданию оружия, в результате воздействия которого до сих пор появляются на свет и будут появляться дети с отклонением в развитии, с врожденными раковыми заболеваниями...

— К чему вы клоните? — насторожился Зубченко, видимо почувствовав мою агрессивность. Я хоть и старалась, но все же не смогла скрыть своего отношения к произошедшему.

— К тому, что этот взрыв... Я имею в виду произошедший недавно в вашей квартире, а не пятьдесят лет назад. Так вот, этот взрыв, как и все предыдущие покушения на вас, является следствием разработки вашего отца и вашей собственной деятельности. Вам мстит кто-то из пострадавших во время тех испытаний. Человек, получивший какое-то увечье или серьезное заболевание...

— Да это полная чушь! — вскочив с кресла, вспыхнул Зубченко. — Вы сами-то хоть поняли, что сказали?

— Вполне. Я видела глаза человека, рассказывавшего о том, как происходили испытания. Вы бы вряд ли смогли воспринять все то, что он мне поведал сегодня, потому что не осознаете, сколько горя несут в мир все ваши изобретения и разработки... Атомные исследования не нужны, они слишком опасны.

— Глупости! Если бы это было не нужно, этим бы никто не занимался. Это оружие, конечно, опасно, я не спорю, но оно необходимо...

— Для чего?

— Видите ли, Женя... Вы — человек, к науке и к политике никакого отношения не имеющий. Если бы дело обстояло иначе, между нами был бы возможен более предметный и обстоятельный разговор. Но в данном случае это исключено, поэтому я отвечу просто — ядерное оружие необходимо в целях политической безопасности. Иначе говоря, чтобы другие страны нас боялись и признавали наш авторитет.

Я рассмеялась:

— В других странах тоже есть такие игрушки! Возможно, даже значительно более мощные... Согласна, в подобных вопросах я дилетант, но ведь существуют некоторые общие моменты, понятные простому смертному человеку... Конечно, я не требую от вас, чтобы вы сейчас держали передо мной ответ за страну, за международную гонку ядерных вооружений. Я сейчас пытаюсь разговаривать с вами просто как с человеком. Мужчиной, у которого есть жена, ребенок... Неужели вы меня не понимаете? Одно нажатие на кнопку — и погибнет вся планета!

— Откуда у вас такие мысли, — растерянно спросил

Зубченко, не находя других аргументов. — Такое ощущение, что вы сами начинаете меня ненавидеть.

— Я ничего против вас лично не имею, — заставив себя успокоиться, ответила я. — Я возражаю против такой политики и пытаюсь доказать вам, что многие люди недовольны вашей работой и работой вашего отца. Именно они и отравляют вам жизнь, стремясь причинить столько же боли, сколько причинили им вы. Пусть даже и косвенно...

Анатолий Степанович шумно вздохнул, прошелся по комнате от одной стены до другой, затем резко сел и, обхватив голову руками, едва слышно выдавил:

— Невероятно... Кто бы мог подумать, что все это так обернется. И почему мстят только мне? Я ведь не единственный в стране разработчик ядерного оружия...

— Возможно, мстят не только вам! Ведь мы же точно не знаем, кто еще попал под «прицел» мстителей. Вполне возможно, что эти люди давно уже нашли всех, кто участвовал в разработке и еще остался в живых. Они поставили перед собой цель — превратить жизнь этих людей в ад...

— Хотите сказать... — Анатолий Степанович задумчиво уставился в стену, а затем, ошеломленный собственным предположением, вновь повернулся ко мне: — Я знаю в Тарасове еще одного человека, который работал над созданием атомного оружия. Он — друг моего отца, его фамилия Ожигин. Они часто встречались и вспоминали прошлое. У меня даже где-то есть его адрес...

— Хотите узнать, все ли с ним в порядке? — догадалась я.

Зубченко кивнул и поспешил в соседнюю комнату, намереваясь отыскать там старый блокнот отца. Я осталась сидеть на месте, дожидаясь результатов. Вскоре нужный адрес нашелся. Анатолий Степанович изъявил желание немедленно отправиться к старому знакомому, чтобы поговорить с ним. Я не стала возражать и быстро собралась в дорогу. Минут через пять мы уже сидели в машине. Я завела мотор и тронулась в путь.

— Я не видел Ивана Пантелеевича очень давно, — негромко заговорил Зубченко. — В пятьдесят четвертом он имел звание капитана и занимал должность начальника Тоцкого артиллерийского полигона. Они были очень дружны с моим отцом. Ожигин живет один. С женой развелся уже очень давно, дети выросли и разъехались кто куда. Не знаю, может, и его с собой забрали.

Пока мы ехали, Анатолий Степанович еще много порассказал мне про друга своего отца. Я слушала молча, следя за дорогой. Потом он принялся вспоминать все, что ему известно об атомном взрыве...

— Видите ли, Женя, то испытание стало первым в истории. Тогда было такое время — все торопились выполнить план, уложиться в намеченные сроки. В том числе, как это ни парадоксально и страшно звучит, и разработчики ядерного оружия. На них возложили особую миссию — они отвечали за безопасность государства, за повышение его военной мощи. И должны были разработать новое атомное оружие и провести его испытание в намеченные сроки. Последние чтились особо, а вот жизни людей... К сожалению, времени на то, чтобы как следует просчитать возможные последствия того испытания, просто не хватило. Данные о влиянии столь высокой степени облучения на организм человека были весьма приблизительными. Да и сам уровень радиации, насколько я знаю, оказался значительно выше, чем предполагалось в теории. В общем, что говорить... Всем известно, что во времена советского строя интересы государства и партии были превыше всего. Забота о человеке являлась понятием номинальным...

Наконец мы прибыли. Покинув машину, вошли в девятиэтажное здание и, поднявшись на третий этаж, позвонили в квартиру. На звонок никто не откликнулся. Я нажала на кнопку еще раз. Опять тишина. Анатолий Степанович постучал в дверь, потом подергал ручку. Внезапно дверь отворилась — она оказалась незапертой. Мы удивленно переглянулись, затем я медленно просунула голову внутрь и крикнула:

— Хозяева?

Ответа вновь не последовало. Теперь уже я осторожно ступила в квартиру, попав в маленький коридор с дверью в какую-то комнату. Между дверью и косяком была всунута тряпка, видимо, для того, чтобы дверь не открывалась сквозняком. Я потянула за ручку, отбросила тряпку в сторону и прошла дальше. Но не успела сделать и шагу, как мне в нос ударил запах перегара.

— Фу! — непроизвольно поморщилась я и, не оборачиваясь к Зубченко, спросила: — Ваш старичок что, запойный?

— Да вроде бы нет, никогда за ним не водилось...

Остановившись на пороге комнаты, я внимательно осмотрелась по сторонам и не сразу заметила хозяина. Тот преспокойненько спал, уронив голову на стол, на котором стояла бутылка водки, лежала какая-то закуска и скомканные, грязные салфетки. Казалось, вполне типичная картина, но что-то меня настораживало во всем этом.

— Надо же, — удивился Зубченко, а затем попробовал разбудить своего знакомого. — Иван Пантелеевич, здравствуйте!

Я усмехнулась:

— Сомневаюсь, что он вас услышит. Если старичок хорошо погудел, ему сейчас хоть пушкой пали, все равно.

— Что же делать? — вопросительно посмотрел на меня Зубченко.

— Будить, естественно, — ответила я, направившись к старику. Подойдя ближе к спящему, я потрясла его за плечо. Видимо, слишком сильно, потому что старик легко соскользнул со стула и с сильным грохотом свалился на пол.

Анатолий Степанович вздрогнул. Устремив на меня испуганный взгляд, промямлил:

— Чего это он?

Я склонилась над упавшим и, положив руку ему на шею, нащупала сонную артерию. Но нет, надежды мои не оправдались — Ожигин был мертв. Я подняла глаза на Зубченко. Он и сам уже обо всем догадался и, испуганно попятившись назад, закрыл рот руками.

— Надо сообщить в милицию, — шагнув к телефону, спокойно произнесла я. — Труп — это уже серьезно.

— Убили! Они его убили!.. — повторял как заведенный Анатолий Степанович.

— Может, и не они, — возразила я, совершенно уверенная в обратном, просто стараясь успокоить клиента. — Старик мог просто переборщить со спиртным. В его возрасте это часто случается. Давайте-ка мы лучше поскорее уйдем отсюда, а милицию вызовем уже из машины, — предложила я, немного подумав. — Будет лучше, если нас тут не застанут.

Анатолий Степанович согласно кивнул и поспешил выйти. Оказавшись в машине, мы некоторое время молчали, затем я набрала «02». Сообщив о случившемся, сразу отключилась, не желая услышать просьбу никуда не уходить и дождаться прибытия оперативной группы.

— Вы, пожалуйста, Егору не говорите, — попросил Зубченко, когда я уже заводила машину.

Я повернулась к нему:

— Конечно, не стану! Зачем ему лишние переживания. К тому же он наверняка будет настаивать на обращении в милицию, а те только затаскают нас по кабинетам да замучают глупыми вопросами, ничего толком не делая. Сами мы быстрее найдем убийцу... Я надеюсь.

Глава 8

— Я не стану здесь сидеть, — меряя шагами гостиную, возмущался Егор.

После нашего визита в квартиру Ожигина Зубченко позвонил Егору и велел срочно приехать. Теперь же напуганный отец запрещал сыну выходить из квартиры, пока преступники не будут найдены и обезврежены. До тех пор Анатолий Степанович решил устроить сыну «домашний арест», не собираясь выпускать его за пределы квартиры ни под каким предлогом. Пусть даже таковым является работа...

Егора такой расклад определенно не устраивал.

— Я не маленький ребенок, за мной не нужно присматривать! — продолжал упрямиться юноша.

— Ты что, хочешь, чтобы тебя еще раз похитили? — спросил у него Анатолий Степанович. — У меня нет таких денег, какие за тебя требуют. Поэтому ты сегодня останешься здесь.

— Только сегодня...

— Нет. И завтра, и послезавтра, в общем, до тех пор, пока в этом будет необходимость.

— Да вы даже не знаете, кто этот сумасшедший, — возбужденно размахивая руками, шумел Егор. Его, похоже, бесила сама мысль о том, чтобы находиться все время под колпаком и не иметь возможности заниматься тем, чем хочется.

— Таким его сделал твой дед, — вновь не сдержалась я, а потому заслужила укоризненный взгляд Зубченко-старшего.

Эх, видела бы меня сейчас моя тетушка! Наверняка сказала бы, что я окончательно распустилась и позволяю себе всякие вольности. А ведь этот заказчик, каким бы плохим он ни был, мне платит! И не мое дело, по какой причине его стараются убить. Тем более что мне не раз приходилось выступать в роли телохранителя таких отпетых бандюганов и негодяев, каких еще поискать...

— Тем более. Почему я-то должен за все отвечать? Я к их бомбочкам никакого отношения не имею. У меня вообще другой профиль работы...

Парнишка вздохнул и устало уселся на диван. Затем посмотрел на отца, стоящего у окна и задумчиво смотрящего куда-то вдаль, и снова поинтересовался:

— И сколько времени все это будет продолжаться?

— Пока мы его не вычислим, — пояснила я.

— А как же милиция?

— Если ждать результатов от нее, пройдут годы. И потом, им есть чем себя занять и помимо поиска ваших недоброжелателей.

— И как вы собираетесь его вычислить? Дождаться еще одного покушения? А если оно произойдет через месяц? Или не произойдет вообще?

— Не совсем. Вообще я планировала как-нибудь спровоцировать новое покушение, постараться задержать исполнителя, а затем уже выйти через него на организатора.

— Отлично! — Егор вновь взмахнул руками. — Из меня собираются сделать наживку.

— А ты можешь предложить что-то более достойное?

— Нет, но...

— Чем быстрее это произойдет, тем быстрее твоя семья вернется к нормальной жизни, так что в твоих же интересах помогать мне и твоему отцу.

— Ладно, уговорила, — сдался Зубченко-младший. — Что нужно делать?

— Сегодня уже ничего. Можешь лечь спать, а завтра посмотрим.

— Ладно, я иду спать.

Егор не спеша встал и вяло поплелся в соседнюю комнату, сокрушенно свесив голову.

Мы с Анатолием Степановичем остались вдвоем. Немного помолчав, я тоже собралась удалиться в выделенную мне комнату и отдохнуть перед завтрашним, возможно, тяжелым днем, но тут Зубченко обратился ко мне:

— Женя, не хотите ли чаю?

Я не стала отказываться:

— Да, в общем-то, я не прочь выпить чашечку.

Было понятно, что чаепитие Зубченко — просто предлог к разговору. Анатолий Степанович хотел мне что-то сказать, потому и предложил выпить по чашечке, уединившись на кухне. Что ж, послушаем его откровения, я не против.

Мы с Зубченко перебрались в кухню. Анатолий Степанович поставил на плиту чайник и принялся выставлять на стол чашки и тарелки. Я молча наблюдала за его действиями. Вскоре стол ломился от всевозможных лакомств — вазочки с конфетами, колбасной нарезки, булочек. Когда вскипел чайник, мужчина наполнил чашки. Усевшись напротив меня, принялся шумно дуть в свой бокал.

— Вы что-то хотели мне сказать, — понимая, что Зубченко никак не может решиться, подтолкнула я его к началу разговора

— Наверное... пожалуй, что да. Хотел сказать... объяснить, что все понимаю, что я не такой жестокий, как вы обо мне думаете. А всего лишь выполняю свою работу, пусть и не совсем...

— Вы не должны передо мной оправдываться, — прервала я его сумбурную речь. — Я тоже слегка погорячилась, накинувшись на вас с обвинениями. Так что можете не волноваться по этому поводу, монстром я вас не считаю.

— А я уже считаю, — вздохнул мужчина. — В глубине души я всегда это понимал... Но вся проблема в том, что ничего другого не умею и большую часть жизни занимался именно ядерными разработками, не слишком задумываясь над тем, что они с собой несут. Я просто выполнял свою работу.

— Мы все выполняем свою работу...

— Да, но ваша, по крайней мере, полезна.

— Не всегда. Бывает, что приходится защищать тех, кто этого совершенно не заслуживает.

— Негодяев типа меня, — принял мои слова на свой счет Анатолий Степанович.

— Лучше не озадачиваться всем этим, иначе сегодня не уснете, — заметила я. — Давайте лучше еще раз все проанализируем и попытаемся определить, в каком направлении двигаться дальше. Насколько я поняла, милиция не слишком активно взялась за поиск оставшихся на свободе преступников.

— Сомневаюсь, что мы сумеем найти того человека, — вздохнул Анатолий Степанович. — Вы же сами сказали, пострадавших было очень много. Как узнать, кто из них обозлился на нашу семью?

— Согласна, но все же попробовать стоит. К тому же тот человек, что вас ненавидит, должен быть вам знаком... Ведь прежде, чем приступить к выполнению намеченного плана, ему пришлось понаблюдать за вами, узнать, какие места вы чаще всего посещаете, выяснить, где вы живете, работаете, кто еще живет с вами... А узнать это можно только через людей, вам близких, или же через соседей. Можно попробовать поговорить с ними.

— Сомневаюсь, что кто-то спрашивал обо мне у соседей, — вздохнул Анатолий Степанович. — Старые люди всегда болтливы и давно бы проговорились о таком событии. Нет, это исключено.

— Пожалуй, вы правы, — согласилась я, вспомнив одного из соседей Зубченко — противного старика, оказавшего нам помощь, когда мы с клиентом пострадали, наглотавшись ядовитого дыма. Затем облокотилась на стол и задумалась. Прошло минут пять, прежде чем я снова заговорила: — Напомните-ка мне, где происходили те испытания.

— На Тоцком полигоне. Это Южно-Уральский военный округ, он находится под Оренбургом.

— Стало быть, весьма вероятно, что ваш недоброжелатель когда-то проживал именно там. В Оренбургской области.

— Не собираетесь же вы проверять всех приезжих из тех областей, — усмехнулся Зубченко. — Зона поражения могла быть огромной.

— Нет, но... Что-то в этом есть. Нужно только понять

что. Догадаться, как выявить нужную нам зону, населенный пункт...

— Проще всего было бы, если б этим человеком оказался какой-нибудь дружок похитителей моего сына, — заметил Анатолий Степанович. — Но похоже, что...

— А этот Вячин, когда я его впервые увидела, показался мне болезненным малым. И потом, он что-то там болтал про свои заболевания и невозможность их излечить, — припомнила я недавние события. — А что, если вы правы? Если и впрямь эти парни действовали по его приказу? Тогда вполне логично предположить, что заказчик им знаком... Но сдавать его милиции они не собираются, понимая, что рано или поздно он осуществит поставленную перед собой цель. Покончит с вами и членами вашей семьи. Если же Вячин является косвенно пострадавшим от взрыва — значит, выдавать организатора не в его интересах...

Мои мысли активно закрутились вокруг этого предположения. Я старалась выстроить логическую цепочку, хватаясь, как говорится, за соломинку. Анатолий Степанович молчал, не решаясь высказывать собственных мыслей.

— Нужно проверить, откуда родом эти двое, — заключила я.

— Не имеет смысла, я вам и так могу сказать. Я же присутствовал при их допросе. Следователь Уваров надеялся, что, оказавшись лицом к лицу с пострадавшими, ребятки раскаются и выложат всю правду. — Зубченко усмехнулся: — Но те даже не испугались и вообще делали вид, что впервые нас видят. Мерзавцы...

— Вы упомянули, что знаете, где они родились, — напомнила я клиенту, посчитав это более важным. — И где же?

— В Маховке. Кажется, это такое село...

— Это Оренбургская область?

— Не знаю, я не слишком силен в географии, — признался Зубченко.

— У вас есть атлас?

— Где-то был, нужно поискать.

Я попросила Анатолия Степановича найти мне атлас прямо сейчас. Он заспешил в свой кабинет. А я продолжила размышлять дальше:

«А что, если окажется, что это даже не рядом с Оренбургской областью? Получится, что парни и впрямь не имеют отношения к покушениям на Зубченко. С другой стороны, Анатолий Степанович прав, утверждая, что радиоактивные осадки могли выпасть и в любом другом районе и даже области, за много километров от эпицентра. Боже, насколько огромна площадь заражения!»

— Вот, я нашел атлас, — вернувшись в кухню, протянул мне нужную книжицу Анатолий Степанович.

Я принялась листать страницы, пытаясь отыскать карту Оренбургской области. Наконец мои поиски увенчались успехом. Я буквально нависла над картой, тщательно всматриваясь в названия деревень и городов, расположенных в Оренбургской области. Смущало меня только одно: если деревенька слишком мала, ее название на карте может быть даже не отмечено. Тем временем Анатолий Степанович куда-то вышел.

Мелькали названия: Ивановка, Александровка, Павло-Антоновка, Андреевка... Маховку я так и не нашла. Решив, что это поселок из соседствующей с Оренбургской области, я занялась просмотром других карт, но результат оказался тем же: ни в Самарской области, ни в Башкирии населенного пункта с нужным мне названием не оказалось. Я даже просмотрела карту Казахстана, который граничил с южной частью Оренбургской области, после чего начала потихоньку впадать в отчаяние. В этот момент вернулся Анатолий Степанович и возбужденно сообщил:

— Я только что нашел в Интернете упоминание об этом селе.

Сейчас оно существует под другим названием — «Березовое», но в эпоху советской власти называлось именно так. Это рядом с поселком Каганович. И вы правы, это Оренбургская область. На карты после пятьдесят четвертого года название этого села уже не наносили, так как в тот год село было стерто с поверхности земли... Восстановили его лишь недавно.

— Получается, что...

— Вячин и Дементьев заодно с организаторами покушений, — закончил за меня мою мысль Анатолий Степанович.

— Похоже, что так, — согласилась я. — Только вот сами ребятки вряд ли сознаются, как бы нам того ни хотелось.

— Мы должны туда съездить, — неожиданно заявил Зубченко. — Я хочу сам увидеть те места и поговорить с людьми, которые, возможно, что-то знают про семьи Вячина и Дементьева.

Я попыталась образумить своего клиента:

— Но ведь это очень далеко!

— Знаю, но вы же сами сказали, что милиция будет искать слишком долго, а у меня уже лопается терпение! Я хочу, чтобы все это закончилось как можно быстрее! Мы должны туда поехать. Вдруг удастся установить личность преступника?

В принципе рассуждения моего клиента не были лишены здравого смыла. Кто знает — вдруг именно там, в Маховке, мы найдем наконец недостающее звено в цепочке? Немного подумав, я согласилась:

— Ладно, если вы так хотите, мы отправимся туда рано утром. А пока нужно хорошенько отдохнуть.

— Да, да... вы, пожалуй, идите, а я тут еще немного посижу.

Я не стала возражать и поплелась в свою комнату.

* * *

— Знаете, я сейчас вот о чем подумываю: Вячин с Дементьевым могли знать о том, что вас кто-то запугивает, и решили этим воспользоваться, похитив вашего сына. То есть, рассудив вполне здраво, они пришли к выводу, что похищение Егора свяжут с покушениями на вас. Если найдут организатора покушений, ему же предъявят обвинение и в похищении. И в убийстве... Ведь они собирались убить вашего сына, как вы помните.

— Все выяснится, когда мы доберемся до места, — заметил Зубченко, разглядывая мелькающую за окном местность.

Мы уже около трех часов ехали на моем «Фольксвагене» по трассе, но не достигли еще и середины пути. На улице было немного пасмурно, но погода еще могла измениться к середине дня. Искать Маховку отправились мы вдвоем с Анатолием Степановичем. Егор напрочь отказался от этой поездки, заявив, что не собирается тратить время на бесполезные поиски и подождет преступника в городе. Похоже, парень решил сам расправиться с невидимым врагом семьи, несмотря на все запреты отца выходить из дома. Я сильно сомневалась, что Егор выполнит его требование, но это меня уже не касалось: я являлась телохранителем отца, а не сына. К тому же мне почему-то пришло в голову, что после недавнего взрыва преступник или преступники должны сделать хоть небольшой перерыв — нужно же им придумать и спланировать что-то новенькое. А нам, собственно, больше суток и не требуется.

Чтобы не ехать в тягостной тишине, я включила радио. Салон наполнился приятной музыкой. Она длилась недолго, так как ее почти сразу сменила популярная песня из «Ночного дозора». Затем Фоменко процитировал какое-то изречение, и вновь заиграла музыка.

Притормозив возле развилки, я обратилась к Анатолию Степановичу:

— Посмотрите по карте, в каком направлении двигаться дальше.

Мужчина кивнул и зашелестел листами.

— Сейчас направо. Там должна быть деревня Ковыловка, за ней еще две, а потом Маховка. Или Березовое, как ее теперь называют.

— Отлично, — порадовалась я, сворачивая на щебенчатую дорогу.

Асфальта за поворотом не было. Радовало хотя бы то, что имелась насыпь. Жаль только, что и та очень скоро кончилась и пошла самая обычная накатанная грунтовка. С обеих сторон ее окружали злаковые поля.

Через пару минут мой «Фольксваген» нырнул в колдобину. Машину начало кидать из стороны в сторону. Скорость была не более двадцати километров в час. Одна ухабина сменяла другую. Машина начала чихать и скрипеть. Казалось, она не проедет и более десяти метров, но я все же не останавливалась и упорно ехала дальше.

— Застрянем, — забеспокоился Анатолий Степанович. — Может, стоит вернуться назад? Вдруг мы ошиблись дорогой и свернули не туда, куда нужно, — по этим картам ведь ничего не разберешь...

— Нет-нет, видите, немного дальше дорога становится лучше.

Я указала вперед, где прямо за пригорком виднелась

трасса. И сравнительно приличная. Спешно вырулив на нее, я покатила немного быстрее. Анатолий Степанович облегченно вздохнул и тихо заметил:

— А здесь мило и уютно. И так спокойно. Вы только посмотрите, какая здесь замечательная природа, какие великолепные поля, леса!

— Ну так после радиации все значительно лучше растет, — напомнила я ему.

— Это верно, — вздохнул Зубченко и снова смолк.

Мы проехали еще пару километров, прежде чем впереди показалась какая-то деревенька. У края дороги стоял знак с надписью: «Село Каганович». Следовательно, Маховка должна быть чуть дальше.

Не останавливаясь, я проехала по центральной улице деревеньки и, выехав за ее пределы, помчалась дальше. Судя по тому, что других накатанных дорог нигде не наблюдалось, ошибиться в маршруте было невозможно.

— А вы заметили, что здесь в основном везде степь? — вдруг спросил у меня Анатолий Степанович.

— Ну почему везде, встречаются и лесополосы.

— Ну да, со щупленькими, какими-то страшными деревцами. Знаете, Женя, я ночью долго не мог уснуть и снова полез в Интернет. Старался найти статьи и публикации об этой местности. И знаете, там написано, что все деревья, все дома недалеко от эпицентра взрыва выгорели дотла. Долгое время здесь ничего вообще не росло...

Я в ответ промолчала, прекрасно понимая, что Анатолию Степановичу сейчас и так тяжело. К тому же все это я уже слышала от старика Канавина. Ничем новым Зубченко меня не удивил. Еще около часа мы слушали музыку, пытаясь таким образом отвлечься от тяжелых мыслей.

Впереди показался поселок. Вывеска гласила, что мы находимся прямо перед селом «Березовое». Именно так теперь называлась бывшая Маховка, стертая с лица земли и с географической карты. Волнение нарастало. Я сбавила скорость и пристальнее стала всматриваться в очертания видневшихся впереди домов. Аккуратненькие домики стояли ровными рядками, окруженные ухоженными палисадниками. Центральная дорога села была асфальтированной, а от нее к каждому дому тянулись выложенные где камнем, где кирпичом тропинки.

— О чем будем спрашивать? — поинтересовалась я у клиента, поскольку он являлся инициатором нашей поездки.

— Думаю, нужно начинать расспрос осторожно, — помолчав с минуту, ответил Зубченко. — Сначала узнать о том, как все происходило. Расспросить, нет ли среди жителей поселка психически нездоровых людей... Ведь возможность того, что у нашего противника, скажем так, крыша поехала, исключить тоже нельзя... Ну а потом уже узнать про родителей наших задержанных и наведаться к ним, — обрисовал план дальнейших действий Анатолий Степанович.

— А зачем вам знать о том, как все происходило? Не лучше ли сразу перейти к последним пунктам?

— Нет, не лучше, — отрицательно замотал головой Зубченко.

— Мы ведь не знаем точно, замешаны ли в покушениях Вячин и Дементьев. Так зачем зря тревожить их родителей? А если мы сразу начнем спрашивать про психически нездоровых, нас могут не так понять. Тогда вообще ничего не удастся выяснить.

Зубченко молчал, всем своим видом демонстрируя решимость осуществить собственные намерения. Я сдалась:

— Ладно, решайте сами.

Мы въехали в деревеньку. Я остановила машину и посмотрела по сторонам, стараясь отыскать случайных прохожих, с которыми можно поговорить. Таковых, как ни странно, не оказалось. Мы заметили только несколько тракторов и один «уазик». Людей же видно не было.

— Может, выйдем из машины и просто постучим в какой-нибудь дом, — предложил Анатолий Степанович.

Я согласилась. Мы покинули мой «Фольксваген» и направились к ближайшему аккуратному домику, не так давно побеленному и покрашенному.

Из-за ворот нас встретил диким лаем большущий пес. Он кидался из стороны в сторону, лишенный возможности выбраться за территорию двора, но и не упуская момента честно отработать свой корм. Не будучи трусихой, я, однако, не решилась обойти огромного стража, просто остановилась у ворот и предложила:

— Может, рискнем постучаться в другой дом?

— Да здесь наверняка у всех есть собаки, — предположил Зубченко. — Это же деревня. Вы бы лучше попробовали кинуть чем-нибудь в окошко, например, камешком. Хозяева услышат и выйдут.

Я завертела головой по сторонам в поисках подходящего камешка. Зубченко поспешил прийти мне на помощь и вскоре протянул круглый булыжник размером с голубиное яйцо. Я осмотрела его находку критическим взглядом и произнесла:

— Не пойдет. Таким булыжником окно разбить можно.

— Ничего себе булыжник, — возразил Зубченко. — Меньше ореха!

— Все равно не пойдет, — повторила я, а затем сама отыскала на земле малюсенький кусочек какого-то камня и прицелилась.

И вот уже камешек метко угодил в стекло, черканув по нему так, что даже за калиткой его было слышно. Мы замерли, ожидая результата, но ничего не происходило. Пришлось еще пару раз повторить попытку. Наконец дверь дома приоткрылась, и из-за нее показалась крашеная женская шевелюра, немного напоминающая парик. Едва показавшись, она снова исчезла, и еще через некоторое время на крыльце дома целиком появилась вся ее обладательница — женщина лет тридцати пяти. Она цыкнула на пса. Тот, поджав хвост, спрятался в будку. А хозяйка, нацепив на лицо улыбку, направилась к калитке.

— Вам кого? — был задан естественный вопрос.

— Нам поговорить, — опередив меня, ответил женщине Анатолий Степанович.

— Поговорить? — женщина слегка удивилась. — И о чем же?

— О событиях пятидесятилетней давности, — слегка занервничав, ответил Зубченко и зачастил в своей обычной манере: — Понимаете, я являюсь сыном разработчика первой атомной бомбы, опробованной на Тоцком полигоне в тысяча девятьсот пятьдесят четвертом году.

— Ах, вон оно что!.. — протянула женщина, и я заметила, как резко переменилось выражение ее лица. Исчезла приветливая улыбка, брови переместились ближе к переносице, взгляд посуровел. Анатолий Степанович же, словно не замечая этого, продолжал трещать:

— Я знаю, что ваша деревня в момент взрыва была фактически стерта с лица земли, многие люди пострадали, получив сильные дозы облучения. Это все ужасно, и я прекрасно понимаю, как трудно вам пришлось, восстанавливая все заново. Но дело в том, что кто-то, возможно, живущий в данной местности, пытается мне теперь отомстить за то, что мой отец участвовал в разработке ядерного оружия и присутствовал при его испытании. Этот человек наверняка психически нездоров, и ему требуется срочная медицинская по...

— Послушайте, гражданин, — грубо перебив Анатолия Степановича, холодно возразила женщина. — Нам всем тут требуется срочная медицинская помощь, в том числе нашим детям и внукам. И любой из местных жителей, даже если он знает человека, которого вы разыскиваете, готов помочь ему стереть с лица земли таких, как вы, чтобы люди могли нормально жить, не опасаясь быть отравленными, как жуки. Вы виноваты в том, что мы уже не люди, а мертвые души, каждый день ждущие прихода смерти! — Женщина все более расходилась, не в силах сдерживаться. — Убирайтесь вон из нашего села, убирайтесь вообще из страны... Или оставайтесь и ждите, когда кто-то из нас, обозлившихся, придет за вами... И тогда вы ответите и за себя, и за деяния своих отцов!

Выпалив это на одном дыхании, женщина резко развернулась и с гордо поднятой головой прошествовала к своему дому, оставив моего заказчика растерянно стоять на месте и переосмысливать услышанное. А что еще можно было ожидать? Кстати, я предупреждала Зубченко, что так все и произойдет. Мог бы меня и послушать!..

— Пойдемте в машину, — предложила я заказчику, видя, как он сник и растерялся. — Не стоило вам ничего ей рассказывать.

— Да, вы правы, — вздохнул Зубченко, — просто мне хотелось показать, что я не такой и вовсе не хотел, чтобы кто-то пострадал из-за меня. Я...

— Зря мы сюда ехали. Никто ничего нам не расскажет.

— Вы, наверное, правы. Но, раз уж мы здесь, давайте попробуем хотя бы найти родителей Вячина и Дементьева.

— Сомневаюсь, что они примут нас радушнее, чем эта дама.

— Но мы должны попытаться, попробовать...

— Хорошо, давайте спросим у кого-нибудь еще, — согласилась я, поняв, что Анатолий Степанович не желает так быстро опускать руки.

Мы с Зубченко сели в машину и проехали на соседнюю улицу. Там Анатолий Степанович попросил меня остановиться перед магазином и, выйдя из машины первым, заявил:

— Вы оставайтесь здесь, я спрошу сам.

— Только не говорите лишнего, — попросила я, не настаивая на сопровождении. Все же взрослый человек, должен уметь решать такие проблемы сам.

Зубченко вошел в одноэтажное здание магазина с потрепанной вывеской и исчез из поля моего зрения. Заняться мне было нечем, я завертела головой по сторонам и тут приметила направляющуюся к магазину молоденькую девицу. Решив не тратить время зря и попытаться выведать у нее адрес Вячиных или Дементьевых, я выскочила из машины и бросилась вслед за девушкой.

Мне пришлось ее окликнуть. Девица остановилась, и я, приблизившись к ней, открыла было рот, чтобы задать вопрос. Но, столкнувшись взглядом с юной особой, невольно замерла с открытым ртом, поражаясь тому, что девица, от природы далеко и не дурнушка, сделала, казалось, все от нее зависящее, чтобы обезобразить свою внешность. На ней была надета ярко-красная юбка с обвисшим подолом. Создавалось впечатление, что после очередной стирки ее сушили не иначе как на заборе, а потом забыли погладить. К юбке совершенно не подходила ни по фактуре, ни по цвету синяя с огненно-желтыми цветами кофточка. Лицо было размалевано неимоверным количеством краски всех цветов и оттенков, от темно-зеленого до лилового. Руки выглядели грязными до такой степени, словно девица не мыла их с самого рождения. При этом на ногтях переливался ярко-красный лак. А вот жирная помада на губах была отчаянно-фиолетовой...

Это зрелище произвело на меня шокирующее впечатление. Нижняя челюсть у меня медленно поползла вниз. Я не находила слов, а потому, стоя молча и хлопая глазами, разглядывала «восьмое чудо света». Девица же, бегло осмотрев меня с ног до головы, широко улыбнулась почти беззубым ртом и пропищала тонюсеньким голоском:

— Хотите такой же лак?

Она кокетливо протянула мне свою ручку и, глупо хихикнув, добавила:

— Все мои подружки хотят. Красиво, правда?

Не дожидаясь ответа, особа заковыляла дальше. Мне стало ясно, что девушка относится к категории как раз тех самых психически нездоровых людей, о которых упоминал мой клиент. Несколько раз глубоко вздохнув, я вернулась к машине.

Вскоре я увидела спешащего навстречу Зубченко. Анатолий Степанович выглядел побледневшим и затравленным. Похоже, он вновь попытался перед кем-то оправдаться и получил по заслугам.

— Что стряслось? — спросила я, как только он сел рядом.

— Просто кошмар какой-то. Этой продавщице, едва я вошел, кто-то позвонил. Я подождал, пока она закончит разговор, подошел, представился. Я даже не говорил, что я сын разработчика бомбы! Не знаю, откуда эта женщина узнала... Вы не представляете, Женя, как она на меня накинулась! Я таких оскорблений никогда в жизни не слышал...

— То ли еще будет, — усмехнулась я. — Это село, а новости тут разносятся быстрее, чем мы с вами думаем. Уверена, та особа уже обзвонила половину знакомых.

— И что же теперь делать?

— Продолжим искать родителей наших задержанных. Не зря же мы сюда притащились.

— Тогда спрашивайте лучше вы. Я уже больше не смогу это выслушивать.

— Хорошо, попробую, — согласилась я, тут же начав высматривать себе жертву. Я решила не отдаляться от магазина из тех соображений, что к нему чаще всего стекается народ.

Мне повезло — вскоре на горизонте показался очередной сельчанин. Я вышла из машины и стала дожидаться, когда он подойдет ближе. Но увидевший меня мужчина еще издали повел себя как-то настороженно: слишком уж пристально всматривался в мою машину, затем, прищурившись, поискал глазами моего спутника. Наверняка и этот человек был в курсе того, кто мы такие. Поняв, что лучше не наживать себе лишних проблем, я собралась уже повернуть обратно, но почему-то так и осталась стоять на месте, решив не показывать, что напугана. Мужчина приблизился почти вплотную. Я мило улыбнулась ему и спросила:

— Скажите, пожалуйста, как мне найти дома Вячиных и Дементьевых?

— Вы, что ли, родственники разработчика? — поинтересовался тот в ответ.

— Откуда вы узнали? — сам сорвался с губ вопрос.

— Об этом уже все знают, — усмехнулся мой собеседник. — Вы ж к Майорихе первой заглянули, а она у нас прославленная сплетница. Успела уже всех обзвонить. А телефоны в каждом дворе почти есть.

Я не смогла справиться с эмоциями:

— Скажите, почему такая реакция на наше появление? Мы ведь не принимали непосредственного участия в тех событиях. Я, к примеру, на тот момент еще не успела родиться, а мой спутник был ребенком...

Мужчина скептически усмехнулся в ответ:

— Он-то небось за свое изобретение тогда кучу денег получил... Вон она какая у вас машина! А мы... Сами больные, наши дети больные... И ведь сколько народу поумирало! Как думаете, плохо это или хорошо?..

— Так вы можете подсказать, как найти дома Вячиных и Дементьевых? — повторила я свой вопрос.

— Нет. Я не скажу, и никто другой не скажет. Не знаем уж, что вы там от них хотите, но лучше вам их не трогать.

— Вы ведь даже не знаете, чего мы хотим...

— А нам и знать не нужно. От таких, как вы, только и жди подвоха!

— Идиотизм какой-то, — всплеснула руками я. — Вы что тут все, с ума посходили? Поймите, Альберт Вячин и Олег Дементьев попали в беду. Нам нужно поговорить с их родителями, вот и все... Ну, скажите, что в этом плохого?

Мужчина на мгновение задумался, но потом вновь пробурчал:

— Можете сказать любому, им передадут.

— Мы бы хотели лично встретиться и поговорить.

— Я так и понял, что это уловка, — прищурился мужчина и, сплюнув в сторону, добавил: — Убирайтесь прочь, пока не засветились слишком сильно.

— На что вы намекаете?

Мужчина неопределенно махнул рукой и, больше ничего не сказав, скрылся за дверью магазина. Я повернулась к своей машине. Анатолий Степанович, чья физиономия просматривалась сквозь прозрачные стекла автомобиля, смотрел на меня вопросительно. В ответ я только развела руками. Но тут меня кто-то окликнул:

— Если вы по поводу того испытания, то я вам много чего могу о нем рассказать, — обратился ко мне стоящий за забором ближайшего дома странный старичок.

Нет, во внешности его не было ничего такого уж чудного, просто я, находясь в этой деревеньке вот уже полчаса, начала воспринимать ее жителей как каких-то мутантов, а не людей. Меня насторожил уже сам факт, что дедок сам вызывался нам что-то рассказывать, тогда как другие тщетно избегали бесед по существу и лишь поливали нас грязью. А может, он среди них всех единственный нормальный человек? Вдруг он действительно поведает нам что-то важное. Я не торопилась отказываться от беседы. Оглянувшись на Зубченко, я жестом попросила его подойти поближе.

Когда мы вместе с Анатолием Степановичем оказались возле забора, я осторожно спросила:

— Вы правда что-то можете рассказать?

— Ну да. Я ведь в тех испытаниях сам непосредственно участвовал. Я бывший командир взвода Тоцкого полигона.

— Но почему?.. Никто из жителей деревни не высказал особого желания отвечать на наши вопросы, и только вы...

— А-а-а, — старик небрежно махнул рукой, — они таких, как вы и я, не любят.

— Но вас-то почему? — не понял Анатолий Степанович.

— Потому что я повел целую бригаду на смерть... Бригаду, из которой выжили немногие. Мою семью здесь ненавидят. Да я их и не виню, жалею лишь, что сам оказался пешкой в чужой игре.

— Почему же вы тогда не уехали куда-нибудь в другое место? — не понимала этого я.

— А куда? Мы ведь здесь все больные, насквозь прогнившие. Нигде на работу не устроишься, прописку не получишь... Только здесь. Инвалидностей нам не оформляют, льгот нет. Эхе-хе... — Старик устало покачал головой. — Я сам во всем виноват, теперь за это и расплачиваюсь.

— Невероятно! Я и подумать не мог, что подобное возможно в наше время, — изумлялся Анатолий Степанович. — Все так дико, так не по-человечески... Так неправильно.

Дедок ехидно усмехнулся и пригласил нас пройти во двор. Мы послушно проследовали за ним и разместились в саду на старой, потрескавшейся скамейке. Вскоре из дома вышла бабка и тоже присоединилась к нам. Не дожидаясь наших вопросов, дед сам повел свой рассказ, а мы молча слушали и ужасались.

— Сейчас об этом часто в газетах пишут. Говорят, будто в тех учениях было задействовано до сорока пяти тысяч военнослужащих... — Появившаяся на лице деда усмешка говорила сама за себя. Но на самом деле эта цифра значительно выше. Тем утром нас направили на участок, который должен был подвергнуться действию поражающих факторов. Нам не выдали никаких средств защиты от радиации, да и вообще скрывали истинную цель наших действий... Мы думали, что это обычные армейские учения... То есть так считали те мальчишки, что числились в моей бригаде. Они даже ничего не заподозрили, когда всех заставили подписать бумагу о неразглашении в течении двадцати пяти лет информации о событиях. С самого начала все выглядело подозрительно. Возводились какие-то сооружения, рылись окопы, как для настоящих военных действий, сгонялась техника...

— Да, я слышал об этом от отца, — осторожно произнес Зубченко и сильно смутился. — Он говорил, что некоторым военным даже выдали новую форму, и все смотрелись, как на параде.

— Да уж, на параде...

— Лучше бы таких парадов вообще никогда не было, — завздыхала щупленькая супруга дедка. — Я никогда не смогу забыть того дня. Я ведь жила прямо рядом с тем местом, где произошел взрыв. Сейчас от нашего дома уже ничего не осталось... — Женщина тяжело вздохнула и мертвым, лишенным эмоций голосом продолжила: — За день до взрыва нам объявили, что будут проводиться какие-то испытания. Предупредили, что все женщины и дети в определенное время должны пойти на берег реки. Увидев вспышку, нужно лечь лицом вниз, закрыть глаза...

Я помню, как моя мама возмущалась и плакала. Я была

самой старшей и уже понимала объяснения взрослых, как следует себя вести, а вот младшие дети... Соседки тоже возмущались, понимая, что малышей не заставишь выполнить такой приказ. Утром отец и еще несколько мужчин заявили, что лучше пойдут под трибунал, чем выйдут на позиции до тех пор, как их семьи не вывезут из опасной зоны. Нас вывезли в Сочинск...

— Это сорок километров от эпицентра, — пояснил на всякий случай ее супруг.

— Сама вспышка выглядела красиво, — продолжила делиться воспоминаниями старушка. — Небо озарило белорозовое сияние. За ним не было видно даже солнца. А потом пришла ударная волна, и стекла во всех домах повылетали. Меня тогда поранило осколком, так как я прикрывала младшего брата своим телом. Все вокруг засуетились, дети заплакали, женщины завопили. Мы даже представить себе не могли, что же происходит там, где остался наш дом, если тут такое... А потом мы узнали, что все село сгорело дотла. — Женщина смахнула выкатившуюся из глаз слезу и громко высморкалась в носовой платочек.

Старики замолчали, мысленно вернувшись в то тяжелое для них время. Я глядела на них и с трудом верила, что они все это пережили.

— У нас так и нет детей, — тяжко вздохнув, вновь заговорила женщина. — После облучения многие так и не смогли родить. Вот и доживаем тут свой век, понимая, что скоро уйдем насовсем и ничего от нас не останется, даже памяти. Уйдем незаметно, как и прожили всю жизнь.

— Я... то есть мы... Мы приехали сюда для того, чтобы... — Анатолий Степанович не находил слов. Я помогла ему, взяв инициативу в свои руки:

— Мы пытаемся найти среди местных тех людей, которые психически нездоровы и ведут охоту на потомков разработчиков атомной бомбы. Может, вы могли бы подсказать, кто это может быть...

Старичок кивнул, затем молча встал и направился к воротам. Мы с Зубченко переглянулись и поспешили за ним следом. Остановившись у калитки, дед несколько раз кашлянул, затем указал рукой влево и произнес:

— Поедете сейчас туда до старой сосны. У нее свернете

налево и проедете еще чуть-чуть. Там будет парк. Там найдете того, кто вам нужен...

Поблагодарив старичка за помощь, мы вновь загрузились в машину и отправились в указанном направлении. Очень быстро преодолев весь описанный путь, я вырулила к небольшому, огражденному низкой кованой оградой парку. Заглушив мотор, вышла. Анатолий Степанович сделал то же самое.

— Как думаете, что здесь? — спросила я у него.

— Может, психиатрическая лечебница, — предположил мужчина.

Я пожала плечами и медленным шагом направилась к парку. Мы просочились в ворота и вышли на асфальтированную дорожку. Шагали до тех пор, пока не уперлись в длинную, выстроенную кругом стену, выкрашенную серебрянкой и отсвечивающую на солнце. Мы подошли поближе и только теперь увидели, что на протяжении всей стены выбиты имена и фамилии людей. А сверху выделялась крупная надпись: «Пропавшим без вести в день ядерных испытаний».

— Что он этим хотел сказать? — обернувшись ко мне, спросил Зубченко. — Думал, что удивимся числу пострадавших?

— Нет. Он пытался дать понять, что наши с вами поиски бесполезны. Здесь вся деревня — больные, и на голову в том числе. Любой мог решиться на такое. Похоже, что мы действительно зря приехали...

Я подошла поближе к стене и, отыскав перечень фамилий на Д, начала искать среди них фамилию Дементьева. Такой не значилось, зато очень быстро попалась фамилия Вячин. Из этой семьи пропало без вести целых шесть человек. Это заставило меня насторожиться и подумать о том, что Альберт мне соврал, говоря о том, что не был причастен к покушениям. Может, конечно, и не был, но точно знал и знает, чьих рук это дело. Я уверилась уже почти на сто процентов, что здесь замешаны какие-то близкие знакомые или родственники Вячина.

— Нам нужно найти дом Вячиных, — решительно заявила я своему клиенту.

Тот удивленно посмотрел на меня. Моя решимость, видимо, казалась ему необъяснимой.

— Раз уж мы приехали сюда, то доведем дело до конца. Я хочу поговорить с его родственниками. Если потребуется, применю силу для того, чтобы узнать всю правду.

— Думаете, это кто-то из его близких?

— Скорее всего. Его семья очень многочисленна. Вдруг они специально командировали ребят в город, чтобы те отслеживали людей, принимавших участие в ядерных испытаниях?

— Да я не против попробовать, только не уверен в результате, — растерянно промямлил Зубченко.

— Должно получиться, — оптимистично возразила я и зашагала к машине.

Как вскоре выяснилось, на этом наши с Зубченко неприятности не закончились. Никто из сельчан не желал отвечать на вопрос о том, где проживают Вячины. Нас либо вообще обходили стороной, либо обкладывали таким матом, что не каждый выдержит. Впрочем, подобное отношение к людям, причастным к событиям осени пятьдесят четвертого, было вполне понятно и объяснимо. Обижаться на них не следовало, и все же терпению моему постепенно приходил конец. И потом, как-то нам все же нужно найти дом Вячиных! После долгих и тщетных поисков я все же решила вернуться к тем словоохотливым старикам, которые отправили нас в парк любоваться на мемориальную доску. Но, как ни странно, их уже не оказалось дома...

Окончательно отчаявшись, мы уже решили возвращаться назад в город. Но в этот самый момент мне на глаза попалась толпа ребятишек.

«Вот к кому мы обратимся! Мальчишки наверняка всех знают поименно».

Остановив машину и высунувшись в окно, я спросила:

— Ребята, подскажите, где живут Вячины и Дементьевы.

Мальчишки переглянулись, а затем один из них произнес:

— Вячины — такие есть, а Дементьевых нет.

— А где они живут? — снова спросила я.

— А вам которые нужны? — полюбопытствовал парень вновь.

— То есть? — не поняла его я. — У вас их что, несколько, что ли?

— Ну, да, — не смутился паренек. — Аж целых три семьи.

— Как это — три? — произнесли мы с Анатолием Степановичем почти в один голос. — Не может быть!

— Три. А что? — все с тем же равнодушием буркнул мальчонка.

— А ну, назови, — попросил я его по-свойски.

Пацан стал загибать пальцы и перечислять:

— Одни Вячины — это у которых дочь Наташка, она с Ванькой вот в одном классе учится... — пояснил он и указал на своего соседа.

— Нет, — перебила его сразу я. — Это точно не те, что нам нужны.

— Еще Вячины есть одни, они с теми родственники. Мы их по-уличному кличем — Майоровыми, потому что дед у них в Великую Отечественную войну каким-то там командиром был...

— Майором, — подсказал его товарищ.

— Ну да, майором был. У нас тут у всех так: кроме настоящей фамилии каждый житель имеет еще уличную кликуху или прозвище. Обычно все однофамильцы родственники.

— А третьи кто? — пропустив мимо ушей разъяснения мальчишки, теряя терпение, спросила я.

— А третья Вячина тетя Лена. Елена Викторовна... У нее еще сын есть.

— Альберт! — радостно выкрикнула я. Мальчишка утвердительно кивнул, а затем добавил: — Только он здесь давно уже не живет. В город укатил и почти не заглядывает.

— Где найти их дом? — заторопилась я.

— Да вон там, в самом конце. Не спутаете, у тетки Елены цветов в саду целая куча.

— Спасибо, ребята, — поблагодарила я мальчишек и тут же рванула с места.

— А что, если она откажется с нами говорить? — заерзав на сиденье, заволновался Зубченко.

— Может, и откажется, но попробовать стоит. Вдруг она в курсе, с кем ее сынок общался в деревне и кто еще из здешних держит камень за пазухой...

Глава 9

Я постучала в дверь, и мне открыла женщина неопределенного возраста. Ей, насколько бы невероятным это ни казалось, можно было дать лет сто... Невысокого роста, сухощавая, с обвисшей грудью и седыми, коротко стрижеными волосами. Они торчали в разные стороны, открывая большие, слегка оттопыренные уши. Тонкие губы плотно сжимались, покрасневшие глаза отнюдь не украшала сетка мелких морщинок вокруг и четко обозначенные, с синеватым отливом мешки.

Это лицо не выражало никаких эмоций. Оно, казалось, застыло навсегда под маской безразличия и усталости. Да, именно усталости. Глядя на женщину, создавалось впечатление, что ее в этой жизни уже никогда и ничто не сможет удивить и тем более порадовать.

— Простите за беспокойство, — начала я первой, понимая, что Анатолий Степанович слишком растерян и вряд ли сможет что-то сказать. — Мы к вам из города. И хотели бы поговорить с вами о вашем сыне.

— Мне уже сообщили, — коротко ответила женщина, осматривая нас без особого интереса.

Я замялась, не зная, как поступить дальше: объяснить ей все через порог или попроситься в дом. Но тут женщина сама распахнула дверь и жестом пригласила нас в войти.

Комнатка, куда провела нас неразговорчивая хозяйка, отличалась идеальной чистотой и некоторым аскетизмом. Старенькая мебель — кровать, стол, два стула, тумбочка, коврики ручной работы — и икона — это, пожалуй, все, что здесь находилось. Обычная сельская комнатка, каких немало. Своеобразие ей придавали расставленные и развешанные повсюду красивые поделки, выполненные, видимо, руками самой хозяйки. Здесь было мило и уютно.

Усевшись на свободный стул, я начала беседу:

— Меня зовут Евгения, я — телохранитель. Этот человек — мой клиент, Анатолий Степанович Зубченко. Мы бы хотели задать вам несколько вопросов...

По лицу хозяйки невозможно было понять, что именно ей известно о сыне. Впрочем, новости в деревне действительно разносятся очень быстро...

Тетка Елена, как ее назвали мальчишки, равнодушно

молчала, будто, думая о чем-то своем, позабыла о нашем присутствии. Я даже не могла понять, как она к нам относится: презирает, как и все остальные, или же ей до нас вообще нет никакого дела. Странная женщина...

— Елена... Викторовна, — с трудом припомнив отчество, обратилась я к матери Альберта. — У нас для вас плохие новости. Альберт вместе с приятелем, Олегом Дементьевым, похитил сына этого человека и потребовал выкуп.

Ни один мускул не дрогнул на лице женщины. Одно из двух: либо эта информация уже давно ей известна, либо ее вообще ничего в этом мире уже не интересует. А может, Елена не ладит с собственным сыном... Оставив свои размышления, я все же продолжила:

— Их задержали. Теперь вашему сыну и его другу грозит тюремное заключение на большой срок. Милиция, и мы в том числе, ищем подтверждение или опровержение того, что, помимо похищения, ребята имеют отношение к покушениям на жизнь других членов этой семьи. Возможно, Альберт и его друг знают, но покрывают организатора целой серии покушений на жизнь Анатолия Степановича Зубченко, который, как я уже говорила, является моим клиентом. Анатолий Степанович — разработчик ядерного оружия, как и его отец, которого уже давно нет в живых. Этот факт и послужил, как мы предполагаем, причиной мести преступника. Однако в том случае, если нам не удастся найти истинного организатора покушений, обвинить во всем могут вашего сына. Вы меня понимаете?

— Я все понимаю, — сухо произнесла женщина. Затем встала, подошла к телевизору, поправила стоящую на нем вазочку и, тихо вздохнув, спокойно заговорила: — Я каждый день ждала, что за мной придут... И даже хотела этого, чтобы наконец-то прекратить мое ничтожное существование. Просто у меня нет сил покончить с собой. Я надеялась, что кто-то другой сделает это за меня... Что меня приговорят к расстрелу, когда все станет известно...

— Постойте, что вы такое говорите?! — перебил Елену Зубченко. — Неужели это все вы... вами было организовано...

— Мной. — Женщина безразлично посмотрела в глаза Анатолию Степановичу.

— И вы так спокойно об этом говорите?! — продолжал удивляться мой клиент.

— А вы ожидали чего-то другого? Я сделала это в отместку за то, что вы произвели на свет ужасное оружие, искалечившее наши жизни. Я сделала то, на что не решались многие... Не решались до сих пор. Возможно, я пострадала и не так сильно, как другие. Может, мне следовало бы благодарить судьбу за милость, но я его слишком любила, чтобы простить вам его смерть...

— Кого? — едва слышно спросила я.

— Своего мужа, — ответила женщина. Ее голос теперь звучал несколько иначе, он казался более живым и не таким равнодушным. — Сергей был замечательным человеком. Рядом с ним я стала самой счастливой женщиной на свете! Ради меня он мог сделать невозможное, впрочем, как и я для него. В то время мы были совсем молодыми... Только что поженились, отстроили дом, доставшийся нам от бабушки. А потом нагрянули эти...

— Военные... — закончила за женщину я.

— Они самые. Начали что-то строить, рыли какие-то проходы, насыпали земляные заграждения, топтали поля. К нам в деревню приезжали какие-то начальники, красиво рассказывали о том, что скоро наша местность прославится и весь мир о нас узнает. А перед самым взрывом нас всех вывезли в Ивановку. Мы ничего с собой не брали, самое ценное спустили в погреб. Даже скот оставили в сараях, ведь тогда никто не предполагал, что все сгорит. В Ивановке нас поселили в каком-то общежитии. А вечером наши мужчины решили поехать в деревню и посмотреть, как там обстоят дела. Мы боялись, что все ценное давно разворовали. Сергей тоже поехал вместе с военными. Никто не запретил, да и оцеплений никаких не было. Вернулся он только под утро, весь постаревший и поседевший. Я даже не сразу его узнала, так он изменился. А ведь он еще совсем, совсем молоденький был...

Женщина тяжело вздохнула. Мы с Анатолием Степановичем боялись нарушить тишину и перебить поток ее мыслей, а потому сидели затаив дыхание.

— Сгорела вся деревня, — после небольшой паузы продолжила свой рассказ женщина. — Весь скот, все постройки. На месте нашего поселка оказалось чистое поле с покореженными остатками отдельных стен. Но это не самое страшное, хотя мы и были в ужасе, не зная, что делать. Тогда говорили, что пострадавших нет, но мы-то знали, что многих просто не предупредили о взрыве и те вышли в поля работать. Больше уже этих людей никто никогда не видел. Очень многие сгорели заживо в атомном огне, но официально их считают пропавшими без вести. Погибли и военные, молодые ребята, оставленные в селах для охраны. А какой была радиация?! Снимаешь одежду — трещит, искрится... Недалеко от Ивановки открыли госпиталь. Туда свозили пострадавших военных с забинтованными руками, шеей, лицом. Ребята тогда радовались, что получат отпуск, они ведь не знали, что у них радиационно-тепловые ожоги.

— А что произошло с вами?

— Снова понабежали какие-то начальники и сообщили, что нам все возместят. Пригнали в Маховку военных и заставили их строить нам дома. Мы тоже помогали восстанавливать свои жилища. Не сразу, но все же деревня возродилась. Правда, уже не на прежнем месте. Дома построили, только вот печей в них недоставало. А тут пришла зима. Мы складывали посреди комнат самодельные печурки и грелись, сидя возле огня... Спали в одежде, обуви. Многие в ту зиму получили серьезные обморожения и умерли. Весной стало полегче: все росло, как в сказке, быстро и хорошо. Только вот люди стали умирать от каких-то неясных болезней. И ведь врачам категорически запрещалось ставить диагнозы, делавшие очевидным тот факт, что болезнь является следствием поражающих факторов ядерного взрыва. Мой муж умер от злокачественной опухоли спустя шестнадцать лет после этих событий. И все эти шестнадцать лет он тяжело болел... Разве это можно назвать жизнью? Потом я и вовсе одна с больным ребенком на руках осталась... До тех пор, пока авария на Чернобыле не произошла, мы вообще никаких льгот и компенсаций не получали! А то, что дали потом, в начале девяностых, — это такой мизер... Это просто унизительно!

Женщина задумчиво стиснула руки, устало усмехнулась, затем, изобразив некое подобие улыбки, спросила:

— Слыхали анекдот про нас?

— Какой?

— Разговаривают две соседки. Одна говорит: «Слушай,

Зина, твой вымахал-то как! Небось Данон от Растишки?» — «Нет! Дебил... от Гришки...» — отвечает ей другая... У нас в поселке половина ребят такие... дебильные. А всему виной та бомба. Теперь вы понимаете меня?

— Не совсем, — честно призналась я. — Еще понятно, если бы вы портили жизнь отцу Анатолия Степановича, а не ему самому.

— Я и собиралась так сделать. И даже искала его отца. Это ведь он приезжал к нам каждый раз и рассказывал сказки про то, что все совершенно безвредно и ничего страшного в том испытании нет. Когда мне с трудом удалось выяснить адрес, его самого уже не осталось в живых, зато я узнала, что сын пошел по стопам отца.

— И вы решили выместить свою злобу на нем, — высказала я предположение.

— А разве я не права? Почему только наши дети должны страдать по вине своих отцов, которые не сразу поняли, чем им это все аукнется? Почему наши дети должны заведомо рождаться с целым набором болезней, а те, кто все это придумал, жить в свое удовольствие и получать огромные деньги? И не просто жить, а изобретать еще более гнусное оружие. Я не боюсь тюрьмы, потому что моя жизнь на свободе ничуть не лучше той, что будет там. Хотя, — женщина усмехнулась, — там я наконец смогу оказаться на попечении государства. Но не думайте, что на этом все закончится. Будут другие мстители, их много... Люди не хотят мириться с унижением.

— Других не будет! У вас просто больная психика... — не сдержался Зубченко.

— Будут, — во взгляде женщины засветилась тайная радость. Она резко встала, приподняла матрас на кровати, извлекла оттуда какой-то пакет и передала его нам.

Я осторожно взяла его. И, достав из него стопку каких-то листов, принялась их изучать. Как оказалось, в моих руках были письма тех, кто делился своей болью с этой женщиной и давал свое согласие на начало борьбы с государственной несправедливостью. Причем нигде не указывалось обратных адресов, так что понять, кто писал, не представлялось возможным.

— Я горжусь тем, что положила начало... — стоя перед

нами, гордо произнесла Елена Викторовна. — И считаю, что выполнила свою миссию на земле. Почти выполнила...

Она как-то странно улыбнулась и неспешно засеменила к двери. Меня должно было насторожить ее поведение и последние слова, но я так увлеклась чтением писем, что забыла обо всем. Результат не заставил себя долго ждать...

Через пару минут хлопнула дверь, и в комнату вошли трое. Один из них — мужчина с квадратным лицом, немного грубой, выступающей вперед челюстью и горбатым носом. Другой — коренастого типа мужичок с обрюзгшим лицом и маленькими, слегка косящими глазками. На вид им было около пятидесяти лет. И, наконец, совсем седой бородатый старик с приятным лицом. Вся эта братия переводила недружелюбные взгляды с меня на Анатолия Степановича.

Елена Владимировна небрежно махнула рукой и произнесла:

— Вы оказались правы, они пришли ко мне. Михеич, ты все подготовил?

Старик кивнул.

— Кто-нибудь еще знает?

— Никто не скажет, — был ответ.

Я поняла, что последует дальше. Анатолий Степанович тоже обо всем догадался и испуганно воскликнул:

— Господи, что вы такое задумали? Неужели вы собираетесь...

— Совершить самосуд, — завершила его фразу женщина. — Сейчас вы поплатитесь за все, что сделали.

— Вы не имеете права, вы...

— А вы имели? — Глаза женщины засверкали дьявольским огнем. Я никогда не думала, что человек способен на такую испепеляющую ненависть... А поскольку я была заодно с Зубченко, эти люди и меня посчитали своим заклятым врагом.

— Одумайтесь! — рискнула я урегулировать все по-хорошему. — Вы сейчас поступаете ничуть не лучше тех, на кого затаили злобу. Но у тех людей все же есть оправдание! Они не ведали, что творили... То испытание стало первым в истории, ученые просто не смогли предвидеть его последствий. Вы оказались случайными жертвами чьей-то ошибки! Поверьте, никто не собирался использовать людей в качестве подопытных кроликов. А вы... Сейчас вы становитесь на одну ступень с теми, кого ненавидите...

— Мы давно уже вне ступеней, мы вне жизни вообще, — перебила меня Елена Викторовна. — Мы — мертвые души, живем в мертвой зоне, наш род обречен на вымирание. А за что?.. За одну строчку в учебнике по истории? За что?..

— За будущее! — выкрикнула я эмоционально, стараясь между тем загородить своим телом Анатолия Степановича.

— Его нет. Благодаря вам — ни у нас, ни у наших детей его не может быть. Вы принесли в мир разрушение и ответите за это!

Елена Вячина махнула рукой, давая мужчинам знак приступать.

Все трое дружно двинулись в нашем направлении. Я приготовилась отражать нападение, хотя и понимала, как туго мне придется. Слишком ограниченной оказалась площадь, к тому же количество соперников было явно превосходящим.

Мужчины не торопились нападать. Я заметила, что в их руках нет никакого оружия. На руку старика была намотана веревка. Судя по всему, они сначала планировали связать нас, а затем уже приступить к издевательствам. Вероятно, решили устроить нам медленную смерть... Ведь если бы нас хотели просто уничтожить, можно было сделать это проще: наверняка у кого-то из жителей села имеется хоть какое-то огнестрельное оружие. А поскольку мы его пока не видели, о планах нападающих несложно было догадаться.

Первым на меня кинулся косоглазый, стремясь схватить за руки. Я благополучно увернулась, но попала под шквал ударов со стороны мужчины с квадратной головой. Мужичок больно двинул меня под ребра, а затем сцепленными в замок руками ударил по плечу. Метил-то он, конечно, в голову, но немного промахнулся. Едва успев среагировать, я отпихнула его ногой в сторону и занялась косым. Схватив мужичка за грудки, я, не думая о приличиях, двинула коленом по наиболее болезненной точке, потом еще раз. Скрючившись от боли, косоглазый попятился назад, воя, как побитая собака.

Я попыталась развернуться и посмотреть, что происходит позади меня, но тут мне на шею накинули веревку и, резко стянув ее, принялись душить. Грубая веревка больно врезалась в шею и начала перекрывать мне доступ кислорода. Я попыталась отпихнуть от себя душителя, но ничего не вышло: мой удар не достиг цели. Тогда я наугад махнула ногой сзади.

— Ах ты скотина! — раздался вопль, и веревка на шее еще сильнее затянулась...

Я из последних сил задергалась, уже почти ничего не различая перед собой, замахала руками и ногами. Но силы быстро покидали меня. В глазах потемнело, ноги подкосились, стали ватными... В конце концов я просто отключилась, повиснув на руках душителя.

Что случилось потом, не ведаю. К тому моменту, как сознание стало возвращаться ко мне, я уже находилась не в доме. Да и вообще не сразу поняла, что происходит: все вокруг тряслось, прыгало, в ушах что-то гудело, а сама я лежала, неестественно свернувшись, в какой-то темной коробке. Руки мои были скручены, ноги, судя по всему, тоже. Во рту ощущался привкус чего-то кислого. Я пыталась понять, где нахожусь, но тщетно. Когда меня в очередной раз тряхнуло и я больно ударилась головой о крышку, меня вдруг осенило: я лежу в гробу! И меня, по всей видимости, куда-то везут для того, чтобы похоронить заживо...

Тряска продолжалась еще минут десять, может, двадцать — чувство времени было потеряно. Радовало хотя бы то, что я пока еще жива — можно тешить себя надеждой, что все еще образуется. Когда машина наконец остановилась, рядом что-то застучало, а потом послышалась чья-то грубая речь. Затем крышка распахнулась, и я с некоторым облегчением поняла, что все это время находилась в багажнике собственной машины. Хотя, откровенно говоря, это было слабое утешение... Две пары рук принялись небрежно выволакивать меня наружу.

Я увидела, что мы находимся на берегу реки. Привезли нас сюда те самые люди, которые начали вершить «суд Линча» еще в квартире Елены Вячиной. Самой Елены и старика с ними не оказалось.

Не будь у меня во рту кляпа, я бы даже попыталась с ними поговорить. Но вынуть его у меня изо рта никто, по-видимому, не догадался. Зубченко, судя по всему, был без сознания. Причем на лбу у него красовалось запекшееся кровавое пятно. Сейчас обмякший Анатолий Степанович сидел на переднем сиденье, свесив голову на грудь. Меня тоже доволокли до водительского места и, запихнув в салон, усадили за руль. Не имея возможности оказать сопротивление, я попыталась хотя бы выплюнуть кляп, но ничего не выходило. Мне стало по-настоящему страшно...

Дверь в салон захлопнули. Мужчины отошли в сторону и принялись что-то обсуждать. Не теряя времени, я прогнулась, насколько только позволяли мои связки, и попыталась достать спрятанный в ботинке небольшой складной ножичек. Веревки сковывали мои движения, но я продолжала тянуться к ногам, почти лежа на руле. Оставалось еще чуть-чуть... Но тут оглушительно загудел сигнал — видимо, я слишком сильно надавила на руль. Мужчины сразу же обратили на это внимание и метнулись ко мне. Дверь открылась, один толкнул меня в плечо, другой принялся обшаривать.

— Хотела что-то выкинуть, тварь? — бурчал мучитель раздраженно. Нащупав торчащий из ботинка ножичек, быстро выхватил его и, раскрыв, приставил лезвием к моей шее. — Думаешь, ты умнее нас? Думаешь, удастся выжить? Нет, не удастся. — Лезвие переместилось чуть выше, вниз по шее потекла тонкая струйка крови. — Потому что вы обречены. Сейчас вы оба пойдете ко дну, но перед этим испытаете на своей шкуре, что такое ожог... А когда вас найдут, если вообще найдут, — мужичок обвел рукой по кругу, указывая на густой, почти непроходимый лес позади, — решат, что это совершил кто-то чужой, не из наших. Потому что от Маховки вы сейчас ой как далеко.

— Может, нужно все же послушать ее и столкнуть их вниз с обрыва, — осторожно заметил стоящий позади товарищ. — Тогда бы все уверились, что они сами не справились с управлением. Виновных даже искать бы не стали...

В ответ прозвучало:

— А я хочу, чтобы им было больно. Так же больно, как и мне.

Мужик вновь повернулся ко мне и задрал вверх свою рубаху. А под ней я увидела покрытое глубокими шрамами тело. Заметив, как быстро я отвела взгляд от этого зрелища, мужчина рассмеялся и добавил:

— У вас скоро будет то же самое!

С этими словами он с силой захлопнул дверь.

После этого мужики начали приготовления к казни. Они запихнули в бензобак моей машины облитую бензином тряпку. Ощущая одновременно прилив страха и смелости, я торопливо повалилась на Анатолия Степановича, до сих пор так и не пришедшего в себя, с трудом дотянулась до бардачка и, открыв его, принялась рыться в вещах. Веревки, стиснувшие мои руки, сильно замедляли поиск. Однако нужная мне вещь попалась почти сразу. Достав зажигалку и надавив на кнопку, я попыталась пережечь веревку. Пламя касалось кожи рук, обжигая их, но я не обращала внимания на боль. Вскоре запахло паленым. Я напрягла руки, и веревка под моим напором разорвалась.

Затем пережгла веревку на ногах и пулей выскочила из машины. Наши палачи как раз успели поджечь тряпку, торчащую из бензобака, и предупредительно отбежали в сторону, ожидая взрыва. Я метнулась к тряпке, не обращая внимания на силу ее возгорания, схватилась рукой за один конец и резко отшвырнула в сторону. При этом пламя успело задеть мою руку. Ожог оказался не слишком обширным, но боль была нестерпимой. Зато мне удалось спасти клиента, а заодно и свою машину. Теперь я могла переключиться на злоумышленников.

Увидев, что я освободилась от пут, мужчины сначала удивленно переглянулись, а затем дружно кинулись ко мне. Я не успела нанести ни одного удара, будучи с ходу сбитой с ног. Больно приземлившись спиной на траву, почувствовала, как сверху на меня навалился косоглазый и, схватив за горло, начал давить. Я ужасно разозлилась уже только потому, что сегодня моему горлу никак не давали покоя, и резко сбросила мужика с себя. Затем, быстро перекатившись по земле, поднялась на ноги. В тот же момент в меня что-то полетело. Я успела увернуться, заметив, что брошенным предметом является мой собственный ножичек.

Не дожидаясь, пока на меня вновь набросятся, я сама подбежала к горе-метателю и принялась дубасить его, вкладывая в удары всю накопившуюся злость. Бедолага не успевал защищаться, не то что нападать. Нанеся еще несколько ударов руками, я двинула ему ногой в живот. Раздался озлобленный вой. Мужик скорчился от боли и зажал бок, в который я угодила своей маленькой ножкой. Мне осталось лишь совершить последний выпад, после которого бедолага закачался и рухнул на землю. Теперь оставалось разделаться с его дружком.

Резко обернувшись, я поискала его глазами. Мужик находился неподалеку и уже спешно сообщал кому-то о случившемся по сотовому телефону. Я метнулась к нему, но по дороге споткнулась и едва не протаранила носом землю. Быстро поднявшись, в два скачка одолела пространство, отделяющее меня от косоглазого. Тот моментально прекратил разговор и, видимо, сообразив, что одному ему со мной не справиться, кинулся со всех ног прочь. Я понеслась за ним следом.

Понимая, что рано или поздно я его догоню, косоглазый нырнул в непроходимые кусты и буквально сразу же исчез из поля зрения. Я рванулась было за ним, но все же отказалась от своей идеи, сочтя ее бесполезной: в таких дебрях человека искать можно годами.

Остановившись, я озиралась по сторонам, все еще надеясь усмотреть силуэт беглеца. Но тщетно. Вокруг все было тихо и спокойно. Где-то рядом ухнула какая-то птица, над головой шелестели листья, беглец ничем не обнаруживал своего присутствия. Ужасно расстроившись, я еще больше напряглась, полностью превратилась в слух, стремясь уловить хруст веток, шелест потревоженной травы... Хоть что-то, что выдавало бы присутствие человека. А он находился где-то рядом, в этом я даже не сомневалась, прекрасно понимая, что соваться в дебри нормальный человек вряд ли станет — слишком велика опасность заблудиться.

Я замерла, почти перестав дышать. Лесной воздух сочетал в себе самые разнообразные оттенки запахов: самой зелени, цветов, свежести, прохлады. Звуков тоже было много, самых разнообразных: звенящих, тонких, гулких и шепчущих. Но мне все же удалось различить среди них те, что произвел человек: краем уха я уловила за своей спиной едва слышное движение, а затем и шаги... Сердце мое ушло в пятки и перестало биться. Я замерла, а потом, опередив своего противника, сделала молниеносный скачок в его направлении.

Мой прыжок удался блестяще. Мужик упал в траву, замахав руками. Но это ему не помогло, так как я, навалившись сверху, быстро поймала его руки в свои и, недолго думая, двинула локтем по подбородку. Голова его откинулась в сторону, и в уголках губ показалась кровь. Прыткости у моего противника заметно поубавилось. Обмякнув, он окончательно сдался.

— Ну что, доплясался, хороший мой? — вздохнула я и стала подниматься на ноги.

— Да пошла ты... — огрызнулся мужик. — Все равно ничего не сможешь доказать.

— А с чего ты взял, что я буду пытаться? — Я окинула его недобрым взглядом, а потом добавила: — В мои планы входило просто поменяться с вами местами. Вы, кажется, мечтали оказаться в моей машине...

— Пока ты тут со мной возишься, твоего родственничка там уже, наверное, прикончили, — победоносно выдал косоглазый, напомнив про своего товарища, оставшегося у машины.

— Не думаю, — припомнив, в каком состоянии я оставила последнего, откликнулась я. Резко свернув мужика с земли, я толкнула его вперед. — Давай-ка топай обратно.

Глава 10

Когда я вместе со своим пленником подошла к месту событий, там уже никого не было. Анатолий Степанович, как и раньше, оставался на переднем сиденье моей машины. Голова его была низко опущена на грудь, лицо поражало бледностью. «Боже, неужели я потеряла своего клиента?» — с ужасом подумала я. Ему требовалось срочно оказать помощь.

Чтобы косоглазый не рыпался, я с силой впечатала его головой в ближайший ствол дерева. Тот медленно сполз вниз, однозначно давая понять, что я свободна. Подскочив к Зубченко, я лихорадочно затрясла его за плечо. Однако тот не проявлял никаких признаков жизни.

Постаравшись не поддаваться панике, я убедила себя в том, что мой клиент просто потерял сознание. Видимо, достаточно сильно ребятки двинули Зубченко по голове, раз до сих пор не получается вернуть его в реальность. Боясь даже помыслить, что он мертв, я положила ладонь ему на шею и с облегчением вздохнула, нащупав слабо пульсирующую жилку. И все же состояние клиента меня удручало. Решив во что бы то ни стало помочь ему, я достала аптечку и отыскала пузырек с нашатырным спиртом. Открыв крышку, я сунула его под нос Анатолию Степановичу.

Нашатырь подействовал. Зубченко, судорожно дернувшись, постепенно стал приходить в себя. Он застонал и, видимо, почувствовав боль, принялся ощупывать руками поврежденную голову.

— Слава богу! — вырвался у меня вздох облегчения. — Вы живы! Как вы себя чувствуете?

— К-кажется, нормально. Только голова...

— У вас там большая шишка. Может, сотрясение...

— А где эти? — Анатолий Степанович, видимо, старался вспомнить, что произошло до того, как его ударили.

— Один под деревом валяется. Я его вырубила, он без сознания. А другой сбежал.

— А где мы?

Я неопределенно повела плечами:

— Точно не знаю. В каком-то лесу... Нас собирались утопить в реке, предварительно взорвав в машине. Нужно как-то отсюда выбираться и вызывать милицию. Теперь-то мы точно знаем, кто убил Ожигина и покушался на вас и вашу семью. Посидите пока, а я попытаюсь позвонить.

Сказав это, я принялась искать свой сотовый. Как назло, его нигде не было: судя по всему, чтоб добро зря не пропадало, ребятки изъяли его у меня для собственных нужд. Поняв это, я негромко выругалась и направилась к поверженному мной косоглазому, решив проверить, не у него ли мой телефон. Я точно помнила, что он куда-то звонил прежде, чем броситься бежать. А значит, у нас еще остался шанс связаться с городом.

Я присела и тщательно ощупала карманы поверженного бандита. Телефон попался сразу — как оказалось, он висел на поясе. Трубка была не моей, однако это не служило поводом для отчаяния: главное, что она работала! Я набрала номер. Вскоре мне ответили. Услышав грубый мужской голос, я принялась поспешно объяснять, куда нужно приехать и почему. Оператор выслушал меня, не перебивая, а затем произнес:

— Маховка — это другой район, позвоните в ближайший от вас милицейский участок.

После этого трубку повесили. Я едва не зарычала от злости, но быстро успокоилась, поняв, что не права. Ведь могла же догадаться, что, пока из Тарасова доберутся сюда, наступит другой день...

Но, к сожалению, местную, Оренбургскую или же Маховскую, милицию я могла вызвать только через код города.

— Вы знаете телефонный код Оренбурга? — спросила я у Зубченко.

— Откуда? — разочарованно протянул он.

— Похоже, придется выбираться отсюда самостоятельно, — сообщила я Зубченко не слишком приятную новость. — Я не знаю, как дозвониться до местного отделения милиции. А вызывать оперов из Тарасова глупо. Да они и не поедут... Так что не выходите из машины. Сейчас я покрепче свяжу того малого, и мы двинемся в путь.

Прихватив куски той самой веревки, которой меня связывали бандиты, я направилась к поверженному мною маховцу. Тот как раз начал приходить в себя, так что мне пришлось поторопиться. Затем я заставила его подняться и потащила за собой к машине.

— Куда вы меня? — угрюмо спросил мужичонка.

— Еще не придумали. А пока будешь показывать дорогу: раз вы сюда нас завезли, значит, знаете, как отсюда выбраться.

— Я не знаю, не я за рулем сидел.

— Лучше, если будешь знать, — предупредила я.

Затем я затолкала его на заднее сиденье, а сама села за руль. Мотор завелся легко, но, когда я надавила на газ, мой «Фольксваген» как-то странно затрясся... Через некоторое время мне пришлось заглушить двигатель. Я поспешно вылезла из машины, не понимая, что могло случиться. Все мои последующие действия сопровождались яростной бранью, весьма удивившей Анатолия Степановича.

— Что случилось?

— Они проткнули заднее колесо, — пнув очередной раз ногой по машине, откликнулась я. — Кретины!

Задержанный молча пыхтел себе под нос, предпочитая делать вид, что меня не слышит, и уж тем более не рискуя напоминать о себе. Он наверняка опасался, что я вымещу на нем злобу за испорченное колесо.

— Ну и что же будем делать? — тихо поинтересовался Зубченко.

— Очевидно, ставить запаску. Если ее не стащили, — буркнула я, отправившись к багажнику.

Открыв его, я увидела новенькое колесо. Достав запаску, уже собралась начать замену, но тут до меня дошло, что могу проколоть и ее, ведь ехать придется опять через лес, не разбирая дороги. Лучше уж потерпеть тряску, чем совсем лишиться машины. Убрав колесо обратно, я захлопнула багажник и, запрыгнув на водительское сиденье, завела машину. Анатолий Степанович удивленно глазел на меня.

— Держитесь, — предупредила я, трогаясь с места. — Немного потрясет.

Трясло нас не «немного», а очень даже порядочно. Я сама, не говоря уж про остальных пассажиров, несколько раз больно ударилась головой о потолок и дверцу, но поделать с этим ничего было нельзя. Не знаю, сколько времени мы ехали через лес. Постепенно стало темнеть. В лесу это происходит гораздо раньше, чем на открытой местности, да и темнота значительно гуще и непроглядtwenнее. Зубченко начал волноваться, боясь, как бы мы окончательно не заблудились и не сбились с пути. Он понимал, что в противном случае придется ночевать в лесу, а у нас с собой нет ни еды, ни одеял. Да и количество бензина, как заметила я по данным на приборах, приближалось к нулевой отметке.

— Куда вы нас завезли? — ерзая на сиденье, бурчал Анатолий Степанович, то и дело оборачиваясь назад и поглядывая на связанного мужичка. — Сколько еще ехать? В какую сторону?

— Не знаю я, — пробурчал пленник.

Зубченко неожиданно резко повернулся и с размаху заехал мужику кулаком по лицу. Затем схватился за собственный кулак, видимо, никак не ожидая, что соприкосновение с чужим лицом окажется столь болезненным. Когда наплыв боли утих, он гневно сверкнул глазами и требовательно спросил:

— Ну что, теперь припомнил?

Я удивленно приподняла брови вверх, никак не ожидая

такого поведения от своего клиента. Он удивлял меня все больше и больше. Вот до чего, оказывается, может довести человека людская злоба...

— Нет, — зло прошипел мужик.

Но Анатолия Степановича такой ответ явно не удовлетворил. Каким-то глухим и тяжелым голосом он спросил:

— Еще раз повторить вопрос или лучше еще раз освежить твою память?

— Прямо, — вяло буркнул мужик.

— Ну вот, теперь лучше, — похвалил его Зубченко, а затем предупредил: — Если соврал, до отделения ты живым не доедешь.

— Откуда в вас столько злобы? — удивленно поинтересовалась я. — Когда мы с вами познакомились, вы напоминали затравленного, перепуганного до смерти зверька. А теперь вы почти что хищник, бросающийся на жертву. Такие перемены в столь короткий срок...

— Я и сам от себя не ожидал, — честно признался мужчина. — Но видимо, теперь во мне проснулись те качества, которые доселе были просто не востребованы. Я даже чувствую себя другим человеком.

— Если так и дальше пойдет, у вас отпадет надобность в телохранителе, — пошутила я.

Зубченко смущенно улыбнулся, затем тяжко вздохнул и уставился за окно. Я продолжала таранить своей машиной высоченную траву, растущую впереди. Неожиданно невдалеке что-то блеснуло. Я проследила взглядом за огоньком и догадалась, что недалеко проходит трасса и по ней только что промчался какой-то автомобиль. От радости, что мы наконец выбрались из леса, я едва не подпрыгнула на сиденье. Но, вспомнив про многочисленные шишки на голове, предпочла сдержать свой порыв.

— Женя, смотрите, дорога, — также увидев трассу, обрадовался Анатолий Степанович.

— Да, я заметила, — кивнула я в ответ.

Зубченко взволнованно о чем-то затрещал, но я, совершенно не слушая его, сосредоточилась на дороге. Вырулив на трассу, я заглушила мотор и открыла дверцу.

— Эй, Женя, вы куда? Что вы делаете? Разве мы не едем дальше? — удивился Зубченко.

— Нет, пока не узнаем, куда точно нам следует ехать.

Эта трасса мне совершенно незнакома, и я не могу на глаз определить, в какой стороне находится Тарасов, а в какой Маховка.

— Так, а... — Зубченко снова повернулся к нашему задержанному и прицепился к нему с новыми вопросами. Пока я ждала появления на горизонте хоть какого-нибудь автомобиля, Анатолию Степановичу удалось все выяснить, и он радостно сообщил:

— Маховка по правую сторону. Туда же нужно ехать, чтобы попасть на трассу, ведущую в Тарасов.

Я снова запрыгнула в машину и прибавила скорость.

* * *

В Маховку мы прибыли далеко за полночь. Возвращаться в Тарасов нам сейчас не имело смысла, тем более что нужно было довести дело до конца и разобраться с теми, кто досаждал семье Зубченко и убил Ожигина.

— Где находится ваша администрация? — обратилась я с вопросом к связанному.

Тот кивком головы указал куда-то в сторону.

— Знаешь, где кто из руководства живет? — снова спросила я. — Показывай дорогу.

Нехотя, словно его тянули за хвост, мужичонка промямлил, куда именно следует ехать. Я внимательно выслушала его, но, не желая светиться на той улице, где проживала мамаша Вячина, выбрала другой путь. Вскоре мы оказались у весьма солидного строения с высоким забором. Я велела Зубченко оставаться в машине, а сама направилась к воротам особняка. Стукнув по ним кулаком, я услышала громкий и дружный собачий лай.

Парой минут спустя в доме зажегся свет. Затем скрипнула дверь. Кто-то вышел на крыльцо и прикрикнул на псов. Вскоре я увидела весьма упитанного темноволосого. Свет из окон дома хорошо освещал его, так что я даже смогла рассмотреть лицо: оно было не заплывшим, а скорее слегка припухшим. Припухлость выглядела болезненной и, возможно, была следствием сахарного диабета или какого-то другого заболевания.

— Что нужно? Кто такая? — в свою очередь рассматривая меня, спросил мужчина.

— Мы из города. Нам необходимо как-то связаться с вашим отделением милиции и сообщить ему о нескольких совершенных преступлениях жителями вашей деревни.

— Что?.. Какие преступления, о чем вы? — удивился мужчина. — Кто у нас тут хулиганить будет! Здесь все село друг друга поименно знает, почитай что половина родственники. А молодежи практически нет... Больше хулиганить и некому, не старики же дурить будут.

— Некоторые ваши старики похлеще молодых будут, — усмехнулась я, а затем снова повторила свой вопрос: — Ну так что, вы можете вызвать милицию?

— Да что произошло-то? — Работник местной администрации не спешил на помощь.

Рассудив здраво, я решила, что не стоит сейчас упоминать об истинных причинах нашего появления в Маховке. Кто знает, как относится этот человек к событиям пятидесятилетней давности? Может быть, узнав, кто мы такие, он натравит на нас собак или кинется с кулаками? Подобная реакция, как показали предшествующие события, была более чем вероятна... В общем, я предпочла увильнуть от ответа, прикрикнув:

— Вызывайте быстро, потом объясню!

— А чего это вы разорались? — нахмурился мужчина. — Я не обязан это делать. Нужно вам, сами и ищите отделение.

Потеряв терпение от того, что никто не желает оказывать нам помощь, не думая более о последствиях, я резко схватила мужчину за грудки и, тряхнув пару раз, с угрозой произнесла:

— Если через десять минут сюда не прибудет милиция, я тебя самого под суд отдам, за укрывательство особо опасных преступников! Или, может, скажешь, что ничего не знаешь о том, что творится в поселке? Небось все вместе праздновали гибель виновников ядерного взрыва.

— Так вы... — Мужчина испуганно попятился.

Не церемонясь, я подхватила мужика под локоток и повела к дому. Тот не сопротивлялся. Мы вошли внутрь. Дверь одной из комнат приоткрылась, и мы увидели заспанную женщину — по-видимому, супругу работника администрации, женщину не менее колоритную и упитанную.

— Вась, чего случилось-то? — непонимающе уставившись на нас, спросила она.

— Дайте телефон, — приказным тоном потребовала я.

— Милая, пожалуйста... принеси телефон, — заикаясь, попросил супруг.

Так ничего и не поняв, женщина все же приволокла из комнаты аппарат и протянула мужу.

— Вызывайте наряд.

Мужчина кивнул и принялся трясущимися руками набирать номер. Затем выждал, пока снимут трубку, и невнятно стал объяснять, что нужно приехать. Абонент, слушавший всю эту нелепицу, видимо, так ничего и не понял. Пришлось мне взять все в свои руки и, вырвав трубку, коротко пояснить:

— У нас тут убийство и покушение на убийство. Задержан один из виновных, другому удалось сбежать, еще несколько человек причастны к преступлению, и их также необходимо задержать. Приезжайте прямо сейчас, мы будем ждать вас у дома главы местной администрации.

В ответ мне что-то буркнули, но я так и не разобрала что. Оставалось только надеяться на то, что ответ был положительным. Вернув трубку на место, я повернулась к хозяину дома:

— Сколько времени займет дорога?

— Минут через двадцать пять будут, — испуганно ответил он.

Работники правоохранительных органов прибыли значительно позже. Видимо, сказывалось качество дорог. Зато потом мы смогли все им пересказать и передать нашего задержанного. Когда я спросила у начальника группы, что он планирует делать дальше — задержать остальных прямо сейчас или дождаться утра, он ответил:

— Никто из них не скроется. Потому что все они знают, что им все равно ничего не будет.

— То есть как это не будет? — услышав слова следователя, возмутился Зубченко. — Они убийцы, самые настоящие монстры! Вы разве не поняли?...

Однако начальник группы сохранял прежнюю невозмутимость:

— Это еще нужно доказать.

— Так вы их еще и покрываете! — принялся возмущаться Анатолий Степанович.

Следователь, неглупый мужчина лет сорока, неловко отвел глаза в сторону, а потом произнес:

— Я вас хорошо понимаю, не думайте, что мы тут все такие эгоисты. Просто... — Он помолчал, а потом продолжил: — У большинства местных раковые заболевания. Государство, оно хоть и делает вид, что ему ни до кого нет дела, все же не заинтересовано в том, чтобы события пятидесятилетней давности стали достоянием гласности... А такое случится, если за решетку упекут половину поселка. Потом, с такими заболеваниями даже в тюрьму нельзя сажать. Они там и двух недель не протянут...

— Предлагаете нам их пожалеть? — с язвительной усмешкой спросил мой заказчик.

— Нет, конечно, — вздохнул в ответ мужчина. — Только вы уж особых надежд по поводу того, что все получат по заслугам, не питайте. Это я так, от себя говорю. А за то, что про преступление сообщили, спасибо. Мы этим делом непременно займемся.

— Что-то слабо верится, — заметил Анатолий Степанович, но следователь больше ничего не сказал ему.

После этого нас заставили заполнить какие-то бумаги, задали несколько вопросов и отпустили на все четыре стороны. Только Анатолий Степанович напрочь отказался отправляться восвояси, изъявив желание дождаться задержания остальных участников последних событий. Следователь не возражал, так что мы пробыли в Маховке еще достаточно долго.

Стоило ментам задержать всего лишь одного парня, как все остальные, включая старика и Елену Викторовну, прибыли с повинной сами. Выяснилось, что почти каждый день кто-то из них отправлялся в Тарасов и, подкупив очередного алкаша, заставлял нападать на Анатолия Степановича. Постепенно мстители вошли в азарт, изобретая все новые способы, как отравить существование моему клиенту. Сын же Елены Викторовны и его дружок, чисто случайно узнав о проделках матушки и других селян, решили этим воспользоваться и заработать деньги. Они, прекрасно зная о покушениях на Зубченко, рассчитывали, что, похитив Егора, окончательно выбьют мужчину из колеи и заставят выполнить любое их требование беспрекословно. Всего задействованных в покушениях на Зубченко и в убийстве Ожигина оказалось семь человек. Они не были родственниками, но их объединяла общая боль, потеря близких...

Мы слушали и ужасались. А обвиняемые между тем просто улыбались и смотрели на нас с Зубченко так, будто абсолютно довольны и счастливы... Не выдержав очередного счастливого взгляда, Анатолий Степанович велел заводить машину, чтобы поскорее убраться прочь из этих мест. Я не стала спорить, тем более что и сама уже порядком соскучилась по родному дому, да и по тетушке Миле тоже.

Эпилог

Не помню, кто сказал, но подмечено верно: «У нас каждый политический лидер и ученый вначале радуется, что он вошел в историю, а после понимает, что в нее влип». То же произошло и с моим очередным клиентом. Причем влип он, судя по всему, очень даже серьезно. Да, нам удалось установить личность женщины, которая портила жизнь семье Зубченко и организовала убийство Ожигина. Нам удалось выявить всех ее сообщников и сдать их в милицию...

Только на этом все не закончилось. Все только начиналось... Люди, молчаливо сносившие боль на протяжении пятидесяти лет, устали молчать. Дети и внуки пострадавших теперь стремились восстановить справедливость. В том, насколько серьезны их намерения, мы убедились, прочитав те письма, что дала нам Елена Викторовна.

Анатолий Степанович понимал, что затишье, скорее всего, окажется временным, тем более что дело Вячиной и других очень быстро замяли, так и не доведя до конца. Зубченко в милиции недвусмысленно намекнули на то, что нужно забрать заявление. Потом домой ему позвонили из администрации, с той же «ненавязчивой» просьбой. Памятуя о том, что он косвенно, но все же виновен в случившемся пятьдесят лет назад, Зубченко не смог отказаться от этого предложения и забрал заявление. Именно это и заставило его задуматься о переезде в другой город и смене рода деятельности. Иного выхода он не видел. С его решением я была полностью согласна...

Что касается Елены Викторовны Вячиной, то ее поместили в закрытое лечебное учреждение в связи с невозможностью переносить условия тюремного заключения. Там, судя по всему, женщине предстояло провести весь остаток своей жизни, поскольку было очевидно, что болезнь не позволит ей задержаться на этом свете слишком долго... Сына Елены и его товарища, задержанных еще в Тарасове, все же осудили. Но когда выяснилось, что у Альберта раковая опухоль, да и Олег имеет множество физических отклонений, приговор суда был смягчен, и ребята получили всего по три года заключения с предоставлением им необходимого лечения.

Несмотря на то, что суд сделали закрытым, информация каким-то образом поступила в прессу. Я даже подозревала, что поспособствовали этому жители бывшей Маховки. В результате разразился огромный скандал. Журналисты подняли все материалы об испытании пятидесятилетней давности... Эти действия имели положительный результат.

Решением правительства было постановлено начать дополнительные выплаты тем, кто пострадал от ядерной радиации, а особо серьезным больным даже выдали направления в различные лечебницы и профилактории... Мало кто верил, что льготы эти будут вечными и что через год-другой их не отменят, но изменению ситуации большинство все же обрадовалось.

Одним словом, все закрутилось и завертелось. Теперь три маленькие деревеньки — Орловка, Елшанка и Маховка — действительно стали широко известными. Жаль только, что причиной этой известности послужили столь печальные события...

Небо в клеточку

ПОВЕСТЬ

Глава 1

Я гнала машину как бешеная, сопровождаемая со всех сторон тревожными сигналами. Ничего, уже скоро КП, а там трасса. Осталось километров пятнадцать. Пятнадцать километров — и судьба человека. Надо только успеть! Раньше убийцы. Если я не успею — все! Все будет потеряно!

Новенький «Форд Фокус» взвизгнул покрышкам, отчаянно тормозя. Мельком увидела выражение лица водителя. Мужик совершенно ошалел. Мою «ласточку» немилосердно подбросило на выбоине, и это чуть не стало концом гонки. Встречный «КамАЗ» успел забрать вправо, и мы разминулись в каких-то сантиметрах. Груда железа и моя верная смерть пронеслись мимо.

«В-в-в-у-м» — ворвался звук в форточку. В секунду ладони, сжимавшие руль, вспотели. На лбу образовалась холодная капля, и я перестала давить на «гашетку». На КП дежурному не объяснишь, что летишь ты, презирая все писаные и неписаные законы уличного движения, исключительно под давлением крайних обстоятельств.

Я благополучно миновала КП и... попала в пробку. Обидно до ужаса! Машины полностью забили участок трассы шириной в две колеи, окантованные с обеих сторон бетонными стенами. Вся эта масса движется со скоростью черепахи, к тому же периодически останавливаясь.

«Все, Женя, можно не рыпаться», — сказала я себе и потянулась к пачке. Сигарета была сейчас кстати. Нервы, секунду назад взвинченные до предела, нуждались в успокоении.

Невольно перед глазами встает все та же сцена, на протяжении последних нескольких дней неотрывно преследующая меня: распахнутая дверца сейфа, человек с открытыми глазами на полу рядом с ним. Во лбу лежащего аккуратная круглая дырочка и тонкая полоска крови. А рядом юная девушка с безумным взглядом и... «макаровым» в руках. Его дочь.

«Москвич» впереди тронулся, сзади сигналили. Я прогнала ставшее уже навязчивым видение и включила передачу. Еще сто метров на черепашьей скорости — и снова стоп.

«Кто же мог подумать, что так все получится! — горько усмехнулась я, выкидывая в приоткрытое окно бычок. — Ничто, ведь абсолютно ничто не предвещало такого развития событий! Хотя вспомни...»

* * *

День прошел на редкость бестолково. К вечеру выяснилось, что вчерашняя суета не принесла никаких результатов. Посему Евгения Максимовна, то бишь я, как уважающий себя человек, решила поставить точку на своей беготне.

Эта, безусловно, умная мысль шарахнула мне в голову на проспекте Кирова рядом с кинотеатром «Пионер». Сразу же захотелось посмотреть афишу. Оказалось, что в малом зале идет мистический триллер, в большом — кинокомедия, которую я уже смотрела по видику. Остановив свой выбор на триллере, купила билет. До сеанса осталось еще полчаса. Поскольку я решила ничего не делать сегодняшним вечером, душа потребовала индульгенции за такое прегрешение. Индульгенция представилась мне в виде очередного детектива для тети Милы. Она большая любительница такого рода книжек.

Для окончательного успокоения я набрала домашний номер. Узнав, что никто не звонил и не предлагал работу, угомонилась окончательно. Последний раз я охраняла приезжую бизнес-леди. Таскалась вместе с ней целую неделю и благополучно сдала на руки приехавшему штатному охраннику.

Посему пару недель вполне могла позволить себе не озадачиваться вопросом о дальнейшей работе. Не хвалясь, скажу, что заказы у меня появляются постоянно, репутацию на своем поприще заработала отменную. Поэтому паранойя из-за отсутствия средств мне не свойственна.

Пятнадцать минут в кафе за чашкой кофе, еще примерно десять — знакомство с рекламой новых фильмов, сотовых телефонов и аудиокассет — и я зашла с остальными зрителями в зал и на два часа перенеслась в непонятно какое время и место. Главный герой периодически превращался в волчару невиданных размеров и нападал на честных граждан. Это его сильно тяготило, как, собственно, и граждан. Последних, впрочем, гораздо больше. И те, безусловно, пришили бы бедолагу, не умей он сносно владеть мечом и не разберись наконец, кто же подложил ему такую свинью. Оказалось, что еще в детстве злополучный оборотень перешел дорогу колдуну, и тот...

Впрочем, фильм мне не очень понравился. Купившись на рекламу, как это часто бывает, я ожидала большего. Неутоленное чувство интеллектуального голода привело меня к развалу с видеокассетами. Молодой паренек предложил мне пару новых фильмов. В одном стреляли, в другом — дрались. Я остановила свой выбор на рукопашном бое.

Итак, нагулявшись вдоволь, с книгой и кассетой в руках, я наконец позвонила в дверь собственной квартиры.

Едва тетка открыла дверь, мой рот сам собой наполнился слюной.

— Рыба? — сглотнув слюну, переспросила я.

— Сом в кляре.

Тетка, не отрываясь, смотрела на купленную мной книгу.

— «Выстрел вслепую»... Нет, не читала... — заинтригованная, пробормотала она, вытирая руки о передник.

Вручив ей новый бестселлер, я отправилась прямиком на кухню. Сом в кляре — это должно быть что-то! Хотя, справедливости ради, надо сказать — у тети Милы все, приготовленное ее руками, «что-то».

— Тебе пять минут назад звонил какой-то мужчина, — услышала я за спиной. — Но представиться позабыл.

— Что хотел?

— Не знаю. Сказал, что еще раз перезвонит.

— Ну и бог с ним.

— А вдруг это тот самый?..

При этих словах теткино лицо приняло загадочное и лукавое выражение одновременно. Я даже не стала отвечать на этот вопрос. Впрочем, ей не привыкать! Тетя Мила ждет на него ответ с тех самых пор, как я переступила порог совершеннолетия. Ее настойчивое стремление выдать меня замуж сначала раздражало, потом я с ним свыклась и воспринимала уже как неотъемлемую часть ее образа.

Я упорно молчала, продолжая с завидным аппетитом расправляться с сомом.

После сома был компот, затем я вспомнила про принесенную кассету и отправилась смотреть новый фильм с Джеки Чаном. Я несколько увлеклась сюжетом, и телефонный зуммер дошел до моего сознания не сразу. Только когда телефон напрягся в очередной раз, убавила звук. Окончательно убедившись, что аппарат не умолкает, нажала на пульте «паузу» и подошла к телефону.

— Евгения Максимовна? — вежливо поинтересовался мужской голос.

— Она самая, — подтвердила я непреложный факт.

— У меня есть для вас работа... — Звонивший замолчал, видимо, ожидая моей реакции.

— Да, я вас слушаю, — решила я форсировать события. — Продолжайте.

— Вы знаете, по телефону о таком деле неудобно разговаривать. Давайте где-нибудь встретимся.

Это я слышала почти каждый раз, когда мне звонил потенциальный клиент. Потому ответила стандартно:

— Назовите ваш адрес или адрес офиса, кого спросить, и я завтра в удобное для обоих время подъеду.

— Нет... — Мой собеседник замялся. Некоторое время я почти физически ощущала его душевные муки. Затем он решился:

— Мы не могли бы встретиться на... скажем так... нейтральной территории?

Что ж, и такое частенько случается в моей практике.

— Хорошо, говорите где.

— Вы не смогли бы подъехать, скажем, через полчаса...

— Куда? — своей репликой я прекратила новый приступ смятения собеседника.

— Куда?.. — Этот простой вопрос заставил его задуматься, и я вновь была вынуждена помочь.

В конце концов мы договорились встретиться в половине девятого вечера в ресторане «Али Баба» на углу проспекта Кирова и улицы Горького. Автоматически я бросила взгляд на часы — времени вполне достаточно, поэтому торопиться не придется.

* * *

Машину я поставила, не доезжая полквартала — просто дальше все уже оказалось занято. Еще раз поглядела на часики и не спеша отправилась навстречу вывеске с замысловатой надписью, сделанной арабской вязью. Вторая, под ней, дублируя первую по-русски, гласила: «Али Баба».

Я спустилась в полуподвальчик. В дверях охранник пробежал взглядом по моей фигуре. Оружия он явно не нащупал. Взгляд его еще некоторое время фиксировался на моей груди, затем плавно сместился в сторону. Все это я отметила мимоходом, поскольку сама уже вовсю шарила глазами по залу в поисках мужчины средних лет, одетого в светлую рубашку и темные брюки. Народу, слава богу, не много. А то с такими приметами!.. Второй признак, по которому я должна была его распознать, — барсетка на столе. Она верно указала мне, что мой клиент сидит за третьим столиком от входа. Его немигающий, явно заинтересованный взгляд был направлен строго в мою сторону. Я подошла ближе.

— Евгения Максимовна?.. — опередил он меня вопросом.

— Андрей Викторович?..

Мужчина согласно кивнул.

— Что вам заказать? — В вопросе прозвучало больше вежливости, чем искреннего желания чем-то угостить меня.

— Не волнуйтесь, я сама себе закажу, — успокоила я его на этот счет. — Давайте о деле.

— Я могу рассчитывать на конфиденциальность?

— Если только вы не собираетесь меня впутать в антиправительственный заговор или рассказать о совершенном преступлении.

— Нет, что вы! — энергично запротестовал клиент. — Дело практически личное...

Пока он говорил, я сканировала его внешность. Андрею Викторовичу было где-то за сорок. Светло-желтые волосы коротко стрижены. Синие внимательные глаза. В остальном — ничего особенного. Изюминки в его внешности я не нашла. Не урод, не красавец. Тут же отметила про себя, что это совершенно не мой тип мужчины, так что роман с ним не грозит изначально. Можно, не кривя душой, успокоить тетушку.

— Дело в следующем, — излагал тем временем Андрей Викторович. — Начну с самого начала, чтобы вам было понятно. У нас есть коттедж в Волжских Заводях. Не преувеличивая, скажу — такой, каких мало не только в Тарасовской области, но и в России. Но дело не в этом...

Андрей Викторович замолчал, пыхтя себе под нос. Видимо, это его обычная манера разговора. Не самая лучшая, но — выбирать не приходится!

В этот момент у нашего столика возник официант, и данное обстоятельство внесло дополнительный перерыв в наш разговор, поскольку мой собеседник вопросительно уставился на него.

— Что заказывать будем? — Тон официанта определенно исключал возможность иного варианта.

— Кофе с коньяком, пожалуйста.

Если бы Андрей Викторович сказал: «А мне кружку пива», я нисколько бы не удивилась. Но мой работодатель оказался не настолько безнадежен.

— «Кампари» у вас есть?

У официанта, по всей видимости, мысли работали в унисон с моими. Он пару раз растерянно хлопнул ресницами, затем нарисовал на лице улыбку и только после этого поспешно подтвердил:

— Д-да, конечно.

— Бутылочку «Кампари» и фруктов.

— Клубника?

— Давай, — бесцветным тоном согласился Андрей Викторович.

Да, внешность бывает обманчива. Хотя... я моментально выхватила взглядом натуральные «Ролекс» на запястье моего клиента. И бриллиант на мизинце вполне впечатляющий. Так что минус поставить себе никак не могу!

Время — деньги.

— Итак? — едва удалился официант, я намекнула на продолжение разговора.

— Ах да, — спохватился мой собеседник и оторвал рассеянный взгляд от удаляющейся фигуры официанта. В глубине души я поняла Андрея Викторовича — не каждый день видишь человека в зеленых шароварах, на голове которого пристроено что-то здорово смахивающее на чалму. Но, как я уже говорила, время — деньги.

— Так вот. — Блондинистый переключился на меня, а тяжелый взгляд и невольный вздох подсказали, что он наконец настроился и теперь сбиваться не будет. — Я не зря вам про коттедж рассказывать начал. Проект получился очень дорогой. Скажу вам прямо — человек я не бедный.

Поскольку я сразу же кивнула, бесспорно соглашаясь с ним, очередной заминки не последовало.

— Но и для меня это оказалось круто. Есть у меня старый друг, еще со студенческой скамьи. Встретились, обговорили и решили одолеть это мероприятие вскладчину. С Антоном Валентиновичем. Понимаете меня?

Я вновь была вынуждена кивнуть, опасаясь очередной паузы. Удовлетворенный моей реакцией, Андрей Викторович продолжал:

— В общем, дело в следующем. Обычно там никто не живет, собираемся на выходные и по праздникам. Вернее, постоянно живет охранник Саша Семенов. Ну, мужик...

Перехватив мой нетерпеливый взгляд, он истолковал его верно.

— Вчера мне понадобилось туда приехать. А коттедж видно еще с дороги... В общем, гляжу — в окне моего кабинета свет горит. Ну, думаю, ничего себе! Газу прибавляю, значит. Через пару минут я у ворот, сигналю Саше. Вылетает, глаза таращит. Я ему: «Кто здесь?» Он: «Никого!» Говорю: «Свет с дороги видел!» Бросаемся, значит, с ним к дому. Ну, там, может, пару минут я от поворота ехал. Пока его ждал — минуты две. Минуту-полторы мы бежали. Короче, врываемся — дверь в кабинет закрыта. Щелкаю выключателем — никого. Саша мне: «Викторыч, переработал ты». Ладно, отпускаю его. Сам остаюсь. У меня в кабинете сейф. С кодовым замком, знаете такие?

Я автоматически киваю, не желая слушать лекцию об устройстве номерных сейфов. При его манере изложения это грозило превратиться в настоящую пытку.

— В общем, открываю сейф. Все вроде на месте. Но я тщательно осмотрел — не хватает расписки. Все остальное на месте, только расписки нет!

— На какую сумму? — спросила я.

— На пятьдесят тысяч долларов.

— У-гу, — сделала я понимающее лицо.

— Да, собственно, дело не в сумме, хотя и она не пустячная, — человек, сидящий напротив меня, поскреб затылок. — Дело в другом. Как же так, после стольких лет дружбы...

— Простите, — не выдержав, перебила я. Вообще-то перебивать людей не свойственно моей интеллигентной натуре, но его повествование грозило продолжаться бесконечно. — Какое отношение все это имеет ко мне?

— Вы понимаете, в какое глупое положение я попал? Сначала хотел напрямую поговорить с Антоном. Но потом все же... Если я его просто спрошу, естественно, он пошлет меня подальше. Фактов-то у меня никаких нет! И Сашенька... родной. Сторож хренов! Я бы с ним поговорил по душам, но опять же нет никаких доказательств его участия в этом деле. Вот мне и нужен человек. Ну, разузнать...

Я слушала, не перебивая. Просто улыбалась.

— Антоша, он, понимаете, до женского пола неравнодушен...

— Так вы предлагаете мне залезть к вашему партнеру в постель?!

Эту фразу я произнесла неуместно жизнерадостным тоном, но ничего не могла с собой поделать — мне действительно стало весело. Хотя, по идее, я должна была оскорбиться. Ведь мне откровенно предлагали поработать проституткой-осведомительницей. Или кем-то вроде этого!

— Нет, я такого не говорил!

— Но подумали.

— Да нет же! — энергично запротестовал он, одним долгим глотком опустошая бокал. — Я имел в виду совершенно другое.

— Тогда что же?

— Просто хочу, чтобы вы пообщались с ним. Как человек опытный, можете что-то заметить. Ну, в разговоре что-то выяснить. Хоть что-то! Или же узнать, где он эту расписку прячет!

— Такие расписки никогда не прячут, — машинально поправила я его. — Их тут же рвут на мелкие части.

— Да, наверное, вы правы, — опять почесал затылок мой собеседник, но через пару секунд вскинул голову и некоторое время смотрел на меня не отрываясь. Словно услышанное от меня заставило его по-иному взглянуть на ситуацию. — Хотя не всегда так бывает. Поверьте, не всегда!

— Возможно, — автоматически согласилась я, совершенно не желая вступать в полемику. Демонстративно посмотрела на часы.

— Пять тысяч долларов, если находите эту чертову бумагу. Пятьсот «зеленых» — если даже ничего не находите, но пару дней проводите с нами на даче. Естественно, стараетесь что-то все же узнать. Но полштуки баксов — гарантированно ваши!

Разговаривать с человеком, который не хочет тебя понимать, — все равно что общаться с безнадежно пьяным или умалишенным. Разницы практически никакой, и, по моему глубокому убеждению даже пытаться поладить не стоит. Я просто встала, собираясь уйти. На прощание еще раз на всякий случай объяснила:

— Я — бодигард. Телохранитель, если по-русски. Я могу вас охранять, когда вы, к примеру, перевозите чемодан с деньгами. Из пункта А в пункт Б. Или — со среды до пятницы. Я не детектив и расследований не провожу. Вас неправильно информировали.

— Не проводите? — кажется, он мне не поверил.

— Не провожу! И никогда не проводила.

Насчет последнего я несколько слукавила. Конечно, специальность частного детектива — не моя работа. Но... в жизни бывает всякое!

Тем не менее решительный отказ созрел в моей голове еще пару минут назад, когда только еще начала догадываться, в чем дело. Сейчас я его просто озвучила.

— Возьмите хотя бы визитку, если вдруг передумаете! До пятницы... В пятницу после обеда мы туда едем!

Я совершенно не собиралась выяснять, кто это «мы». Взяла ламинированный прямоугольничек и, уже практически на ходу, прочитала: «Данко». После чего кивком попрощалась и поспешила к выходу.

* * *

Мой «Фольксваген» стоял метрах в ста. Первые пятнадцать я преодолела очень быстро, затем постепенно успокоилась и невольно задумалась над состоявшимся разговором. Первая мысль была такой: «Черт, забыла спросить, кто же это надоумил его обратиться ко мне!» Потом невольно принялась анализировать услышанное от господина Киреева Андрея Викторовича, генерального директора пресловутого «Данко». Я копалась в памяти, стараясь вспомнить, не попадалась ли на моем жизненном пути компания с таким названием. Дошла до машины, но так и не вспомнила.

Я включила зажигание и вдруг поняла, что не хочу пока ехать домой. Достала из бардачка сигарету и продолжила размышлять над тем, что же мне так не давало покоя. И поняла почти сразу.

«Странно, — сказала я сама себе. — Человек готов отстегнуть пятьсот долларов просто за то, что я проведу выходные в кругу его семьи и семьи его приятеля? Неужто действительно не понимает, что ничего таким образом, каким предлагает он, узнать нельзя? Блин! Как клиент вообще представлял себе это дело?! Появляется Женя Охотникова и, нагибаясь к грядкам с клубникой на пару с вышеупомянутым Антоном, задает вдруг невинный вопрос: «А вы, драгоценнейший, случайно сейф своего институтского кореша намедни не обчищали?»

Фантазия услужливо нарисовала подобную картину, и я рассмеялась, слегка поперхнувшись при этом сигаретным дымом.

«Нет, позвольте, — попыталась я безуспешно вернуть себя к серьезности, — Евгения Максимовна. Маленькое уточнение: не между грядок. Предполагалось, что вы обольстите предприимчивого господина. И, после успешного коитуса...»

— Чушь собачья! — Это я произнесла уже вслух.

Мало ли какие причуды бывают у богатых людей! Может, ему просто в частного детектива поиграть захотелось?

«Если разобраться, — сказала я себе через пару затяжек, — на шутника Андрей Викторович похож мало. Хотя, конечно, кто его знает?»

Почему-то вспомнилась брошенная им фраза: «...не всегда так бывает. Поверьте — не всегда!»

Я решительно выкинула сигарету вместе с мыслями о господине Кирееве, считая, что знакомство с ним для меня — уже в прошлом.

Двигатель давно включен. Осталось выжать сцепление и задать скорость сцепление, что я и сделала.

* * *

До четверга время пролетело незаметно. Я совершенно забыла о господине Кирееве. А в четверг к обеду моя жизнь осложнилась пренеприятным известием. Я находилась в комнате, когда внезапно позвонили в дверь. Тетя Мила пошла открывать. Через некоторое время тетушка с очаровательной улыбкой появилась на пороге. В руках она держала телеграмму.

— Ваня, боже мой! Ты помнишь моего друга юности Ивана Перова?

Еще бы! Год назад он был проездом в Тарасове и не преминул зайти к своей бывшей однокурснице, то бишь моей тетке, в гости. Пробыл «юный друг» у нас часа три...

Скажу только одно — уже после первого получаса общения мне нестерпимо захотелось убежать куда глаза глядят! Более нудного человека я в жизни не встречала!

Между тем телеграмма в теткиной руке предвещала повторение этих мук.

— Когда он приезжает? — Спрашивая, я поспешно отвернулась от тети Милы. Сделала это только по одной причине: дабы мой взгляд не открыл ей всего того, что я думаю о ее воздыхателе, получившем, кстати, отставку еще в студенческую пору. Тетушку я люблю, и огорчать ее не хочется.

— В пятницу утром, — щебетала тетя Мила, глаза ее при этом подозрительно часто моргали.

«Женька, не будь такой эгоисткой! — принудила я себя быть честной по отношению к себе же самой. — Не тебе одной получать от жизни пироги да пряники! Для тетки это настоящая радость!»

«Но почему я должна присутствовать при этой радости? — тут же возмутилась вторая, мятежная часть моей натуры. — Присутствие, даже недолгое, теткиного воздыхателя не пройдет без ущерба для моей психики. Кстати, а сколько же придется терпеть эту пытку? Может, пару часов?..»

— Тетя, а на сколько Иван Игнатович приезжает?

— На два дня!

Елки-палки!

Самое поганое в этой ситуации то, что просто так удрать из дома я не смогу. Скажем, на пару дней на турбазу. Тетушка сразу поймет, в чем дело. Она на меня не обидится, нет. Но праздник я ей испорчу, поскольку чудовищное чувство вины оттого, что ее приятель послужил причиной моего изгнания из родных пенатов... Словом, так не годится.

«Хоть бы кто-нибудь позвонил и выдернул меня на работу!» — тоскливо подумала я и неожиданно вспомнила о господине Кирееве.

— Ну нет, это глупость, — тут же раздраженно одернула я саму себя.

— Что ты там бурчишь? — рассеянно поинтересовалась тетка.

В этот момент как раз и раздался звонок. Второго не потребовалось — в один момент я оказалась у телефона.

— Слушаю вас.

— Евгения Максимовна?

— Да, это я, — при этих словах из моей груди вырвался невольный вздох.

— Евгения Максимовна, я хочу предложить вам работу.

— Андрей Викторович, мы еще в прошлый раз все обсудили.

Я старалась держаться спокойно, но уже основательно боялась того, что еще пара фраз — и просто взорвусь.

— Нет, Евгения Максимовна, я вас хочу нанять именно телохранителем!

В голосе Киреева отчетливо проскальзывали торжествующие нотки. Кажется, он рад тому, что сумел найти правильное решение. Но меня так просто не свалить.

— И кого мне прикажете охранять? — не без ехидства поинтересовалась я и тут же, чтобы поставить окончательно в тупик моего возможного избавителя, добавила: — И какое количество времени?

— Мою дочь. Двое суток. С трех пятницы до трех воскресенья.

Говорил он на этот раз без запинок и периодического сопения в трубку. Видно, отрепетировал заранее.

— Ей угрожает какая-то конкретная опасность? — все еще не сдавалась я.

— Евгения Максимовна, а когда вы охраняете... хм-хм... скажем, бизнесмена, который перевозит большую сумму денег, вы всегда знаете конкретно, кто ему угрожает?

Черт возьми, подловил — так подловил! Тем более что этот пример я сама приводила ему недавно! Но я продолжала отбиваться:

— Я имею в виду следующее: есть ли факты, подтверждающие то, что вашей дочери что-то угрожает? Мне для успешной работы нужно о них знать!

«Черт возьми! — неожиданно начал вопить внутренний голос. — Тебе ведь предлагают то, о чем ты молила еще пять минут назад всех святых, ту самую возможность избежать общения с дражайшим Иваном Игнатовичем на стопроцентно честном основании! Да еще деньги за это платят!»

— Евгения Максимовна?

Наверное, я заразилась от абонента, поскольку теперь уже мое молчание длилось неприлично долго.

— Да, — спохватилась я. — Давайте встретимся и обсудим финансовую сторону нашего соглашения. Называйте адрес, заодно сразу познакомлюсь с вашей дочерью.

— Да, давайте, — в голосе господина Киреева легко угадывалось чувство удовлетворения. Добился-таки человек своего. — Пишите. Только приезжайте завтра сразу к трем.

Финансовый вопрос вас пусть не беспокоит. Ваши расценки я знаю. Думаю, мы столкуемся.

«Но если он считает, что сумеет заставить меня делать что-то, помимо моей работы, то глубоко заблуждается!» — с мрачным злорадством сказала я себе, записывая в блокнот адрес.

Как же я глубоко ошибалась!

* * *

Впередистоящая машина тронулась, я — следом. Ползем минуту, затем новая остановка.

Господи, скорее бы развилка!

До нее еще добрых полкилометра. Потом можно будет уйти на левую трассу.

«Как же я сразу не сообразила?! — кляла я себя, злясь на полное бессилие. — Стоило гнать, рискуя своей и чужой жизнями, чтобы потом торчать здесь?! Ведь знала же, что на этом участке всегда пробки!»

И вновь перед глазами встало лицо Катерины. Испуганное, по-детски беззащитное. Сейчас она в ИВС, и я — ее единственная надежда. А шансы помочь ей тают вместе с уходящим временем!

Мои кулаки в порыве бессильной злости опустились на руль. От отчаяния я надавила на сигнал. Понимала, что веду себя глупо, но нервы сдавали окончательно. В пачке всего одна сигарета. Хорошо, что догадалась купить с запасом. Вторая, нераспечатанная, лежит тут же в бардачке.

Катя, Катя!

Глава 2

— Знакомьтесь, это Катя.

Из-под рыжей челки на меня смотрят два глаза-буравчика. Рот сжат в упрямую тонкую нитку. Мне знакомо это выражение лица. Оно без обиняков говорит о том, что подружиться у нас вряд ли получится. По большому счету, в данном случае мне это и не нужно.

— Евгения, — представилась я, предварительно добавив в свой голос изрядную струю холода.

— Кэт, — цедит в ответ ребенок и больше меня не замечает.

Кстати, ребенком Катю Кирееву можно назвать весьма условно. Девушка на рубеже между четырнадцатью и пятнадцатью годами со вполне заметным проявлением женских форм. Причем если смотреть бесстрастно, то можно легко угадать в этом чертенке вполне привлекательную в будущем девушку. Сейчас она еще слегка по-детски полновата, но, думаю, это исправится в ближайшие два-три года. По крайней мере, ей есть в кого быть красавицей — Катина мама без всяких натяжек заслуживает такое определение.

От отца, по-видимому, девушке перешел только цвет волос. И то: у Андрея Викторовича они гораздо светлее, почти белые.

Пока я рассуждала подобным образом, ребенок привычно канючил:

— Папик, ты мне «лыжу» купил? Со встроенной камерой?

— Катя, сколько раз я тебя просил...

— Понятно, — разочарованно вздохнула девочка. — Значит, никуда я не еду! Тем более что у меня свои планы на выходные.

— Я дам тебе денег на новый телефон, только веди себя прилично!

— Другой базар!

Пока происходил этот, скорее всего, недопустимый, с точки зрения педагогики, разговор, я переключила внимание на Анну Андреевну, жену господина Киреева.

Интересно, что если к Андрею Викторовичу ярлык «господин» клеится с трудом, то его супруга в этом отношении — совсем другое дело! Изящество и стильность — наверное, ее девиз. Холодная светская улыбка, еле заметный вежливый кивок при знакомстве. Это все, чего я дождалась от нее. Затем она, естественно, позабыла про меня, удалившись по винтовой лестнице на второй этаж двухъярусной квартиры.

— Папик, гони обещанные бабки! — напомнил о себе рыжий чертенок.

— Получишь в воскресенье вечером!

— Черта с два я тогда на этот вшивый день рождения поеду! Я такую дуру органически не перевариваю! Тем более...

Последнюю фразу любезное чадо не договорило, но бросило на меня красноречивый взгляд. Между тем я сама уже начинала жалеть о своем решении. Передо мной встала дилемма: что хуже — два дня покорно слушать нудный бред Ивана Игнатовича или терпеть юное исчадие ада? Но, раз уж взялся за гуж...

Андрей Викторович наконец сдался. Полез в кошелек и некоторое время шелестел купюрами.

Дочь сорвалась с дивана и деловито пересчитала деньги. Затем небрежно засунула тысяч этак пятнадцать рублей в задний карман джинсов.

— Время без пяти три, — напомнил директор «Данко», при этом бросая на меня красноречивый взгляд. Намек понятен — начиналась моя служба.

— Мы с женой уезжаем первыми, вы — следом.

После этих слов мы остались вдвоем с вверенным мне объектом. Объект меж тем встал и, не говоря ни слова, отправился из холла куда-то по коридору. Как я правильно догадывалась, в свою комнату.

Пришлось тащиться вслед за Катей. Девушка лишь скосила глаза в мою сторону, вытащила из кармана сотовый и быстро набрала номер.

— Димыч? Хеллоу! Вечером не жди, увидимся в воскресенье.

Покончив со своими делами, Кэт «неожиданно» заметила меня:

— Слушай, ты так и будешь таскаться за мной все два дня?!

— Да. Хотя... возможен другой вариант, — говоря это, я изобразила на лице глубокую задумчивость.

— Какой же?

— Пристегнуть тебя где-нибудь по дороге к чему-нибудь наручниками, а твоему отцу сказать, что позабыла, где я это сделала.

— Не гнусавь! Тебе бабки отбашляли!

— По-моему, если я так поступлю, твой отец мне еще и премию вручит. Собирайся живее.

Чадо некоторое время размышляло над услышанным, затем с победной улыбкой заявило:

— Валим, только я обязательно папику настучу, что ты надо мной издевалась. Он с тебя стружку снимет.

«Ну не стерва ли?» — подумала я, вслух же совершенно спокойно ответила:

— Это сколько угодно. Но если ты не поторопишься, я тебя сейчас распакую, снова запакую во что-нибудь из твоего же гардероба по собственному усмотрению и отволоку к машине. У подъезда наверняка встретится кто-то из твоих приятелей. То-то им будет любопытно...

— А я не собираюсь переодеваться!

Милый ребенок легко вытряхнулся из кресла и начал что-то кидать в свой рюкзачок.

— Почапали, конвой, — через пару минут скомандовала мелкая поганка.

«Если так пойдет дальше, на вторые сутки ее придется охранять от меня!»

Криво улыбаясь, я вышла из комнаты первой.

Новый виток в развитии нашего «взаимопонимания» раскрутился уже на улице. Метров пять не доходя до машины, Катя остановилась и вытаращилась на мою старушку.

— Это... — и тут же следом: — Я на этом не поеду!!! Пусть папик...

Спорить мне с ней было некогда, потому я просто распахнула дверцу и быстро огляделась по сторонам на предмет посторонних глаз. А то еще, не дай бог, заподозрят в киднепинге! Убедившись, что ничье внимание своими воплями чертенок не привлечет, я быстро, на милицейский образец, впихнула ее на заднее сиденье своего авто. Пока девушка пребывала в шоке от непривычного обращения, села за руль, и мы быстренько покатили прочь.

Я думала, что вверенная мне особа тут же начнет звонить родителю или верещать на всю улицу. Но ничего подобного не произошло. Катя молчала, равнодушно уставившись в окно. Лишь иногда я перехватывала ее мстительный взгляд в зеркале заднего вида. Наверное, выдумывала ответную каверзу. Придется быть начеку.

Так, в полном молчании, мы миновали КП, через пять минут позади остался поселок Юбилейный. Следуя указанию Киреева, я гнала дальше, до первого поворота. Ага, вот и участок трассы, где ведутся ремонтные работы. За ним должен быть поворот...

— Направо, — донесся до моего слуха голос пассажирки.

Я послушно повернула. Прямо по курсу — местный прототип Беверли-Хиллз. Коттеджный городок. Я попыталась угадать, который же особнячок принадлежит Кирееву и его стародавнему другу, которого, в свою очередь, подозревает мой клиент... Стоп! Меня это не волнует.

«Домик должен быть большим, заметным с дороги! — рассуждала я, блуждая взглядом по надвигающимся на нас двух- и трехэтажным дворцам. — Так, который...»

— С круглыми башнями, самый большой, — донесся все тот же безучастный голос с заднего сиденья.

«Ну, прямо Шерлок Холмс!» — усмехнулась я про себя.

Но я уже и без подсказки нашла его. Ошибиться было трудно — строение отличалось от остальных так, как отличается «Запорожец» от «Мерседеса». Банальная, может быть, аналогия, но зато наиболее точная.

— Дальше, почти у Волги, — услышала я снова все тот же ангельский голосок юной пассажирки, — есть еще один похожий. Но наш больше раза в два!

Похоже, Кэт наскучило одиночество, и она готова идти на контакт.

Пользуясь моментом, я напомнила:

— Катя, ты не забыла, о чем отец просил? Для всех я — твоя двоюродная тетка.

Девчонка фыркнула, но поспешила успокоить меня:

— Не бойся, тетя Женя, не забыла. За это я с папика что-нибудь покруче нового сотика сниму!

От «тети Жени» меня слегка передернуло. Драгоценное чадо моментально это почувствовало и зло рассмеялось. Я догадывалась, что теперь она меня будет называть так при каждом удобном случае.

«Одно только радует, — философски размышляла я, успокаивая себя, — что золотцу вряд ли грозит реальная опасность! Поэтому сильно напрягаться не придется. Пусть выкаблучивается сколько влезет! У нее сейчас такой возраст. Ну а штука баксов...»

Именно столько я получила авансом за два дня бдения

при чаде. Могла потребовать и больше, но совесть не позволила. Андрей Викторович намекнул, что прежний уговор насчет пяти тысяч остается в силе. В ответ лишь неопределенно дернула плечом — зачем расстраивать работодателя? Сама-то я знала, что и пальцем не пошевелю в этом направлении.

Меж тем мой «фолькс» подкатил к кованой ограде. Такая, знаете... Выложенный из красного кирпича столбик, затем три метра железных прутьев, затем новый столбик. У ворот я остановилась, поскольку ворота были закрыты.

— Жми на сигнал, — посоветовала мне Кэт. — Сразу Санек выскочит.

Санек, насколько мне известно, — это сторож при поместье. Я послала двойной длинный гудок и стала ждать.

— Дай я! — оживился ребенок. В мгновение ока барышня перебралась на переднее сиденье и начала упражняться с кнопкой. Теперь уже гудение не прекратилось до тех пор, пока ворота не раскрылись настежь. Появился и запыхавшийся Санек — мужчина лет сорока с первыми признаками зарождающегося ожирения и усатой физиономией.

— Сашенька, милый, — нежным контральто выводила девушка. На устах ее блуждала змеиная улыбка. — Я тебя не с горшка ли сорвала? Прости, если так, но нам въехать нужно.

Саша опустил полный ярости взгляд в землю и буркнул что-то себе под нос. Скорее всего, отнюдь не комплимент в адрес юной инквизиторши. Я была совершенно с ним солидарна в этом вопросе.

Между тем я невольно обратила внимание на новое лицо. Первым делом я определила, глядя на его физиономию, то, что Саша не прочь приложиться к бутылке. Но живой наблюдательный взгляд, на миг пересекшийся с моим, подсказывал, что Санек не так прост, как может показаться на первый взгляд. Роста Саня был гвардейского. Торс хранил отпечаток былой спортивности, только вот от спокойной жизни уже порядком оплывшей. Одевался бравый стражник в традиционный камуфляж.

Саша убрался с дороги, и мы вкатились на территорию фазенды. Периметр ограды охватывал добрых полтора гектара землицы. Плодовых деревьев я не заметила, зато здесь росли ели, пихты, березы, дубы, имелось много цветников. Все оказалось примерно так, как я себе и представляла изначально, за исключением разве что масштаба.

Поместье имело форму прямоугольника. Не сильно вытянутого, ближе к квадрату. Двухэтажный дом был приземистым и смахивал на слегка уменьшенную копию тарасовского краеведческого музея. Правда, колонн, украшающих то почтенное сооружение, я не заметила. Зато по бокам наружную галерею второго этажа окружали миниатюрные башенки. Располагался дом на северной стороне, почти у самой ограды. Рядом виднелись еще какие-то постройки, но их назначения я пока не знала, могла только догадываться. Бассейн был таких размеров, что вполне годился для проведения соревнований по плаванию.

«Да, одолеть такую громаду в одиночку оказалось бы сложно не только господину Кирееву! — говорила я себе, пока ждала, когда Санек откроет гараж. — «Данко»... «Данко»... Чем же занимается милейший Андрей Викторович? Может, нашел долларовую скважину на тарасовской земле и знай качает прямиком оттуда «зеленые»?»

— У вас должен быть садовник, — заметила я вслух.

— Грач сегодня вряд ли придет, — живо откликнулась Кэт. — А жаль! Стоило бы взглянуть на этого урода!

— Для тебя вообще нормальные люди существуют? — на всякий случай поинтересовалась я.

Вопрос на некоторое время поставил девушку в тупик.

— Сейчас с дядей Антоном познакомишься, — наконец проговорила она, — люксовый мужик!.. Я за такого замуж выйду! — добавила она свойственным ей безапелляционным тоном.

От гаража, расположенного рядом с домиком сторожа, мы прошли по дорожке до бассейна.

Антона Валентиновича, здесь находившегося, не вычислить было сложно, поскольку, кроме знакомого мне уже господина Киреева, он оставался единственным мужчиной в окружении двух женщин. Андрей Викторович не заставил себя ждать и поспешил представить меня своему партнеру. Но, прежде чем он успел это сделать, послышался ангельский голосок моей подопечной:

— Дядя Антон, познакомься с тетей Женей!

Думаю, сделала она это исключительно для того, чтобы позлить меня.

— Антон.

— Евгения.

— Знакомьтесь, Женя. Моя сестра — Лада.

Женщина лет тридцати серьезно смотрела на меня, чуть улыбаясь одними уголками губ. Взгляд ее тщился внушить мне искреннюю радость от нового знакомства, но преуспеть в этом ему мешала изрядная доля настороженности.

Выглядела женщина сногсшибательно. Кроме великолепных внешних данных, которыми господь наградил ее в изобилии, ей было свойственно умение упаковать конфетку, то бишь себя, в очаровательную стильную обертку.

Но долго разглядывать Ладу мне не пришлось. Мы даже не успели обменяться дежурными фразами. Катерина совершенно игнорировала сестру отцовского друга. Приветствие Лады осталось безответным, поскольку девушка уже мчалась к дому. Мне пришлось последовать за ней. Уже за спиной я услышала голос Киреева:

— Попросили Женю приехать специально, чтобы с Катюшкой повозилась. Оставить дочь на два дня одну в городе я не рискнул.

— Оно и правильно. А ты не переживай, у девочки просто возраст такой...

«Черт возьми, — раздраженно думала я, — Андрей Батькович! Тебе не телохранитель нужен был, а няня для избалованного чада! Ну ничего, я тоже умею быть стервой, особенно если меня довести до белого каления!»

Желание испортить маленькой стервозе жизнь на эти два дня становилось просто непреодолимым искушением.

Второй этаж был занят жилыми комнатами. Как я уже знала, семейству Киреевых принадлежит левая часть особняка. Катя пропустила первые две двери и повернула ручку третьей.

— Женя, ваша комната дальше по коридору, — услышала я за спиной голос, совершенно исключающий даже намек на какие-либо эмоции. Повернулась и увидела мадам Кирееву.

— А эта? — кивнула я на дверь напротив комнаты милой детки.

— Это — моя.

— Анна Андреевна, мне нужно находиться рядом с вашей дочерью, — проявила я твердость.

— Уверяю вас, в этом нет никакой необходимости. — В голосе слышалось явное нежелание уступать. Глаза смотрели бесконечно мудро и чуть грустно. Словно это я подбила ее мужа на невинную шалость, которую ей приходится сейчас терпеть.

— Тогда не понимаю, для чего понадобилось мое присутствие, — совершенно не желала я опускаться до статуса няньки. — Если я должна выполнять свою работу, то хочу, чтобы мне предоставили для этого условия.

— Хорошо, — неожиданно легко уступила надменная мамаша. — Подождите минут пять, пока я приготовлю комнату. Надеюсь, это не сложно?

— Я буду пока у Кати.

* * *

— Ты будешь спать со мной в комнате? — В вопросе слышалось больше деланого возмущения, чем искреннего недовольства.

Девчонка выжидала случай устроить скандал.

— К счастью, в этом нет необходимости, — поспешила я разочаровать ее. — Моя дверь напротив. Если тебе покажется, что что-то или кто-то угрожает тебе, сразу стучи.

Последняя фраза прозвучала глупо, я сама уже отлично это понимала. Катя — тоже, поскольку тут же начала хохотать.

— Слушай, ты мамику умудрилась выселить? Сила!

Небольшая пауза, и чертенок возвратился к своему привычному:

— А какого хрена ты тут торчишь?

— Жду, когда мне приготовят комнату.

— Мне что, переодеваться при тебе?

— А ты все же решила расстаться со своими тряпками? — не удержалась я от маленькой шпильки.

Девчонка промолчала, только бросила в мою сторону

откровенно злой взгляд. Затем, не говоря больше ни слова, скинула майку. Бюстгальтер она не носит — это я заметила сразу. Впрочем, особой необходимости в этом у нее еще пока нет. Следом на пол упали джинсы. Под конец девушка избавилась и от трусиков.

«Будет еще та штучка! — отметила я, с интересом наблюдая демонстративный экспресс-стриптиз. — Через пару лет — держитесь, мужики! Хотя почему через пару лет? Звонила же она сегодня какому-то Димычу!»

Пока я так рассуждала, Кэт облачилась в купальник и невинным взглядом посмотрела на меня.

— Женя, а ты чего отстаешь? Или в воде тебя рядом со мной не будет? А вдруг я утону?

Меня забыли предупредить о существовании бассейна. Хотя — не дурочка, должна была сама догадаться!

Мы спустились вниз.

* * *

Стоявшая передо мной машина наконец тронулась, и через минуту я выплыла из бетонного колодца. Очередная сигарета, только что прикуренная, полетела в окно. Я вырулила из общего потока, забирая вправо. Меня ждет грунтовая дорога вдоль посадок. Но один взгляд на длинный ряд машин, протянувшийся до самого подъема, однозначно подтвердил правильность моего решения.

«Убийца наверняка тоже свернул! — подсказывало мне чутье. — Или здесь, или чуть дальше, перед самым подъемом!»

Лучше бы дальше! Тогда бы у меня был неплохой шанс успеть первой.

Дождь прошел днем раньше. Хоть солнце и подсушило землю, но ляпины луж попадались на моем пути тут и там. Потому ехала я настолько быстро, насколько возможно без риска потерять управление и врезаться в дерево. Поворот...

«Черт!..»

Больше в моем сознании не успело ничего промелькнуть, поскольку на это просто не было времени — пейзаж за лобовым стеклом неожиданно пустился в бешеный пляс. Тело само думало за меня.

Как я успела выскочить? Наверное, мой ангел-хранитель успел шепнуть за меня словечко всевышнему и отсрочил тем самым мою преждевременную кончину.

Пара кувырков, и я застыла, провожая взглядом мою многострадальную машину. «Фольксваген» полетел к берегу Волги, попал колесом в валун, выписал лихой пируэт и приземлился на собственную крышу.

«Сейчас взорвется, — я тупо смотрела вниз. — Сейчас взорвется бензобак!»

Сколько видела боевиков, в них дело всегда заканчивалось именно этим.

Но... прошло с полминуты, а взрыва так и не последовало. Я тем временем отошла от шока и начала карабкаться наверх. В коленке свербила тупая боль, но мне некогда обращать на нее внимание, пока есть возможность догнать того, кто хочет избавиться от меня.

Первое, что я увидела сразу, — бревно поперек дороги. От удара оно сдвинуто и лежит наискосок. Бревно. Мой пропуск на тот свет. В то, что это случайность, я не верила. Подтверждал мою мысль звук мотора машины. Кто-то спешно удалялся с места неудавшегося покушения. Кто это — гадать бесполезно. Это он. Человек, уже убивший двоих. Моя смерть стала бы последней. После нее уже никто и никогда...

Думать об этом совершенно не было времени. Мышцы сами пришли в движение, посылая тело вперед. Коленку саднило, но это такая мелочь по сравнению с тем, чем вообще могло кончиться дело! Я побежала вслед за удаляющимся звуком авто к поместью, на территории которого и началась вся эта свистопляска.

* * *

Катя некоторое время еще смотрела на меня, наслаждаясь маленьким триумфом. Затем перекинула через плечо полотенце и уронила:

— Пошли, конвой.

Хрупкий намек на нормальные отношения, появившийся было у ворот гаража, растаял бесследно.

Когда проходили холл, на глаза мне попалась Лада. Во взгляде — сочувствие. Я мысленно поблагодарила ее за это.

Пока я падала в шезлонг, Катюха с разбега прыгнула в воду, на ходу роняя полотенце. С явным расчетом на то, что «тетя Женя» подойдет и поднимет его. Черта с два!

От нечего делать я разглядывала окрестности. Как уже говорила, площадь поместья — добрых полтора гектара. Кроме домика охранника, я заметила пару беседок в глубине елового лесочка. Еще одна притулилась среди березок. С моего места просматривались и те постройки, что находятся справа от коттеджа. Легко угадывалась сауна. А дальше что-то вроде гаража.

Боковым зрением я уловила появление людей. Это второй совладелец коттеджа в компании с господином Киреевым. Они поднимались по лестнице на галерею второго этажа. Лада в купальнике лазоревого цвета спешила поплескаться в бассейне. Полотенце уронила мимо шезлонга — традиция у них, что ли, такая?! — и прыгнула в воду. Я проводила ее взглядом и вновь обернулась к мужчинам, беседовавшим вполне мирно. Затем обнаружила, что не одна я проявляю интерес к их общению. Госпожа Киреева поспешила присоединиться к парочке. К тому же в поле зрения появился и сторож Саша. Он делал вид, будто усердно что-то ищет под ближайшей елью. От натуги даже бормотал что-то себе под нос. Но меня провести сложно — гораздо больше его интересовали личности, собравшиеся на галерее.

Я перевела взгляд на бассейн и увидела, как дочь Киреевых и сестра Антона общаются на змеином языке. Что они говорили, я не слышала, но прекрасно видела выражения их лиц. Ядовитую улыбку и убийственно злой взгляд обеих. Выходило, что их «симпатия» вполне взаимна! Впрочем, при общении с Кэт трудно представить что-то другое. Тем более что Ладе нет нужды притворяться или сдерживаться: у них равный статус хозяев жизни.

Я ненадолго оставила их в покое и понаблюдала за сторожем. Тот со своими «поисками» переместился уже почти к самому дому.

«Выходит, Киреев не наврал про расписку! — вспомнила я первую встречу в кафе с Андреем Викторовичем. — Иначе чем объяснить всеобщее живое любопытство?»

От собственных мыслей меня отвлек кошачий вопль. Но вопила не киска, а вверенное мне чадо. Секунда — и я была уже у края бассейна. Первым делом убедилась, что с ней по-прежнему все в порядке. Руки-ноги целы, тонуть Катя не собиралась, ну а вопли... Как я уже убедилась, это неотъемлемая часть ее натуры.

— Никогда он не будет твоим! Слышишь, ты!!! — орала она безмятежно улыбающейся Ладе, одновременно вылетая из воды.

— Посмотрим, — спокойно отвечала та, не переставая улыбаться. Но глаза ее в тот момент вовсе не мерцали радостью. Скорее напоминали две амбразуры, готовые в любую секунду открыть прицельный огонь.

Это «посмотрим» для Катерины оказалось последней каплей. С очередным кошачьим воплем она, совершенно забыв про полотенце, полетела в дом, оставляя за собой мокрые следы.

Что делать — я помчалась вдогонку. Но дверь на втором этаже закрыта. Некоторое время я стучала и уговаривала девочку открыть мне. В ответ слышался откровенный рев.

«О господи, только истерик мне не хватало!» — устало подумала я и продолжала настукивать.

Неожиданно я поймала себя на мысли, что приятель моей тетушки уже кажется мне милым и забавным старичком.

От такого шокирующего открытия меня отвлекло сопение Андрея Викторовича за спиной.

— Женя, вы это... — смущаясь, он прятал глаза. — Вы это... идите вниз. Вам она не откроет — только мне. А я вас позову потом.

— Хорошо, — легко согласилась я с ним. Мне требовалась передышка, иначе я могла сорваться и нашлепать юной стервозе попку.

В холле мне встретился Антон. Я воспользовалась случаем и разглядела второго владельца мини-дворца внимательнее.

Первым делом я отдала должное вкусу Кэт. Такой мужчина не мог не очаровать. В нем чувствовалась порода. К примеру, если при всем своем богатстве месье Киреев ассоциировался со словом «плебей», то его приятель юности — с настоящим патрицием. Возраста они примерно одного. Волосы у Антона по плечи и слегка вьются на концах. Зачесаны назад. На висках — легкая седина. Глаза смотрят непринужденно и весело. Приятно, черт возьми, встретить хоть один нормальный взгляд!

— Женя, сделайте себе коктейль и отправляйтесь на второй этаж! Оттуда совершенно потрясающий вид на Волгу! «Эх Волга, колыбель моя! Любил ли кто тебя, как я?» Помните?

— Конечно, — улыбнулась я в ответ.

— Впрочем, идите сейчас. Я сам все сделаю и поднимусь к вам. Вы что предпочитаете?

— Что-нибудь не очень крепкое, — ответила я, оставляя право выбора за хозяином.

Пару минут я наслаждалась прекрасным речным пейзажем. Волга была пустынна и безмятежна, только вдали, у противоположного берега, что-то двигалось. Что именно — угадать с такого расстояния сложно.

Антон Валентинович появился с двумя бокалами в руках.

— Не заставил ждать? — мило улыбнулся он.

Я сделала глоток. М-м-м! Что-то вкусное, что именно — определить не могла и спросила о том хозяина. Некоторое время наша беседа вертелась вокруг искусства приготовления коктейлей. Затем плавно переползла на общие кулинарные темы. Я в них совершенно не сильна, и вкусным полноценным питанием в нашей семье заведует исключительно моя дражайшая тетя. Потому по большей части молча слушала собеседника. Антон Валентинович оказался человеком проницательным и быстро понял, что кулинарией я не интересуюсь.

— Женя, а чем вы занимаетесь?

Этот вопрос я ждала давно и ответ на него продумала заранее.

— Работала раньше в школе педагогом. Теперь тружусь в частной фирме. Продаю женскую одежду.

Я была совершенно уверена, что на этой теме мы не застрянем. Вряд ли Антона Валентиновича интересуют разные там колготки. Но неожиданно попала впросак, поскольку второй хозяин неожиданно начал меня расспрашивать.

Через некоторое время он резко замолчал и нахмурился.

— Знаете, Женя, — вдруг заметил Антон. — Напрасно вы дали уговорить себя Андрею и приехали сегодня к нам.

— Почему?.. — Изумлению моему не было предела. — Почему вы решили, что Андрей Викторович...

— Да оставьте вы это «Андрей Викторович», — поморщился он. — Давайте обойдемся без отчеств. Я ведь понимаю, что ему совершенно наплевать на свою семью — господь ему судья. Но вы... девушка умная и, кажется, интеллигентная. Зачем?

— Что «зачем»? — переспросила я.

Вместо ответа он задал новый вопрос:

— Неудобно вас спрашивать... Скажите, давно вы с Андреем?..

Наконец я поняла, в чем дело.

— Уверяю вас, Антон, что никакие личные отношения меня с господином Киреевым не связывают. Здесь я исключительно из-за Катерины. Попросили.

Когда я произнесла «господин Киреев», левая бровь моего собеседника изогнулась дугой, и на лице мелькнула скептическая усмешка.

Но ведь я говорила совершеннейшую правду. Наверное, мой честный взгляд все же убедил его в искренности, поскольку других вопросов на эту тему не последовало. Антон замолк, потом вдруг вновь воззрился на меня.

— Так, значит, вы свободны?

Вместо ответа я весело засмеялась — столь неожиданным оказался поворот в разговоре.

— Ага! — нисколько не ломаясь, ответила я.

К чему бы привела наша дальнейшая беседа, осталось загадкой. Ее прервали звуки нового скандала, доносящиеся откуда-то снизу. Я невольно прислушалась и убедилась, что на сей раз Катя ни при чем. Один голос без сомнения принадлежал Кирееву — его фальцет трудно не узнать. Второй... кажется, я тоже признала. Это жена Андрея Викторовича.

Антон сразу забыл обо мне и с решительным видом поспешил вниз. Я присоединилась к нему. На первом этаже мы застали финал сцены.

Действительно, это оказалась чета Киреевых. Оба изрыгали пламя.

— Ты... ты! — глухо выдавливал из себя Андрей Викторович. Лицо его перекосилось от ярости. Казалось, еще секунда, и он просто ударит свою половину.

— Запомни, — яростно шипела в лицо мужу Анна Андреевна, — не будет по-твоему! Иначе... иначе я на все пойду! Ты меня знаешь!

— Да что ты можешь, ты! Если б не я... кем ты была, вспомни, блядь!

Произносилось все это сплошным речитативом с противным злым смешком под конец. Лицо его при этом выражало смесь похабщины и дешевенького торжества. Однако и тень испуга все же проскальзывала! Я поймала себя на мысли, что Киреев неожиданно стал мне до ужаса противен, и возникло бешеное желание звездануть ему по физиономии. Вместо меня это сделала его супруга. Пощечина получилась звонкой и на удивление сильной. Киреев был ошеломлен до предела. Секунду-другую он, выпучив глаза, смотрел на свою половину. На щеке отчетливо проступал пунцовый след пятерни. Потом он пришел в себя и... ничего сделать не успел, поскольку Антон Валентинович крепко держал его за плечи.

Анна Андреевна еще несколько мгновений прожигала его взглядом, затем круто развернулась и почти бегом удалилась по направлению к гаражу. Вскоре оттуда донесся нетерпеливый звук клаксона.

Бедный Санек! Мне почти стало его жалко.

Я оставила друзей для душевной беседы и поднялась в комнату Кэт. Сделала это исключительно затем, чтобы забрать свою спортивную сумку. Чадо отреагировало на мое появление одним-единственным косым взглядом.

— Все они сволочи! Подонки! — безучастно глядя в стенку, сказала Катя. Непонятно, кому предназначались ее слова. Но я не собиралась ей отвечать — просто взяла с пола сумку и вышла.

В замочной скважине комнаты напротив торчал ключ, предусмотрительно оставленный госпожой Киреевой.

Я закрыла дверь и рухнула в кровать. Закрыла глаза и постаралась расслабиться. Мне это никак не удавалось, поскольку мысли вертелись вокруг людей, в чьем обществе я оказалась волей случая.

Как любой нормальный человек, ненавижу семейные ссоры. А уж чужие!..

Меня одолевало огромное искушение спуститься вниз и объясниться с Андреем Викторовичем. Вернуть ему часть заплаченных авансом денег, кое-что удержать за моральный ущерб и распрощаться навечно! Если попробует разговаривать со мной в том же тоне, что и с женой... Что ж, тогда одной пощечиной ему не отделаться!

Еще не приняв окончательного решения по этому поводу, я вышла из комнаты. В холле застала одного Антона.

— Прошу вас, Женя, не придавайте случившемуся большого значения.

Его обаятельная улыбка обезоруживающе подействовала на меня. Неожиданно в душу вернулись мир и гармония.

— Женя, давайте так, — услышала я еще один голос и повернулась к лестнице, с которой он раздавался. Со второго этажа спускалась Лада.

— Вы на сегодня и завтра — наша гостья! У меня все-таки день рожденья! Если все разъедутся — что же мне, бедной, делать?

— Ладно, девушки, пойду займусь подготовкой праздничного ужина, — деловито глянув на часы, заметил второй владелец особняка. — А то мы плюс ко всему рискуем остаться голодными!

Не зная, куда себя деть, я спустилась в парк и неожиданно наткнулась на сторожа. Он энергично копал землю около своего домика. Заметив меня, тут же отставил лопату и начал торопливо вытирать руки прямо о свой камуфляж. Зачем, непонятно. Выглядел он в этой ситуации крайне подозрительно. Неожиданно Санек поспешил мне навстречу и первым начал разговор:

— Вы это... здесь не расхаживайте!

— Интересно, почему? — искренне удивилась я.

— Потому, что это... опасно! Скажем, я за вас не отвечаю!

— Да не надо за меня отвечать, — пожала плечами я. — Уж сама за себя как-нибудь отвечу!

Мой равнодушный ответ несколько охладил пыл сторожа и вверг его в полную растерянность. Мне сразу стало ясно, что я ему чем-то помешала. Или неожиданно стала нежелательным свидетелем?

— Это... собака может сорваться! — наконец нашел Санек что сказать.

— А где это... у вас она привязана? — невольно передразнила я его.

— Там! — неопределенно махнул он рукой в сторону коттеджа.

— Ну так а я-то тут!

Ситуация начала меня забавлять. Тем более что Санек опять растерялся, не зная, что ответить. Просто смотрел на меня злым взглядом и беззвучно шевелил губами. Скорее всего, отпускал ругательства в мой адрес?

Неловкое молчание продолжалось секунд десять, потом он просто развернулся и ушел. Лопата осталась стоять у стены. На полдороге к двери сторож спохватился, вернулся за ней, одарил меня напоследок еще одним недобрым взглядом и теперь уж удалился окончательно. Дверь за ним громко хлопнула. Вскоре я увидела его силуэт в окне сторожки. Санек наблюдал за мной. Я подозревала, что стоять он будет так до тех пор, пока я не удалюсь.

«Странный тип, — подумала я. — Визит к психиатру ему бы не повредил!»

Я не желала смущать его дальше и, развернувшись на девяносто градусов, побрела дальше. Дорожка привела меня к беседке. Некоторое время я сидела в ней и наслаждалась одиночеством.

Неожиданно на ум пришли слова Киреева, сказанные в пылу гнева жене. В них был определенный намек на прошлое. Интересно, что он имел в виду? Чем же согрешила Анна Андреевна? Гуляла шибко в молодости? Нет... тут что-то большее! Как, впрочем, и угроза госпожи Киреевой мужу. Несмотря на все его старание скрыть это, она, очевидно, достигла цели.

«Из-за чего же они могли поругаться? Может, Андрей Викторович рассказал Анне о краже?»

Я раздумывала над этим вариантом. Он мне не нравился. «Возможно, мой клиент обвинил ее в том, что она выболтала код замка? Еще при первой нашей встрече Андрей Викторович ясно дал понять, что пуританством его супруга не страдает. Может, именно к этому относится последнее его слово, за которое он и огреб пощечину?»

Мое одиночество неожиданно нарушила Лада:

— Вот вы где, Женя. А я вас по всему саду ищу. Пойдемте к столу.

Я послушно поднялась и отправилась вслед за ней.

— А где Андрей Викторович? — просто так, от нечего делать поинтересовалась я.

— Андрей? Он у себя в кабинете. В чувство приходит.

— Н-да, неприятная получилась сцена.

— А-а! — Лада махнула рукой. — Этого и следовало ожидать! Нужно было думать, на ком женишься!.. Ой, извините, Анна же ваша родственница?

Лада остановилась и посмотрела на меня. Она пыталась придать лицу подобающее смущенное выражение. Именно пыталась, поскольку получалось это ужасно плохо. Актриса из сестры Антона, видно, никудышная. Глаза так и горели любопытством. «Что же она ответит мне?» — вопрос в них читался столь откровенно, словно был высказан вслух.

Я просто пожала плечами. Истолковать мой жест можно по-всякому, но уж это не моя забота! Пусть теперь госпожа Очарованье поломает голову, если ей захочется!

Оставшийся отрезок пути до особняка мы молчали.

* * *

Сейчас я тоже молчала, поскольку разговаривать мне было не с кем и некогда. Разве что со встречными воробьями. Но к чему сбивать дыхалку? Потому я бежала и только пыхтела себе под нос. На два шага вдох, на два выдох. Еще километра четыре осталось.

«И все же до самого последнего момента ничего, абсолютно ничего не говорило о том, что назревает беда!» — неожиданно подумалось мне, и я вновь вспомнила ту ночь, ставшую точкой отсчета...

* * *

— Женя, передайте, пожалуйста, тарелку.

За столом мы сидели впятером: Киреев, Катя, Антон со своей сестрой и я. Санек в круг избранных не входил. Последний раз его фигура попалась мне на глаза минут пятнадцать назад, когда мы дружно выходили курить на свежий воздух. «Дружно» — это касалось Лады, меня и Антона.

Андрей Викторович довольно быстро дошел до той кондиции, когда из-за стола самостоятельно встать уже трудно. Впрочем, после семейных дрязг даже директора солидных фирм напиваются. Я видела подобное не раз и потому не сильно удивилась. Единственное, что меня насторожило, так это скорость, с которой развозило главу «Данко».

— Н-ды — ды-бу! — вырвалось у него неожиданно. Затем последним усилием воли Андрей Викторович на некоторое время вошел в более-менее нормальное состояние: — А-а-а! Вы все!.. Антон, ты мне так и не ответил! Что же ты, дружок?! Ты ведь всегда таким принципиальным был! Это я быдло, а ты же у нас...

Но тут его взгляд занесло вправо, и он уткнулся в меня. На некоторое время завис. Кто я и что делаю за столом в его холле, Киреев явно не разумел. На некоторое время он крепко задумался над этим загадочным обстоятельством, и в гробовой тишине, казалось, стало слышно, как натужно скрипят его мысли.

— Т-с-с-с! — наконец вспомнил он меня. Подмигнул и прижал палец к губам.

Голова мотнулась дальше вправо, взгляд на некоторое время задержался на Кэт. Но с собственным чадом Киреев даже в таком состоянии не дерзнул связываться. Новое перемещение по часовой стрелке — и теперь объектом внимания стала именинница. Ее теплая и слегка заговорщическая улыбка не принесла должного результата.

— Ты, ты сейчас так на мою блядь похожа... Ты думаешь, я не знаю?! Я уже разговаривал!.. Сама знаешь с кем! Удивилась? А нечего удивляться! У меня денег-то больше, ха-ха! Все уже у меня! У ме-ня! У ме-ня! — запел он под конец, пьяно дурачась.

Мне стало противно.

Я взглянула на Ладу и чуть не уронила вилку! Лицо ее сейчас походило на фарфоровую маску — так резко побледнела женщина. От приветливости не осталось и следа. Во взгляде неожиданно прорезалась такая ярость, что я невольно проверила, нет ли ножа у нее в руке. Ножа не было, но пальцы так стиснули вилку, что побелели костяшки. Губы что-то беззвучно шептали.

К счастью, силы окончательно покинули господина Киреева, и голова его безвольно упала на грудь.

Во время происходящего спектакля мне некогда было думать, но сейчас одна невольная мысль просто поразила: кроме Киреева, за все это время за столом никто не произнес ни слова. Словно галиматья, только что им произнесенная, все же имела для окружающих какой-то смысл. Не зря ведь говорят: что у трезвого на уме, у пьяного на языке!

Но, поскольку для меня никакой вразумительной полезной информации в его бессвязных тезисах не оказалось, думала я о другом. Складывала в голове один плюс один и пристально смотрела на милого ребенка. Катя с лицом ангела слюнявила свой бокал шампанского. Она сделала непонимающую рожицу в ответ на мой многозначительный взгляд. Напряженная тишина за столом нарушилась мелодичным пиликаньем сотового. Второй совладелец особняка набирал номер.

— Саша!

Антон, единственный настоящий мужчина в этом доме, спешил исправить положение.

— Саша, подойди, пожалуйста. Мне нужна твоя помощь.

Санек откликнулся на зов довольно быстро и нисколько не удивился состоянию почтенного Андрея Викторовича. Глядя на его бесстрастное лицо, я затруднилась сделать правильный вывод. То ли Киреев так часто напивается до свинского состояния, то ли Саньку просто не положено показывать свои эмоции? Так что же, первое или второе?

«Скорее всего, первое. Хотя, может... Да черт с ним — и с первым, и со вторым! Какая мне разница?!» — Отчего-то разозлилась я собственным бестолковым мыслям и встала из-за стола, поскольку за пару секунд до меня то же самое сделала моя клиентка. Вверенный под охрану субъект, если уж выражаться точно. Поскольку клиентом — тем, кто платил мне деньги, — является ее папаша, который пребывает сейчас в состоянии крайнего опьянения, или же... Но это «или же» я пока оставлю при себе.

— Женя, не уходите, пожалуйста, — услышала я умоляющий голосок. Лада действительно смотрела жалобно. Все следы злости, появившиеся на ее красивом лице во время монолога Киреева, растаяли бесследно, и оно опять являло собой образец добродушия и учтивости. Только теперь в общий колер добавился оттенок покорной просьбы. — Все же у меня день рожденья! Один напился, вторая уехала. Скоро я одна за столом останусь!

То, что плод союза этих двоих покидает застолье, Лада проигнорировала. По-моему, это ее только порадовало.

— Сейчас, только джемпер накину, — сказала я громко, сама же красноречивым взглядом указала на спину спешащей на второй этаж Кэт. Лада меня поняла и на секунду опустила ресницы, подтверждая это.

* * *

— Ну, конвой? — В голосе девочки дерзости и вызова хватило бы на десятерых.

Я обошла молчанием ее вопрос и задала свой:

— Ты сколько отцу клофелина набухала?

— Чего-чего?!

Личико барышни тут же из миленького превратилось в противное. Мне захотелось развернуть Кэт на сто восемьдесят градусов и сделать то, что совершенно упускал из виду ее папаша. А именно — надрать как следует ей задницу!

— Последний раз тебя, дуру, спрашиваю: сколько ты набухала клофелина? — проговорила я таким бесстрастным голосом, словно о погоде спрашивала.

Но через пару секунд не выдержала, поскольку ротик Катьки продолжал глумливо кривиться и отвечать девица мне явно не собиралась. А я терпеть не могу, когда игнорируют мои вопросы. Тем более такая вот сопля!

Я «слегка» надавила пальцами ей на плечо. Есть там одно местечко... как раз туда попал мой большой палец.

— Ты... ты что?! — Девушка изумилась во второй раз. На смену циничной гримаске на лице появилось выражение боли и обиды. Я уже раскаивалась в своем поступке, но искушение оказалось так сильно!

— Ты мне ответишь или пора вызвать «Скорую» твоему отцу? Его увезут в больницу. Возможно, сделают с ним много неприятных вещей. Ты, конечно, обрадуешься. Но, клянусь, он обязательно узнает, кому этим обязан.

— Дура, ничего ты не понимаешь!

Неожиданно большие черные глаза девочки наполнились слезами. Неожиданно — самое верное слово. Поскольку произошло это очень быстро, словно где-то внутри Кэт просто открыли кран! Р-р-ра-з — и хлынуло!

— Ты думаешь, я отца не люблю?

— Н-ну, не знаю, — промямлила я. Да уж, вверенный объект весьма близок к истерике.

— Я не только не люблю его, я его не-на-ви-жу!

Последнее слово было произнесено по слогам свистящим шепотом. Словно девочка боялась, что кто-то подслушает ее признание.

— За что же ты его так?

Я понимала, что говорить на эту тему ей уместнее было бы с матушкой. Хотя кто знает, какие у них отношения? Но поскольку госпожа Киреева сейчас, скорее всего, в Тарасове, рассчитывать на ее моральную поддержку не приходится. Папаня — в коматозном состоянии и выйдет из него благодаря стараниям собственного же чада не скоро. Так что...

— Так за что же ты на отца-то в обиде?

Возможно, психолог придумал бы лучший подход. Но я, к сожалению, не психолог. Потому просто задала тот вопрос, что первым пришел на ум. Правда, старалась вложить в свой голос максимум теплоты и участия.

— Потому что он идиот! Не понимает, что он этой сучке не нужен! Думает, что хитрее! Ха-ха!

Ее смех доказывал, что случилось именно то, чего я опасалась: у девицы началась истерика.

Смех неожиданно оборвался. Теперь девушка очень серьезно смотрела на меня. В глазах еще мерцали слезы, но взгляд был строг и до странности адекватен. И тут я поняла, что меня так поразило в нем — он получился неожиданно каким-то... ну, слишком взрослым, что ли.

— Женя, вы не понимаете, что происходит здесь, в этом доме. Да оно вам и не нужно. Послезавтра в три часа дня мы простимся и больше никогда не увидимся. Наши заботы останутся нашими. А насчет клофелина, — тут на ее мордашку вновь вернулись признаки детства, — если бы я этого не сделала, папаня провел бы ночь с этой шлюхой! Видела, как ее перекорежило?!

— Я видела, что ей не понравились его слова.

— Еще бы! — Мечтательно-злорадный огонек — искорка вдохновения для новых «боевых» действий вновь вернулся к ней. Слезы высохли без следа. — Ладно. — Девочка зыркнула исподлобья и отвернулась. Видно, желание пооткровенничать отхлынуло так же резко, как и пришло. — Поздно уже. Давайте спать. А насчет дозы не волнуйтесь, проверено!

— Ну, коли так, — говорила я вслух, а про себя думала: «Ни хрена себе, вот это ребенок!» — С твоего разрешения, я еще посижу за столом. У человека все-таки день варенья.

— У «че-ло-ве-ка»! — передразнила она меня. Злость на ее милом личике в тот момент была совершенно не наигранной. — Я бы такого человека из папиного пистолета пристрелила! Да и папу заодно с ней!

— А у твоего отца есть пистолет?

— В сейфе в его кабинете. Он сейчас как раз там и дрыхнет.

— А что же его в комнату не отнесли?

— Так ты их спальню заняла. Да и кабинет ближе к холлу, чем остальные комнаты. Думаешь, приятно такую тушу волочь?

— Ах, да, — несколько растерялась я и, для того чтобы это скрыть, сказала: — Ну, сейф под кодом, так что тебе убить...

Мой уверенный голос был перебит ее громким смехом. В результате я смутилась второй раз за сегодняшний вечер. Всплеск веселья продолжался довольно долго, и я начала опасаться, что своим вопросом спровоцировала новый приступ истерики.

— Ой, не могу! — насмеявшись вдоволь, девочка схватилась за живот. — Филипп — и тот, наверное, код знает! Один, пять, двенадцать, пятьдесят девять — день рожденья папика! Но он Филиппу ни к чему!

— А Филипп — это кто? — спросила я.

— Пес. Овчарка наша!

Спасибо, я уже и сама догадалась!

* * *

Оказавшись в коридоре второго этажа, я вдруг обнаружила, что дверь в кабинет героя дня чуть приоткрыта. Неожиданно для самой себя я зашла внутрь. Андрея Викторовича определили на обширный кожаный диван, хотя ему сейчас было все равно. Он не рыпнулся бы, даже если бы его просто свалили на пол. Глядя на него, я вполне уверилась, что до утра этот тип проспит точно.

Я уже собралась выйти, как мое внимание привлек сейф. Точнее сказать, несгораемый шкаф с номерным замком. Повинуясь внезапному импульсу, я быстро подошла к входной двери и затворила ее. Затем вернулась и набрала шифр. Пятнадцать, двенадцать, и... пятьдесят девять. Потянула ручку — дверца открылась. Н-да.

Признаться честно, не ожидала, что Катя скажет правду!

Я тупо уставилась на толстую картонную папку с листами бумаги в ней. Внутри шкафа было еще одно отделение и еще одна дверца. Она закрывалась на ключ, который, кстати, торчал в замке.

Сказал А, говори уж и Б! Я повернула ключ и заглянула во внутреннее отделение. Там тоже лежали какие-то бумаги, а поверх всего — тот самый пистолет, про который обмолвилась Катя.

«Ладненько, полюбопытствовала, и хватит!» — одернула я себя и захлопнула сейф. Сначала внутреннюю часть... Словом, оставила все так, как было до моего вторжения.

Однако после эксперимента я невольно задумалась над рассказом Андрея Викторовича во время первой нашей встречи. И опять достоверность его показалась мне, мягко говоря, сомнительной.

Я вышла в общий коридор и притворила за собой дверь кабинета Киреева. Тут же спохватилась и чуть приоткрыла ее. То, что я только что проделала, по идее не нужно совершенно. Но привычка — вторая натура. Пусть останется все так, как было до моего посещения.

«Зачем я здесь?» — в который раз за прошедшие часы задавала я себе этот вопрос и не знала ответа. И единственный человек, способный просветить меня на этот счет, — за только что прикрытой мною же самой дверью. Только до утра ответить на чей-либо вопрос он вряд ли сможет.

Одно не вызывало у меня сомнений — если и намечаются какие-то события, то они впереди!

Более не задерживаясь, я направилась к лестнице.

Глава 3

Антон Валентинович тихонько перебирал струны. Наконец, настроив гитару, негромко запел. Голос у него оказался приятный, и песня в его исполнении звучала очень красиво.

Огромный холл погрузился в полумрак, только огонь от горящих в камине поленьев освещал несколько его квадратных метров. Желто-красные языки пламени весело плясали, в глубине очага и в такт им причудливые тени молчаливыми фантомами крались по стенам, по тяжелой дубовой мебели.

Мы устроились все втроем на огромной шкуре белого медведя. Антон в непосредственной близости от меня. От него слегка пахло дорогим одеколоном. Неожиданно он наклонился ко мне и тихо спросил:

— Так ваше сердце свободно?

В ответ я одарила его загадочной улыбкой.

— Ох, борода многогрешная! — лукаво глядя на нас обоих, прокомментировала его слова Лада.

— Сестрица, с каких это пор ты интересуешься моей нравственностью? — в тон ей ответил Антон Валентинович. — К тому же отродясь бороды не носил. Правда, один раз, еще в студенческие годы, пришлось изображать Деда Мороза. Уморительный вышел случай!

Он отложил гитару в сторону, наполнил наши фужеры и принялся рассказывать байку из своей молодости.

Пока я слушала эту историю, неожиданно призналась себе, что Антон нравится мне все больше. Я уже, в общем-то, была не прочь познакомиться с ним, как говорится, поближе.

«Ну, дело за тобой, кавалер!» — мысленно включила я для него зеленый свет.

Антон, словно откликаясь на мой немой призыв, придвинулся поближе, и его рука оказалась на моей талии. Я, повинуясь проснувшемуся желанию, чуть откинулась назад и прижалась спиной к его груди.

— Ладно, молодежь. — Лада понимающе подмигнула нам обоим и поднялась на ноги. — Пойду спать. Банкет продолжим завтра.

Едва я осталась наедине с хозяином замка, то сразу же оказалась в его объятьях, и мы долго и страстно целовались.

Неожиданно идиллию нарушил яростный автомобильный гудок со стороны въездных ворот. Казалось, он длится целую вечность.

«Кого же могло ночью принести сюда?» — гадала я.

Моего кавалера тоже озадачил этот факт, но вопрос он озвучил:

— Кто это, черт побери? Может, Аня вернулась?

Во всяком случае, любовные утехи пришлось прервать, и мы выскочили на улицу.

«А все же Киреев оказался в чем-то прав! Хотя под предлогом работы пасть в объятья его друга я не согласилась бы никогда...» — смутила меня внезапная мысль. Настроение почему-то сразу испортилось, и вся любовная романтика моментально сошла на нет.

Сигнал больше не повторялся, и мы стояли около бассейна. Вслушивались в тишину. Потом болтали о чем-то отвлеченном. Антон по моей просьбе сходил за сигаретами. Закурили по одной.

— И зачем мы выскочили? — поморщился Антон. — Саша бы сам разобрался.

Откуда-то дунул легкий ветерок, и я зябко повела плечами.

— Пойдем назад? Или, может, лучше поднимемся на второй этаж? — обнимая меня сзади, предложил Антон. Рука его легла мне на грудь и, как бы невзначай, легонько сдавила. Дыхание мое участилось. Через несколько секунд наши губы опять встретились.

Его вопрос уже не нуждался в ответе. У меня все равно недостало бы сил сказать «нет», но все же...

— Давай немного воздухом подышим, — произнесла я неожиданно для себя самой. Все же надо мной довлело киреевское предложение. Чтобы прогнать дурные мысли окончательно и без лишних душевных мук упасть в объятья Антона, мне понадобилось несколько глотков прохладного ночного воздуха. Ну а затем уже...

Мы опять некоторое время целовались. На этот раз инициатором явилась я сама.

— Хорошо, я только куртку тебе принесу. А то прохладно, — сказал мой кавалер и с видимым сожалением выпустил из своих объятий. Затем оставил меня одну.

«Что ж, все оказалось не так уж и плохо!» — решила я и от нечего делать не спеша побрела вперед по дорожке.

Ночь уже вступила в свои права, и безоблачное небо заполонили яркие звезды. Луна половинкой белого кругляша висела над Волгой. Неожиданно в мои грезы вторгся еле слышный разговор. Повинуясь внезапному импульсу и стараясь быть незаметной, я подобралась поближе.

— Ты меня за кого принимаешь? Быстро говори, куда дел? — услышала я приглушенный женский голос. — Она или он тебе больше пообещали? Говори, паскуда!

«Лада?» — удивилась я. Отчего-то мне показалось, что голос принадлежит не ей. Тогда кому? В настоящее время в поместье находятся всего две женщины. Если, конечно, не брать в расчет неоперившегося птенчика по имени Катя. Хотя кто знает? Может, она нам с Ладой фору даст? В принципе все, что должно вырасти, уже находится у нее на определенных для того природой местах. Но голос принадлежал явно не ей. Анна Андреевна давно уже в Тарасове. Скорее всего, зализывает душевные раны после стычки с благоверным.

— Ты не ори на меня, — речь сторожа была на удивление чиста, без всяких шмыганий и нелепых «это» во фразах. — Сейф пуст. Я не идиот, и с глазами у меня все в порядке. Так что извини!

Затаив дыхание, я слушала, боясь пропустить хоть слово. Но неожиданно наступила на что-то, и под ногою хрустнуло.

— Идет кто-то! — негромко произнесла женщина, и две еле различимые в ночном сумраке тени окончательно растворились где-то у домика сторожа.

«О чем они говорили? — подумала я. — И кто это, черт возьми?!»

У меня сразу же появилось ощущение, что я только что узнала нечто очень важное.

Важное для кого? Для меня? Отнюдь! Может, для господина Киреева оно и существенно. Но, как говорят японцы, для меня он уже потерял свое лицо. Моя единственная забота — в воскресенье в три сдать на руки ему целым и невредимым его отпрыска, сделать всем ручкой адью и свалить навсегда. И то, что Катя в настоящее время спит, меня очень даже радовало.

И тут я услышала хруст и негромкое чертыхание.

— Садовник, подлец! Веток нарезал и не убрал! И за что только деньги получает! — морщась от боли, посетовал Антон. — Завтра же позвоню и выскажу все, что о нем думаю!

Я усадила мужчину на газон и ощупала щиколотку. Вывих оказался не сильным, но о дальнейшей прогулке не могло уже идти и речи.

Мы вернулись в холл.

Первое, что бросилось в глаза, — фигурка женщины в одной ночной рубашке, спешащая нам навстречу. Лада. Она еще не успела открыть рта, как я поняла, что случилось нечто похуже вывиха у ее братца. Ладе осталось преодолеть последнюю пару метров, как тихий полумрак гостиной разрезал душераздирающий вопль. Источник кошмарного звука находился на втором этаже.

«Это Катя!» — сказала я себе и бросилась вверх по лестнице.

То, что я увидела по прибытии в кабинет, до сих пор периодически встает перед глазами.

Начну с того, что, как только я влетела на второй этаж, тут же обратила внимание, что дверь в кабинет господина Киреева открыта настежь. Помнится, когда я покидала его, то оставила створку чуть приоткрытой.

Я вошла внутрь, и... глаза полезли на лоб. Я даже попятилась и на несколько секунд оцепенела.

Скажу сразу, было от чего оцепенеть! Представьте себе картину: посреди комнаты лежит Андрей Викторович, невидящими глазами уставившись в потолок. Невидящими, потому что мертв. Мертв так, как может только быть мертв человек, которому в лоб вогнали пулю. Аккуратная круглая дырочка зияет почти посредине, и лишь небольшая капля крови виднеется на краю раны. Зато стена у сейфа вся в темно-красных крапинах. Стреляли почти в упор, и пуля на выходе основательно разворотила бедолаге затылок. Лужа крови вокруг головы расплылась почти правильным овальным пятном.

Справа от трупа — сейф. Открыт настежь, причем оба отделения сразу. Содержимое частью на месте, частью на полу, прямо перед ним. Тот, кто копался в нем, очень торопился.

Словом, есть о чем подумать! Но все это — еще полбеды! У дивана на корточках сидит Катя и безудержно рыдает. А в правой руке, которую она почему-то прижимает к голове, — пистолет. Скорее всего, тот самый, что я видела в сейфе. И тот самый, из которого застрелили господина Киреева. Это я поняла сразу.

— Катя! — услышала я за спиной изумленный голос.

И этот возглас сразу привел все вокруг в движение. Я вышла из оцепенения. В дверях стояла Лада. Как и я, она в шоке. Следом, с небольшим опозданием, за ее спиной появился Антон Валентинович.

Катя вдруг резко вскочила и понеслась на нас. Мы все, трое взрослых, невольно шарахнулись в стороны, но девушка нас вообще не замечала — она бежала прочь из дома.

Я первая пришла в себя настолько, чтобы начать что-то делать.

— Антон, — скомандовала я, — звони «ноль-два», а я постараюсь найти Катю и поговорить с девушкой.

— Может, «Скорую»?.. — сквозь всхлипы спросила Лада. Она уже начала рыдать.

«Дура, что ли?» — раздраженно подумала я, но благоразумно промолчала. Человек непривычный, потому и мелет всякую чушь.

— «Скорой» тут делать уже нечего, — покачала я головой. — Ему теперь никто не поможет.

Я покинула комнату. Хотела спуститься сразу вниз, но потом решила все же заскочить к себе. У Кэт в руках пистолет, а стать следующей жертвой ее сумасбродства мне не хотелось совершенно!

Затем я выбежала в сад и сразу же созналась себе, что совершенно не знаю, где искать беглянку. Куда она могла спрятаться — ума не приложу!

Ноги сами несли меня к сторожке. Я хотела постучать, но затем передумала. Дверь была приоткрыта, и изнутри доносились звуки какой-то бурной деятельности. По своей природе я не слишком любопытна, но ввиду крайних обстоятельств... А справедливости ради надо сказать, что убийство человека, без сомнения, попадает под такое определение!

Словом, зашла я без стука и застала сорокалетнего Санька за весьма интересным занятием: он шустро упаковывал вещички. Мой визит вверг его на пару секунд в шок. Сторож явно растерялся и не знал, что делать: то ли продолжать набивать тряпьем здоровенную спортивную сумку, то ли попытаться придушить меня. Первое или второе? Пока он колебался, я задала невинный вопрос, пытаясь таким образом форсировать события:

— Далеко собрался?

— У-у-у, сучара!

Санек, как я живо сообразила, склонился ко второму, совершенно для меня неприемлемому варианту дальнейшего развития наших с ним взаимоотношений, а своей шеей я дорожу! У меня оставалось несколько видов ответных действий: во-первых, вступить с ним в рукопашную схватку. Но эта идея мне не очень нравилась. Даже если я одолею такого кабанчика, то рискую выйти из боя изрядно потрепанной. Тем более что нужда в физических упражнениях меня как-то не заботила! Второе: просто убежать.

Санек с его оплывшей комплекцией вряд ли меня догонит. Правда, существует вероятность заполучить тяжелым предметом в спину. Я бегло оглядела комнату и убедилась, что арсенал у него для этого достаточный. Да и разговор, нужный мне, тогда попросту не состоится.

Потому я выбрала самый простой и, с моей точки зрения, наиболее практичный выход из сложившейся ситуации. Моя правая рука в одночасье удлинилась на размер ствола. Кругляш дула смотрел точнехонько в лоб Саньку.

Тот остановился, словно наткнувшись на невидимую стену, и, как от резкого толчка в грудь, попятился назад.

— А теперь говори, голубок: куда намылился?

— Да твое какое дело? — В его голосе уже не чувствовалось угрозы, только бессильная злоба. Но это уж сколько душе угодно!

— Дело такое: недалеко отсюда совершено убийство...

— Что за херню ты несешь?!

— Киреев Андрей Викторович... Его убили.

Я не случайно разбила фразу на две части. С паузой между предложениями.

Фамилия, имя, отчество директора «Данко» заставили Санька слегка вздрогнуть. Я почти физически ощутила, что он напрягся. Как собака, которая лязгает зубами у твоей штанины, желая показать серьезность своих намерений. Затем, увидев палку в руке, отступает на безопасное расстояние, скалит зубы, при этом поджав хвост от страха. Примерно так же вел себя и Санек.

Но, услышав, что убили именно Андрея Викторовича, сторож заметно расслабился. Даже не счел нужным скрывать это. Или не смог?

«А ведь ты перед ним в чем-то очень здорово виноват!» — сделала я определенный вывод.

Сразу всплыла в памяти дневная сценка в саду, потом недавний разговор, подслушанный мной тут же, неподалеку от домика.

Словом, о многом я расспросила бы Санька! Но пусть им занимается следователь, если сочтет нужным, а мне сейчас надо найти Катю.

— Короче, твой отъезд отменяется, — подытожила я

после небольшой паузы. — По крайней мере, до приезда следственной бригады.

— Да уж, конечно! — усмехнулся он в усы и совершенно спокойно мне улыбнулся, словно минуту назад не собирался удавить. — Да уберите вы ствол! Что я, совсем дурак, что ли? Конечно же, никуда не поеду! Пива хотите? — прозвучало его предложение, надо сказать, совершенно нелепое в данной ситуации. Причем произнес это Санек на редкость будничным голосом, будто и не слышал об убийстве. Интересный поворот!

Кажется, известие о смерти Киреева успокоило его окончательно. Успокоило ли? Глаза по-прежнему смотрели настороженно... и с неожиданно проснувшимся любопытством.

— Кто же его ухайдакал? Когда это случилось?

Ага, вот оно в чем дело! Любопытствуете? Ох как ты непрост, сторож Саша! Или наоборот — слишком прост? Несколько секунд я колебалась в оценке и все же пришла к окончательному выводу — прохвост он изрядный. Интуиция заявляла мне об этом категóрично и громогласно! Прохиндей, косящий под простачка! Я чувствовала, что еще немного — и опять начнется его: «Ну, это самое, как его, блин, это...»

Только из меня дурочку тебе сделать не удастся. Ты уже для меня предсказуем! Но все это опять же к следователю. А мне от тебя нужно только одно — помочь найти Катю.

— Дочь Киреева. Ты не знаешь, где она могла спрятаться?

— А это она папаню?..

В недосказанном вопросе было столько откровенной радости, что Санек мне разом стал противен. До того особых симпатий к этому типу не испытывала, а уж сейчас!..

— Катя нашла убитого. Испугалась, убежала куда-то, — уклончиво отвечала я. Почему-то мне не хотелось пока говорить ему правду. — Через забор не могла? — Этот вопрос интересовал меня больше всего.

— Нет, точно нет, — энергично отверг он мое предположение. — Тогда бы сигнализация сработала.

— Тогда где же она?

— Понятия не имею!

— Вы же сторож! Вы же должны все тут знать!

— Эта зараза на все способна! Катька, как таракан, в любую щель залезет! Не удивлюсь, если это она папаню пристрелила!

— Ну хоть какое-нибудь дайте направление! Подвал какой-то, может, есть?

— Не знаю, я сказал! — Неожиданно Санек опять стал раздражительным. — И вообще, по какому праву вы мне вопросы задаете? Вы тут кто? Я вас в первый раз вижу! И пистолет у вас есть! Может, это вы убили Андрея Викторовича? Почем я знаю! Вдруг вы вообще всех там убили! А теперь хотите и свидетеля убрать последнего! Потом, может, и меня пристрелите?! А я сижу тут, разговариваю с вами!

Все, что Санек мне сейчас говорил, было совершенно правильным. И вместе с тем... такая же фальшивка, как и все, что я распознала в этом человеке ранее. Или практически все. Злость из себя он попросту давил. Не натурально выглядел. И выпученные глаза, и покрасневшая от натуги физиономия не убеждали меня в его искренности. Ни на секунду!

Не успела я ответить, как в сумке Санька раздалась мелодичная трель. Он обдал меня последним яростным взглядом и извлек свой сотовый.

— Да... да... да, — периодически поглядывая в мою сторону, ронял он время от времени в трубку, явно выслушивая чьи-то инструкции.

— Антон Валентинович, а кто она такая, эта Женя?

В его вопросе были вызов и возмущение. Возмущение — хозяину, вызов — мне! Дескать, приперлась в чужие владения и командует! Я тут, понимаете, по штату, а она...

Что Санек скажет дальше, я уже знала. Действительно, он нисколько не разочаровал меня в прогнозах.

— Антон Валентинович, у нее ствол есть, если что — знайте!.. Что?.. Нет, говорит, не нашла! У меня спрашивала, где искать... Да откуда мне знать, я ж ее по прибытии металлодетектором не проверял!

Понимая, что теперь из-за наличия у меня оружия у местной публики может возникнуть ненужная нервозность, я сочла необходимым объясниться. Тем более что легенда никому уже не нужна. А с приездом оперативной бригады моя профессия и цель пребывания на веселенькой дачке все равно будет озвучена. Так что — вперед.

— Бодигард Евгения Максимовна Охотникова, — ровным казенным голосом отчеканила я, едва он отключил трубку, — лицензия номер, — без запинки называю номер, — нанята Киреевым Андреем Викторовичем с согласия его жены Киреевой Анны Андреевны для охраны дочери. В пятнадцать ноль-ноль прошедшего дня начала исполнять обязанности...

— Так ты телохранитель, что ли? — переспросил он для верности. Слово «бодигард» ему, что ли, незнакомо? Скорее всего, так оно и есть!

— Да.

— А чего же сразу не сказала?

— Сейчас не время объяснять, — быстро отмазалась я. — Нужно найти Катю и отобрать у нее оружие! Это ты понимаешь?!

— Я что, на идиота так сильно похож? — Санек даже обиделся. Причем искренне, это я поняла сразу. — Искать полоумную, да еще со стволом в руках?! Это не ко мне! Хочешь — ищи. А если есть хоть капля мозгов — дождись ментов. Пусть они ее и выковыривают откуда хотят, им за это зарплату дают. А я жить хочу! Пристрелит к черту, как и папаню!

Что еще сказать такому человеку! Хотя осуждать его я тоже не могла — по-своему он прав. Их отношения с дочерью убитого хозяина вряд ли назовешь теплыми!

— Ладно, сиди здесь и жди следственную бригаду.

— Не командуй! И без тебя знаю, что мне делать! — донеслось до моего слуха уже тогда, когда я была на улице.

Я окинула взглядом ночную темень, выбирая направления для своих поисков. Понятия не имею, куда идти! Потом вспомнила, что за самим особняком имеются еще какие-то постройки. Может, где-то там?

Первой на моем пути попалась сауна. В ней я Катю не обнаружила. Отправилась дальше. Поиск затруднялся ночной темнотой и тем, что действовать приходилось чрезвычайно осторожно. Что ни говори, а сволочной сторож прав — нажать второй раз на курок Катя может запросто! Судя по тому, что я узнала за сегодняшний день о своей подопечной, натура она непредсказуемая совершенно. Но отчего-то мне ее было жалко. Хотя как можно жалеть убийцу?

Я призналась себе, что на поиск девчонки меня сейчас толкало совершенно другое — моя профессия. И уязвленное самолюбие. Я должна была защищать ее, теперь ситуация повернулась на сто восемьдесят градусов — теперь мне надо защитить находящихся здесь людей от нее. У девочки в руках оружие, появление которого не предусматривалось, пока я несу за нее ответственность. С трех вчерашнего дня до трех уже завтрашнего.

«Села в лужу, — жестко повторяла я себе, — так лазай по кустам и вздрагивай периодически от мысли, что юная психопатка пальнет в тебя из темноты!»

Еще минут двадцать, вслушиваясь в каждый ночной шорох, я вела напрасные поиски. Звать ее не хотела по простой причине — ответом мог стать выстрел из темноты, и тогда территория злополучного дворца обогатилась бы еще одним трупом. Моим собственным.

Я уже окончательно растерялась, как вдруг до моего слуха донеслись глухие всхлипы. Я осторожно шла в сторону новых звуков. Они становились все отчетливей, и теперь уже явственно слышался чей-то тихий плач.

Постепенно в предутреннем сумраке проступил контур собачьей будки. Рядом с ней еще два неясных профиля: здоровенный пес, которого кто-то обнимает за шею. Катя?

«Да кто же еще, черт подери?!»

Неожиданно на меня навалилась усталость одновременно со злостью. Злостью на саму себя. Отчего так, я пока еще не понимала. Некогда было копаться в своих чувствах.

— Катя? — тихонько позвала я, осторожно выглядывая из-за ствола дерева.

При звуке моего голоса пес начал глухо ворчать.

— Кто это? — голос зареванный, с хрипотцой.

— Катя, это Женя. Мне нужно с тобой поговорить.

— Давай поговорим.

В голосе не чувствовалось истерических ноток. Ну, и слава богу!

— Катя, ты понимаешь, что положение очень серьезное?

— Да, понимаю.

Голос звучал еле слышно. Некоторое время я молчала, потом шагнула вперед:

— Пойдем в дом.

— Нет, — отвечала тень. Пес вновь глухо заворчал. — Я с Филиппом останусь.

— Хорошо, оставайся с Филиппом. Только брось мне пистолет.

— Я его где-то возле дома выронила.

Вздох облегчения вырвался у меня совершенно непроизвольно. Я ей поверила и поставила на предохранитель свой ствол.

«Господи, да зачем я его вообще брала? — неожиданно спросила я себя. — Я же все равно никогда бы не выстрелила в эту зареванную четырнадцатилетнюю девочку! Даже если бы она выпустила в меня всю обойму!»

Что тут скажешь?! Сработал инстинкт — вооруженный противник. Противник? Человек, которого ты должна была охранять! Ребенок. Пусть неуравновешенный, капризный, взбалмошный, но все же ребенок! Охрану которого тебе доверили. И который убил родного отца.

При моем приближении пес заворчал громче, и цепь слегка звякнула.

— Не надо, Филипп, — попросила его Катя. Поразительно, сколько доброты в ее голосе! Той доброты, которой я не слышала до сих пор.

— Катя, расскажи, как все произошло. Почему ты выстрелила?

— Вы думаете, это я папу убила?! Ты... вы все так думаете?! Я папу убила?!

Мой вопрос вызвал взрыв эмоций. Пес среагировал мгновенно — я едва успела отскочить на безопасное расстояние. На мое счастье, цепь оказалась короткой.

Тогда я попробовала подойти иначе:

— Катя, ты девушка уже взрослая и умная. Что мы должны были подумать? Суди сама — я слышу твой вопль, бегу наверх и застаю тебя с пистолетом в руках...

«Зная еще твой неуравновешенный характер и учитывая то, что несколько часов назад ты сама обещала укокошить собственного папашу, в это нетрудно поверить. Пожалуй, это единственное, во что можно было поверить!» —

мысленно закончила я свои рассуждения. Но вслух произносить свои мысли не спешила, оставляя ей право додумывать самой.

— Милиция тоже так будет рассуждать? — спросила меня девочка.

Небо из фиолетово-черного превратилось в пепельно-серое. Еще немного — и рассветет. Летом ночи не бывают длинными. В серой мгле еще труднее, чем ночью при лунном свете, прочитать что-либо на лице сидящего на корточках в трех метрах от тебя человека. Но мне показалось, что у Кати сейчас то же не по-детски серьезное настроение, как и тогда, после истерики в бассейне.

Я не ответила на ее вопрос. Просто еще раз попросила:

— Расскажи мне, как все было.

— Я слышала выстрел, побежала в коридор. Смотрю: дверь открыта, он лежит...

Не в силах сдержаться, Катя вновь заплакала. Пес уже не ворчал, а только тихонько скулил. Кажется, он лизнул девочку.

— А как пистолет оказался у тебя?

— Не знаю. Схватила, наверное. Сначала он на полу валялся.

— Где именно? Далеко от... твоего отца?

Во мне появилась слабая надежда.

«Вдруг?.. Черт, а почему бы и нет?!»

Хотя в душе я сразу же отмела такую версию. Опыт подсказывал. Стреляются в висок, в рот. Реже — в сердце. В лоб — не припомню. Разве что отставные военные. Насколько я знаю, Андрей Викторович не из их числа.

«Больше чем уверена, криминалист не обнаружит следов пороховой гари на коже вокруг входной раны», — докончила я свою мысль, уже полностью убежденная в несостоятельности вспыхнувшего подозрения.

— Не помню, по-моему, у двери, — ответила Катя, и версия самоубийства испарилась окончательно.

Небо из серого стало почти белым, и девочку я видела теперь отчетливо. Пес действительно лизал ей щеку, собирая слезы, которые безостановочно лились из Катиных глаз.

К горлу неожиданно подступил комок, и я сама едва не

разревелась. Честно признаться, это меня удивило, поскольку такое со мной случается крайне редко.

«К черту все эти охи-ахи! Думай, Женька, спрашивай, пока у тебя есть возможность. Скоро Катю заберут, тогда спросить будет не у кого!»

— Катя, я тебе верю и попытаюсь помочь. — Говоря это, я понимала, что дано обещание, которое придется сдержать. Может быть, тяжелое и даже невыполнимое, но по-другому нельзя. Мне нужно дать надежду этому человечку. Нужно и мне самой, поскольку Катя оказалась в беде отчасти и по моей вине.

«Отчасти?! — влепила я себе мысленную пощечину. — Да исключительно по твоей! Ты должна была стать ее тенью, а не таскаться ночью по саду, размышляя о том, что скоро тебя мужик в свою койку затащит!

Сейчас некогда сопли распускать! — одернула я себя. — Думай!»

— Катя, как быстро ты прибежала на звук выстрела? Сразу?

— Нет, — перестав реветь, мотнула головой девушка, — сначала я растерялась, не знала, что делать! Лежала некоторое время. Затем услышала...

Тут Катя замолчала и уставилась на меня широко открытыми глазами.

Воздух уже приобрел молочную окраску, и лицо девушки было видно отчетливо. Сейчас на нем отражалась напряженная борьба. Страх и желание сказать мне что-то очень важное... Что пересилит?

— Катя, кого ты видела в коридоре?

По тому, как вздрогнула девушка, я поняла, что попала в точку.

— Никого не видела, — быстро проговорила Катя, для верности замотав головой, чтобы у меня не осталось никаких сомнений. Только получилось наоборот. Теперь я могла со стопроцентной уверенностью сказать, что угадала верно! Но почему Катя отрицает очевидное? Не верит, что я хочу ей помочь? Зачем тогда вообще откровенничает со мной?

Я хотела озвучить свои мысли, но вовремя заметила, что Катя смотрит поверх моего плеча куда-то мне за спину.

— Евгения? — раздалось позади. Филипп заворчал. Сейчас, теперь уже при дневном свете, я увидела его клыки. Впечатляющее зрелище. Щелкнул затвор, и следом — негромкий голос:

— Ты что?

— Да так, на всякий случай, вдруг кинется, — последовал такой же негромкий ответ.

— Да не кинется. Тебе же сказали — на цепи!

Я медленно встала и обернулась. Так и есть — в полном составе. И Санек с ними — выглядывает из-за спины старлея.

— Катя, я тебе помогу, — невольно повторила я свое обещание.

Но девушка меня не слышала. Она сейчас никого не слышала. Катя прощалась со своим четвероногим другом. Шепнула ему что-то ласковое на ухо, затем встала и пошла к ним навстречу.

Неожиданно она остановилась и повернулась ко мне. И так же серьезно, как до этого, проговорила:

— Женя, спасибо вам. Только... только я вам все наврала. Забудьте и не лезьте в это дело.

Я даже отшатнулась. Наверное, изумление так забавно отразилось на моем лице, что девочка улыбнулась. Первой человеческой улыбкой за все время нашего с ней знакомства.

Глава 4

И все же она не заявила: «Это я его убила!» Просто сказала: «Я вам наврала».

Духу не хватило? Не хватило на что? Сказать правду или же, наоборот, соврать, повесить на себя то, чего не делала?

«Дура ты, Женька», — говорила я себе в который раз за последние полчаса и тут же с собой соглашалась. Но также знала, что никакие душещипательные внутренние диалоги ничего не изменят. Я по уши влезла в это дело. И не вылезу из него до тех пор, пока мне не будет все ясно самой.

У меня сейчас нет клиента. Вернее, клиент как был, так и остался. Заплативший авансом. Самое смешное, что я даже не могу теперь вернуть ему деньги — он мертв. И перед ним у меня осталось моральное обязательство. Плюс мое слово, данное его дочери. Возможно — его убийце. И плюс моральное обязательство перед самой собой.

«Да, с таким багажом тебе уже не отвертеться», — невесело подумала я и решительно раздавила окурок в пепельнице.

Я сидела в кафе напротив собственного дома. Кафе небольшое, чистенькое. А самое главное — кроме небольшого числа завсегдатаев, сюда редко кто заходит. Особых кулинарных изысков бармен Леня не предложит. Водка и вино в розлив не продаются. Марина — единственная официантка — усадит вас за столик и попросит сделать заказ. Потому любители «наливаек» сюда не заглядывают. Тем более что остограммиться можно через две двери прямо по улице, в рюмочной. Рюмочная принадлежит тому же хозяину, что и кафе.

В кафе меня знают хорошо, поскольку я как раз одна из немногих постоянных клиенток.

Я сидела и рассеяно смотрела на ноги прохожих, иногда появляющиеся в окне. Как ни странно, их мельтешение нисколько не мешало. Наоборот, помогало глубже сосредоточиться на собственных мыслях.

Итак, что я знаю на настоящий момент? Знаю немного, но кое-что есть...

Итак, начнем с того, что после отъезда милиции все немного успокоились, и я в том числе. Скажу сразу: после некоторых раздумий мне стала ясна причина, заставлявшая поверить Кэт, что она не убивала своего отца. Холодным трезвым умом я попыталась представить себе, как четырнадцатилетняя девчонка вскидывает пистолет и всаживает пулю в лоб родителя. Потом дико орет, хватается за голову и... тут мы ее застаем. Нет, Женя, нет!

«В истерике она бы в него пол-обоймы засадила! В туловище, а не целилась бы в лоб! — размышляла я. — Хотя Кэт могла выстрелить случайно! Но опять же, скорее всего, попала бы не в голову».

Да зачем бы ей понадобилось убивать его?! Вот вопрос!

«Ненавижу, убью!» В порыве гнева — это одно, а вскинуть пистолет и нажать курок один раз... один или два?

После того как с нас сняли свидетельские показания, я

как бы случайно оказалась около милицейской машины. Пыталась подслушать, как эксперты разговаривали меж собой. Они разговаривали негромко, но все же кое-что удалось услышать. Специалисты удивлялись тому же, что и я: как это девчонка, доселе не державшая в руках оружия, влепила пулю аккурат в лоб? Могло произойти случайно, конечно. Или... «ценные» сведения о том, куда стрелять надежнее, можно почерпнуть в любом боевике. Как в импортном, так и в отечественном. И про стрельбу в голову, и про контрольный выстрел.

Но одно дело сведения, другое — реальная жизнь! В ту долю секунды, когда твой разум отдает пальцу приказ нажать курок... Словом, если бы овладение стрелковыми навыками ограничивалось только теоретическими знаниями, зачем понадобилось бы людям проводить столько времени в тире на тренировках? А тут человек, который не держал до сего момента оружия в руках. Или держала? Насчет Кэт я ничему не удивлюсь. Могла раскрутить родителя, и он ей сам организовал стрельбу по консервным банкам!

Пока я размышляла, эксперты и старлей начали подозрительно коситься в мою сторону. Я подошла под предлогом стрельнуть сигарету, попыталась завести разговор все на ту же тему. Но мой номер не прошел — люди на службе. Отвечали вежливо, но односложно. Смысл сводился к одному — чего в жизни только не бывает, но говорить об этом с вами мы не будем!

После общения с представителями закона настал завершающий момент моего пребывания на территории поместья. Оставалось лишь забрать вещи и отбыть восвояси. Что я, собственно, и сделала. Вернее, почти так.

Собрав вещи, я спустилась со второго этажа в холл и застала там Ладу с Антоном Валентиновичем. Оба встретили меня ускользающими взглядами. У Лады совершенно зареванное лицо. У Антона тоже в глазах стояли слезы. На столе, рядом с оставшимися с ночи бутылками, валерьянка и корвалол. Интересно, для кого — для Антона или для его сестры? Или для обоих сразу? Во всяком случае, в руках у хозяина поместья была рюмка. Пустая.

Когда я приблизилась, Антон машинально наполнил ее водкой и проглотил. Затем покосился в мою сторону.

— Женя, присоединяйтесь. — Он красноречиво кивнул в сторону бутылок.

Не отказалась я не только для того, чтобы задержаться и поговорить с Антоном и его сестрой. Мне и в самом деле необходимо было выпить.

— Да как же так?

На этот вопрос я не могла ему ответить при всем желании. Да и незачем: он, по-видимому, спрашивал самого себя.

Но все же я сочла это поводом начать разговор.

— Антон Валентинович...

— Не надо, Женя, — поморщился он. — Мне после разговора со следователем... Вчера мы были Антон и Женя, давай так и оставим!

— Хорошо, Антон, — согласилась я с ним. — Вы вчера, когда ходили за курткой, ничего подозрительного не слышали?

— Что ты имеешь в виду? — Он оторвался от своих горестных размышлений, но еще не до конца. Глаза смотрели на меня с полным недоумением.

— Хорошо, скажу прямо. Когда я осталась одна, то от нечего делать побрела по дорожке и дошла почти до самых ворот. И услышала разговор двух людей.

Я перевела взгляд на Ладу. Интересно, как она отреагирует? Но на лице ее читался только тупой испуг. И слезы. Похоже, сестра Антона тоже еще не поняла, куда я клоню.

Я продолжала:

— Один, как мне показалось, это ваш сторож. Второй голос мне незнаком.

— Ну и что?.. — Антон вскинул на меня внимательный взгляд. — Ты хочешь сказать, что... Ничего не понимаю! Катя фактически призналась, что стреляла она. К чему ты клонишь?

— Клоню я к тому, что не верю, будто Андрея Викторовича убила его дочь.

— Почему? — поинтересовалась Лада.

— Потому, что уж больно не похоже на то, что это сделала она.

Я привела им те же доводы, что и себе пять минут назад.

— Ну и кто же, по-вашему?..

— Не знаю, — отвечала я Антону. — Если бы знала, сказала бы следователю.

— Мы зашли, и у нее пистолет был в руках, — тихо, словно разговаривая сама с собой, заметила Лада. Глаза ее при этом смотрели мимо нас.

— Такое бывает. Человек в шоке иногда хватает совершенно неожиданные предметы, — пожала я плечами.

Подумав, налила себе еще из бутылки. Вопросительно посмотрела на Антона. Но он совершенно не желал встречаться со мной взглядом и сосредоточенно изучал пол под ногами, тщательно обдумывая услышанное.

— Лада, а что вы хотели сообщить нам, когда мы с вашим братом вернулись из парка?

— Я поднялась к себе и легла в кровать. Уже почти уснула, как неожиданно раздался звук сигнала. Я подумала, что Аня вернулась. Потом все стихло, а сон пропал. Взяла книжку, а потом мне показалось, что дальше по коридору что-то сильно бабахнуло. Думаю, может, с газом что? Я испугалась. Вас встретила, а там уже Катя закричала...

Не закончив свою мысль, Лада неожиданно опять разревелась и схватилась за сердце.

— Лада, Лада! — кинулся к ней брат. Сразу же повернулся ко мне:

— Женя, давайте не будем сейчас говорить об этом. Я знаю, вам жалко девочку. Мне тоже жалко... что так все получилось... Хотя я Андрея предупреждал, что нужно больше о семье думать, чем о деньгах! Пусть всем этим следователь занимается! Я так понимаю, это не ваша работа?

— Нет, не моя, — согласилась я с ним и поднялась, чтобы уйти. Мне ясно дали понять, что больше разговаривать со мной не желают. А допрашивать их я не имела никакого права.

Я миновала бассейн и подошла к дому сторожа. Дверь была открыта настежь. Ключи от въездных ворот на столе. Санька, понятное дело, пропал и след. Поскольку расспрашивать мне было некого, просто осмотрела комнату. Диван, письменный стол у окна, шкаф у стенки, тумбочка.

Пара стульев. Есть в этом доме еще и кухня, но туда я даже не заглянула.

Я вышла на улицу и хотела уже покинуть негостеприимное поместье, но вспомнила еще об одном. Лопата так и стоит у стенки. Там, где Санек ее и оставил вчера днем. Я обследовала территорию и легко нашла место, где он копал. Некоторое время я ковырялась в земле и убедилась, что ничего там нет.

«Может, он, наоборот, что-то выкапывал?» — поставила я вопрос по-другому. Такой вариант мне нравился больше.

«Киреевскую расписку? — продолжала я размышлять на ту же тему. — Которую должен был отдать тому человеку, с кем ночью разговаривал в парке. Тогда почему не отдал?»

Я прислонила лопату к дереву и пошла к гаражу. Он также был открыт. Вернее, ключ торчал прямо в скважине.

Я открыла дверь, на всякий случай огляделась. А вдруг Санек с ломом притаился? С него, пожалуй, станется!

Выгнав машину, я вновь затворила зеленые створки металлических ворот. Словом, все оставила так же, как и было до моего появления.

Новый день выдался облачным, и в воздухе ощутимо пахло дождем. Совсем под стать моему настроению...

* * *

«Итак, что же мы имеем?» — спрашивала я себя, потягивая ароматный кофе.

Что-что, а кофе здесь готовить умеют. Кроме кофе, Марина приготовила мне двойную порцию пельменей, но с ней я разделалась в одночасье — после ночного лазанья по кустам голод меня прошиб просто волчий. И самое обидное, что домой мне идти сейчас никак не хотелось. Друг юности моей тетушки еще не уехал, а я была не в том настроении, чтобы общаться с типом вроде него. Нервы на пределе. Не дай бог, взорвусь! Потом сама себе в жизни не прощу. Потому, с тоской посмотрев на окна собственного дома, и подкатила к «Веселому огоньку» — так называется это заведение.

Я сделала еще глоток и потянулась к пачке. Закурила и вновь посмотрела в окно.

Если принять за основу то, что Катя не убивала господина Киреева, тогда возникает вопрос — кто мог это сделать? Да любой из тех троих, кто оставался в поместье, кроме меня и Кэт: Лада, Антон, сторож.

«Плюс еще четвертая, — поправилась я, — та женщина, что приезжала среди ночи. Подтверждение тому — их странный разговор! Из того обрывка, что я невольно подслушала, совершенно ясно, что Санек должен был спереть для другого человека что-то из сейфа Киреева. Что? Расписку, про которую мне говорил Андрей Викторович?»

Стоп! Незадача! Нарушается хронологическая последовательность. Разговор-то ты слышала, но убили Киреева уже после него!

«Почему ты так решила?» — Я перевела взгляд на кончик своей сигареты.

«Да ясно как белый день! Сейф вскрыли до убийства. Иначе как бы у убийцы в руках оказался пистолет Киреева? А неизвестная явно сама не открывала сейф, иначе зачем бы ей пытать Санька?»

Сделав этот глобальный вывод, я глянула на пустую чашку. Голова после вчерашнего выпивона и последующей бессонной ночи была чугунная, и мысли ворочались с трудом. Одной чашки оказалось маловато, чтобы привести себя в нормальное состояние. Марина поняла мой взгляд и подошла к столику.

— Сделай еще кофе, — попросила я ее. — Покрепче, пожалуйста.

— Двойной?

— Можно даже тройной, — усмехнулась я в ответ. Но, глядя на мои покрасневшие глаза и взъерошенную прическу, официантка не восприняла мою просьбу как шутку. Через пять минут я получила свою чашку и по вкусу определила, что кофе по насыщенности действительно близок к тройной порции.

Но сейчас мне чем крепче, тем лучше.

Я продолжала разгадывать шараду.

«Итак, Санек своей заказчице, скорее всего, наврал», — пыталась я подцепить последнюю мысль.

И неожиданно до меня дошло, что совершенно не важно, наврал Санек или нет. Нет, может, как частность эта деталь важна. Но в целом из их разговора следует, что неизвестной женщине, собственно, и незачем было идти самой в особняк. Рисковать, чтобы быть застуканной хозяевами, одним или вторым, лезть в сейф — зачем?! Зачем, если она платила за это сторожу!

«Н-да! А вдруг?..»

«Да как ты себе это представляешь?» — задала я себе вопрос.

После второй чашки мысли в голове бегали живее, и воображение сразу нарисовало абстрактную фигурку в коридоре второго этажа. Вот она идет, останавливается...

Стоп!

«Ни один человек не полезет воровать в комнату, если в открытую дверь выбивается полоска света. Становится ясно как белый день, что там кто-то есть!»

Ну что, опять тупик?

«Не полезет, если только... если только кто-то не подсказал, что хозяин вдрабадан пьяный и его пушкой не разбудить!»

Правильно! Санек впускал женщину, он и подсказал ей.

«Хотя это не факт, что убийца посторонний. Просто так выгоднее думать!»

Я закончила с кофе и заодно с мыслями об участи бедолаги Киреева.

Голых теорий не люблю — не моя стихия! И поэтому, когда я оторвалась наконец от стула и попрощалась с Мариной и Леней, душа настоятельно потребовала действия.

«Итак, с чего начнем?» —встал вопрос ребром, едва я оказалась за дверью «Веселого огонька».

Начать пришлось с того, что на рекордной скорости я помчалась к своему «фольксу». Дело в том, что как только я оказалась на улице, в небе жутко ухнуло. Не пугайтесь! Никакого криминала — обычный гром! Просто следом за этим звуком небо обрушило на грешную землю поток воды, и, чтобы не проникнуть до нитки, пришлось спасаться бегством.

Лишь забравшись на водительское место в свое авто, я подумала, что холодный душ, в общем-то, мне как раз и не помешал бы. Решительно выжала сцепление и включила скорость.

«А нужно ли твое участие в расследовании самой Кате? Что ж, в одном ты можешь быть уверена, что этим ей не навредишь!»

Под «ей» подразумевалась, конечно, дочь Киреевых. На остальных обитателей славного домика в Волжских Заводях мне было наплевать.

Действовал ли убийца с тонким расчетом или же, наоборот, спонтанно, под давлением обстоятельств? Скорее всего, второе. После прекращения действия клофелина Андрей Викторович внезапно очнулся и застукал его (или ее) за неприятным занятием. Убийца выстрелил...

Потом, чтобы не быть застигнутым с поличным, пришлось бежать. А пистолет бросить тут же на пол, поскольку в коридоре можно было наткнуться на кого-то другого. На меня, например. Или на ту же Катю.

Условия для совершения преступления, прямо скажем, не из лучших. На что надеялся (или надеялась) убийца? Наверное, ни на что — просто не было другого выхода.

И вдруг случается чудо: помогает Катя! Тем, что нежданно-негаданно хватает в свои ручонки ствол. И убийца тут же прячется за детской спиной!

Поэтому он мне заранее омерзителен.

* * *

Начать я решила с самого простого: выяснить наконец, чем же занимался Андрей Викторович. Что за долларовая скважина у него была на самом деле? Что собой представляет фирма «Данко»? В общем, все, что связано с деятельностью покойного.

Для этого существовало несколько путей. Один из них, самый тяжелый, на мой взгляд, — это через справочные службы выяснить адрес офиса, затем приехать туда и попытаться завести с кем-нибудь знакомство. Именно так я и поступила бы лет пять назад, в самом начале своей частной практики на тарасовских улицах. Но сейчас... Простите, я уже заматерела!

Информация о людях, сколько-нибудь значимых в жизни тарасовского общества, бывает мне порой весьма необходима. И не обязательно это член правительства или депутат областной думы. Это может быть и известный уголовный авторитет, и крупный бизнесмен. Человек, чье имя на слуху. Или же, наоборот, неизвестно широкой публике, но знающие люди сразу скажут, что реально этот субъект может сделать о-о-очень многое!

Кроме категории значимых людей, о которой зашла речь, есть другая, неизменно ей сопутствующая. Это те, что знают все о людях. Тех, которые в свою очередь что-то могут! Вот так сложно и запутанно, зато очень верно по существу!

К одному из таких «знатоков» я сейчас и направляюсь.

Семен Матвеевич Коган — очень занимательная личность. Начиная с внешности.

Представьте себе невысокого кругленького еврея под шестьдесят, с вечной скептической улыбкой на лице и живыми выразительными глазами. Это — Коган.

В золотое социалистическое время Семен Матвеевич жил весьма недурственно, причем никогда не занимал высоких должностей. А уж если быть совсем точной, то должность он занимал лишь одну — товаровед. Товароведом Семен Матвеевич был не простым. Вернее сказать, место, где он работал, было не простым. Тогда в разговоре подобные учреждения называли «блатными». Еще бы — «Тарасовоблторг»!

Главное, что требовалось от Семена Матвеевича, — это знать.

Знать, что в магазин к Федору Львовичу привезли четыре польские «стенки». А у Артура Гарибяна появились югославские костюмы. А вот у Якова Лукича скоро день рожденья, и ему как раз нужно...

Коган имел исключительно важную особенность появляться всегда вовремя и всегда кстати. И всегда с тем, что нужно человеку, к которому он пришел.

Кстати, он был первым, кто рассказал мне анекдот про «нового русского» и старого еврея. Было это так.

Мы спорили о первоначальном накоплении капитала и — как следствие этого — разворовывании страны.

— Женя, вы еще слишком молоды и, простите, наивны! — со спокойной мудростью глядя на меня, заметил тогда Семен Матвеевич. — Все давно поделено! Поделено еще в то время, когда я был молод. «Новые русские», «новые русские». Ха! Женя, хотите анекдот?

— Конечно, хочу, — ответила я недолго думая.

— Так вот, приходит «новый русский» к старому еврею и говорит: «Папа, одолжи мне денег!»

К этому человеку я сейчас и ехала. Остановилась у Крытого рынка и нырнула в ливень. Купила букет цветов для его жены и бутылку водки для нас с ним. В этом вопросе хозяин тоже оригинал: никаких тебе сухих вин, коньяков — только водка!

Потом вновь лавина водных струй — и я в машине. Закурила сигарету и достала сотовый. В голове мелькнула умная, но не своевременная мысль: сначала нужно было позвонить Когану, а уж затем нырять под дождь. Вдруг его нет дома? Но Семен Матвеевич находился дома и ждал меня. Коган всегда ждет. Еще ни разу я не слышала от этого человека, что ты не вовремя и он занят. Для гостей Семен Матвеевич всегда свободен. Конечно, в три часа ночи я ему ни разу не звонила, а в дневное время — всегда пожалуйста!

Моя машина, как та амфибия, выплыла навстречу потоку воды. «Дворники» работали так энергично, словно я могла выписать им премию. Небо периодически напоминало о себе раскатами грома.

Плыла не только я одна — плыл весь город. Ливень был такой, что струй дождя даже не видно — все сливалось в единый фон белесого цвета.

Я знала, что такое буйство не может быть продолжительным. Правда, сверху еще пару раз шарахнуло, словно молотком по жестяной крыше. В назидание нам, грешным. Чтобы помнили о вечности. Затем водяная стена стала распадаться на отдельные струи. Равномерный клекот от падающих капель сменился шелестом, затем постепенно стал стихать.

Когда я подъехала к дому Семена Матвеевича, туча выжимала из себя жалкие остатки. Посидела в машине еще пару минут, и дождь совсем сошел на нет.

«Ну не дура ли? Нужно было лезть?!»

Дура не потому, что купила розы и водку — к Семену Матвеевичу с пустыми руками ходить не принято. Не поймет. Дура потому, что можно было подождать минут двадцать, пока дождь закончится.

«Ладно, что уже теперь!» — отмахнулась я от очевидного факта и подошла к подъездной двери. Пока вспоминала код, рядом оказалась женщина. Она торопливо сложила зонтик и набрала номер. На меня она и не посмотрела.

Семен Матвеевич был такой же, как и всегда, — в меру приветливый, в меру заинтересованный.

— Рая, тебе цветы! — объявил он, пока я снимала кроссовки.

Хозяйку увидеть мне не удалось, я только краем уха слышала ее голос. Но меня нисколько это не огорчило — голова была занята совершенно другим. Семен Матвеевич все прекрасно понял и осторожно подтолкнул меня в сторону комнаты, служившей ему кабинетом.

Он оставил меня сидеть в кресле, а сам вновь ненадолго исчез и вернулся с двумя тарелками в руках. На них — сыр, колбаса, хлеб. Выпивка у нас планировалась чисто символическая, потому большого внимания закуске хозяин дома не уделил.

— Ну, чему обязан пожилой человек вашим визитом? — Коган наконец налил в малюсенькие рюмки производную спирта и воды.

Первым делом мы выпили, затем закусили. И только тогда я перешла к делу, ради которого приехала:

— Киреев Андрей Викторович.

— Хм, это тот, с которым этой ночью произошел, хм... несчастный случай?

Коган не случайно делал небольшие паузы между словами. Это смягчало фразу, но передавало точный смысл произошедшего. Я поразилась другому — насколько быстро распространилась информация. Хотя в отношении Когана удивляться излишне — ведь человек живет этим.

— Да, тот самый.

— Да-а!.. Чего человеку не хватало?

— А ему чего-то не хватало? — сразу же поинтересовалась я.

— В определенной среде ходили упорные слухи о том, что Андрея Викторовича последнее время одолевали неприятности. Неприятности... и крупные денежные затраты на их улаживание.

— Даже так? — изогнула я дугой бровь, выказывая тем самым немой вопрос.

— Слухи, слухи! — развел руками Семен Матвеевич. В его глазах читалось недосказанное: «Женечка, большего я вам не скажу! Потому и живу на свете шестой десяток лет, что знаю: это говорить можно, а это — нельзя!»

— Ладно, бог с ними, с его неприятностями. А вот насчет поместья и его совладельца?..

— Ах! — На лице Семена Матвеевича появилось мечтательное выражение. — Сказка! Вы там, я полагаю, уже побывали?

— Да, была, — не стала я скрывать очевидный факт.

— Вершинин Антон Валентинович сам проектировал это чудо...

«Надо же! — мысленно поставила я себе двойку. — Пинкертон новоявленный! Не могла распознать тарасовскую знаменитость! Фамилию, видите ли, тебе назвать забыли!»

Тут я спохватилась, что не слушаю Когана, и поспешила переключиться на него.

— ...так вот, — продолжал он, — денег у него самого в то время не хватило бы на подобное строительство...

— В то время?.. — перебила я Семена Матвеевича, нисколько не смущаясь этого. Это — обычная наша практика делового общения: ему незачем повторять то, что я и так знаю, а мне — слушать. Время — деньги. Кстати, не только в переносном смысле, но и в самом прямом. Потому, что, кроме цветов и водки, в зависимости от того, сколько продлится наша беседа, предполагается еще и конечная сумма оплаты разговора.

— В то время — да. Это сейчас у Вершинина налажено дело за рубежом и он такой же дворец может легко построить, скажем, где-то в Италии или во Флориде.

Я кивнула. Вопрос о пятидесяти тысячах долларов, которые Антон якобы занял у своего друга и не мог отдать, вертелся на языке, но я его не озвучила. Решила, что в силах обмозговать это самостоятельно.

— Фирма «Данко», которой руководит Киреев, — выдала я следующее направление.

— Руководит и владеет! — уточнил мой информатор, значительно тыча пальцем вверх.

— Значит, дела в фирме обстоят не блестяще... — задумчиво потянула я. На этот раз перебил меня сам Коган:

— Я этого не говорил! Я сказал: есть слух, что у господина Киреева неприятности. Личные! Это вовсе не означает, что его бизнес стал вянуть.

— А чем он занимается?

— Газ.

— Понятно. А я думала, что знаю всех «газовиков».

— Ну, газ не совсем в том понимании! Не труба с газом. Оборудование, промышленное и бытовое, сопутствующие товары.

— Все равно круто, — думая над услышанным, заметила я негромко.

«Пока хватит!» — поставила я точку в нашем общении.

— Сколько я вам должна?

— Ну, с учетом того, что я вам ничего особенного не сказал... Женя, можно предложить вам бартер? — наконец проговорил Коган.

Что ж, я понимала его стремление узнать подробнее о событиях минувшей ночью в поместье на Волжских Заводях из первых рук. Что может быть дороже информации, полученной из первоисточника?! В рукаве у меня появился своего рода козырный туз, но вытаскивать его на свет божий я пока не спешила.

— Можете, Семен Матвеевич, — улыбнулась я одними уголками губ. — Только, кроме самой общей информации, пока я вам ничего сказать не могу!

Слово «пока» я выделила, тем самым указывая на возможное развитие событий. Семен Матвеевич понял меня правильно.

— Ну, давайте тогда денежные расчеты оставим на потом. Возможно, вы еще заглянете ко мне?

— Вполне возможно, — подтвердила я правильность его догадки. — Ну, а то, что там произошло...

Скупо, казенным языком я изложила официальную версию. Изложила быстро, буквально в паре предложений.

Коган внимательно слушал, впитывая буквально каждое мое слово. Но нового я ему, скорее всего, ничего не сообщила. Еще не пришло время, Семен Матвеевич, для откровений! Он это тоже понимал, потому не задал ни единого вопроса.

Умытая улица встретила меня остатками былого водяного изобилия, от потоков остались только тоненькие ручейки. Солнце сияло, словно радуясь всему происходящему.

Я села за руль и вновь вернулась к тому же вопросу, что и до визита к Когану, — а что, собственно, делать дальше?

Прежде всего решила систематизировать всю накопившуюся информацию.

Размышления привели меня к следующему выводу. Покойный Киреев что-то прятал в сейфе на даче. Расписка — это, скорее всего, только для меня. Это самое «что-то», что должно подстегнуть интерес у определенных людей или человека. Меня взяли... например, в качестве постороннего свидетеля, для чего-то нужного Кирееву. Итак, он собирался устроить скандал Антону, и ему помешали сначала его жена, потом — его же дочь. Чего он мог добиться?

Вернее, не так — чего он хотел таким образом добиться?

Невольно я вспомнила слова Когана: «У него были неприятности». Связанные с деньгами. Причем в фирме дела шли нормально. То есть, если я правильно поняла старика, на Киреева оказывали какое-то давление, и ему нужна была наличка. Причем продавать собственную фирму он не хотел. Или не мог. Что в данной ситуации, собственно, и не важно.

«А могла ли та посторонняя, с которой разговаривал сторож, и быть тем прессом, что давил на Андрея Викторовича?»

Размышляла я недолго, и ответ получился отрицательным. Людей, с которых собираешься поиметь деньги, не убивают! Какой смысл тратить время на человека, чтобы в шаге от результата его просто прихлопнуть? Логики нет совершенно! Конечно, можно сделать поправку на форсмажорные обстоятельства.

«Хотя, — опять напомнила я себе, — «пресс» и убийца могут быть попросту двумя разными людьми. Скорее всего, так и есть на самом деле!»

Ладно, я оставила эту тему и вновь возвратилась к тем загадочным действиям покойного, в результате которых я и оказалась на «дачке».

И вдруг меня пронзила догадка. До того простая, что я диву даюсь, как же она мне раньше в голову не пришла!

Ну, конечно же! Тогда все сходится!

Допустим, Киреев хотел вынудить своего друга продать поместье, чтобы решить свою проблему. И в то же самое время не мог объяснить Вершинину истинную причину, зачем это ему нужно! Не мог или не хотел. Киреев, наверное, обращался к Антону по поводу денег, не объясняя, зачем они ему нужны. Или назвал другую причину. Но тот, допустим, ему отказал. Тогда оставался один выход — продать «дворец».

«Нужно будет выяснить, на сколько он потянет!» — поставила я себе «галочку» на память.

Из всего этого получалось, что убийца — Антон. Но, кроме моих голых рассуждений, в подтверждение этой версии у меня не было ни одного факта. Потому я отложила эту теорию до лучших времен.

«Что еще?» — спросила я себя.

И честно призналась, что не было ничего! Сидеть и фантазировать не вредно аж до бесконечности, а преступника можно прижать только фактами и доказательствами. Их-то и нужно добывать, а не формулировать новые версии!

Я решила, что из всех присутствующих той ночью на даче прежде всего необходимо поговорить с Саньком. Это надо было сделать до того, как в понедельник я пойду на беседу со следователем. До визита оставалось еще полтора дня, и за это время мне нужно раскопать как можно больше.

Итак, сторож. Про него я знала только то, что зовут его Александр, на вид ему сорок с небольшим, да еще то, что он гнусный тип. Во всяком случае, такое у меня о нем сложилось мнение. И еще я была уверена на сто процентов, что Санек по уши замешан в деле, касающемся обитателей фазенды.

«Сторож, сторож... где же тебя искать?» — озадачилась я и принялась просчитывать варианты. Самый простой состоял в том, чтобы прийти к вдове его работодателя и спросить у нее. Заодно поговорить с ней о том о сем. Я не без основания полагала, что в отношениях между убитым и Анной Андреевной вряд ли господствовала неземная любовь. Сейчас дочь для нее должна быть на первом месте. И в этом наши интересы совпадали.

Я достала визитку Киреева. Домашний номер там не был указан. Впрочем, я в том и не сомневалась. Ну, не беда — адрес я знала.

Я выехала со двора и покатила к набережной Космонавтов. Въезд во двор перекрывал шлагбаум, и я припарковала машину неподалеку. У подъезда не было ни души. Причиной тому, скорее всего, недавний дождь. Я набрала на домофоне номер квартиры и стала ждать.

Мое ожидание не принесло никаких результатов — если вдова и дома, то открывать мне она не желала. Не только мне, но и, похоже, вообще никому. На всякий случай я повторила попытку — результат был тот же.

Я застыла на некоторое время в раздумье, затем не спеша пошла к машине.

В голове вдруг возникло неожиданное решение, принятое мною за неимением лучшего.

Через пятнадцать минут позади осталось соколовогорское КП, и я попала в бетонный колодец, до отказа забитый машинами.

— Там дорогу за Юбилейным перекопали, — от нечего делать просветил меня товарищ по несчастью на красном «Москвиче». Мы стояли с ним рядом, стекла на окнах опущены. — Теперь пока по одному протиснутся — до вечера простоять можно!

Я ничего не ответила, поскольку сказать мне было нечего.

— А другой дороги нет?

— А вам куда?

— К Волжским Заводям. Там есть коттеджный городок.

— Знаю, — кивнул и, не раздумывая, выдал совет: — Объездная сразу после заправки. Увидите, она одна. Я сам по ней собирался, только после дождя...

Он не закончил фразу и с сомнением поглядел на мою «ласточку».

— Ничего, мы люди привычные!

Энтузиазма в моем голосе было хоть отбавляй, а на деле?

На деле выходило куда хуже, но двигаться было вполне можно. Тем более мне не приходилось гнать машину.

План мой был прост до банальности. За неимением чего-либо лучшего я решила просто потолкаться в поместье. Должен же кто-то там обитать из простых смертных. С кем-то Санек на досуге пил пиво и водку? Кого-то к себе приглашал. Соседского сторожа, садовника... стоп! Грач! Так, кажется, обзывала его Катя? Нужно постараться разыскать его! Может, он поможет найти дружка?

Пока машина преодолевала опасный участок у обрывистого берега Волги, я полностью сосредоточилась на дороге. Затем вновь вернулась к своим мыслям. Но не надолго, поскольку сквозь листву уже виднелись зелено-коричнево-красные крыши дворцов тарасовского «Беверли».

«Сориентируюсь на месте», — решила я, и остаток дороги в моей голове вертелись только мысли о том, как именно подъехать к дворцу Киреева тире Вершинина. Со стороны шоссе я уже подъезжала, а вот со стороны Волги — нет.

Намерение побеседовать с соседями у меня пропало еще загодя, едва я увидела приоткрытые въездные ворота на территории интересующего меня поместья.

Во мне сразу проснулся инстинкт охотника. Машину я бросила у чужого забора. Из бардачка мой «ПМ» перекочевал за пояс джинсов. Я прикрыла его сверху майкой и хлопнула водительской дверцей. Между мной и воротами — метров пятьдесят, и я спешила, пока Санек не закрыл ворота. Боялась, что если он это сделает, то у меня будет небольшой шанс удостоиться его аудиенции. А мне очень уж не терпелось с ним поговорить!

Я заскочила на территорию, и первое, на что наткнулся мой взгляд, — открытая настежь дверь сторожки.

Чутье — великая вещь. А когда твоя работа напрямую связана с опасностью, это чувство обостряется до предела. Говорю вам об этом не просто так. В тот момент, когда увидела приоткрытую дверь сторожки, я неожиданно почувствовала легкий холодок, пробежавший вдоль позвоночника. Верный симптом того, что меня поджидает опасность.

Стараясь не шуметь, я пошла к домику. От ворот до него — метров тридцать. Еще издали мне показалось, что внутри кто-то есть. До моего слуха доносились звуки, свидетельствующие о присутствии людей внутри. Однако при моем приближении они смолкли, и в воздухе застыла первозданная тишина. Только птички чирикали на деревьях. Из этого я заключила, что человек, находившийся здесь, вовсе не хотел, чтобы нарушили его одиночество.

Ствол я достала почти у самой двери. Так, на всякий случай. Кто бы там ни был — на любезный прием рассчитывать не приходилось.

Я быстро восстановила в памяти внутреннее расположение домика. Его и вспоминать было нечего: прихожая метр на полтора, налево — кухня, направо — единственная комната.

Я набрала в легкие воздуха, как перед прыжком в воду, и рванула ручку двери. Прицел пистолета ловил стенку. Шаг вперед, резкий поворот вправо-влево...

Никого.

Значит, показалось.

Но ворота кто-то открыл! Допустим, Санек не стал запирать свой домик, но въезд на территорию должен был быть закрыт! Ладно, с этим разберемся после. Секунду я медлила, стоя между комнатой и кухней, затем все же пошла в комнату.

Там царил страшный бардак, и вид его сразу же подтвердил справедливость моего подозрения — тут что-то искали второпях.

Я смотрела на эту разруху в полной растерянности. Неожиданно мое внимание привлек предмет, лежащий на полу. Он мне показался совсем неуместным в этой комнате. Я нагнулась за ним и...

Бум!!!

Последнее, что я помнила в ту секунду, — резко приближающийся пол. Потом мое сознание окуталось мраком.

Пришла я в себя от чего-то холодного и попыталась сесть. Потом поняла, что уже сижу. Туман перед глазами еще не растаял до конца, но сквозь него проглядывали очертания человека. Вернее — его головы. Зрение пришло в норму, и я увидела перед собой Антона Валентиновича.

Попыталась встряхнуть головой и чуть вновь не ушла в беспамятство. Делать этого явно не стоило!

Я замычала. Наверное, замычала. Потому что мой собственный голос донесся до меня как бы со стороны, и я сразу не смогла разобрать, принадлежит ли он мне.

Черт! Здорово же меня «уработали»!

— Не двигайся! — услышала я приказ. Судя по шевелящимся губам, голос принадлежал Вершинину.

Я расслаблялась, пока Антон вновь мочил носовой платок и прикладывал к моей голове. Пульсирующая боль локализовалась в затылке. В том месте, по которому мне только что крепко шарахнули.

Чем?

Отчего-то этот вопрос волновал меня в первую очередь. Потом мысли приняли куда более нужное направление.

Где я?

Оказывается, на кухне все той же сторожки.

Я попыталась встать.

Антон остановил мою попытку, подхватив на руки.

— И не думай даже, — ласково заметил он. — Сейчас я транспортирую тебя в дом. Там окончательно приведем себя в порядок, тогда и поговорим.

Не помню, когда меня носили на руках в последний раз. Покорно обхватила его за шею. Идиллия, да и только!

Была бы идиллия, если бы не здоровенная шишка на моем затылке. Мысленно я попыталась припомнить что-то важное, не желавшее пока всплывать в сознании. Но вот-вот... пистолет! Мой «ПМ»!

— Антон, — проговорила я, и мой голос оказался отчего-то хриплым. — Антон, — повторила я уже нормальным голосом. — Оружие...

— Какое оружие?

Только этого еще не хватало!

Я вырвалась из нежных объятий и поспешила назад, к домику, уже практически придя в себя. Туман в голове рассеялся, и только боль в затылке неровными толчками напоминала о недавно случившемся.

Комната. Бегло осматриваю ее, и на душе становится паршиво. Осматриваю более тщательно, ползая буквально на четвереньках, и нахожу... нет, не свой «ПМ», а тот предмет, который меня заинтересовал недавно.

Только теперь он оказался почему-то под тумбочкой у стены. Почему? Наверное, я уже взяла его в руку, когда получила по голове. Оттого так и вышло — тот просто полетел вперед. Человеку, который напал на меня, он не был нужен. А вот мой ствол исчез.

Антон с немым вопросом в глазах застыл в дверном проеме, застав меня в весьма интересной позе.

— Это и есть твое оружие?

— Нет, это я увидела здесь, когда меня шарахнули сзади по голове. А оружие — тю-тю! — горько призналась я. Скрывать очевидные вещи нет смысла.

— Насколько я понимаю, это серьезно, — нахмурился он.

— Серьезней некуда! — подтвердила я. — Можно запросто лицензии лишиться!

«Тем более, что оружие предположительно в руках убийцы!» — досказывает мой внутренний голос.

«А Антон? Может, это он всё подстроил? Сам же меня шарахнул по голове, а теперь глумится?!» — пришла в голову следующая мысль, и я невольно подозрительно покосилась на человека, опускающегося рядом со мной на четвереньки. Взгляда моего Вершинин не заметил, поскольку сосредоточился на поисках.

— Антон, а как вы здесь оказались?

— Наверное, я должен в первую очередь спросить об этом тебя, — сделал он справедливое замечание. — Но, поскольку понимаю ход твоих мыслей, поспешу успокоить: это не я тебя ударил. Никогда не нападаю со спины. Тем более на женщин!

Отчего-то я ему верила. Вот Санек — тот запросто мог. Может, это он и был? Вряд ли. Зачем бы ему приспичило возвращаться и устраивать обыск с погромом в собственном доме? Он просто взял бы, что ему нужно, да и был таков! Причем — еще утром.

«Ладно, вопросы на потом», — сказала я себе и с решительным видом поднялась. Пистолет — не иголка. Совершенно очевидно, что его унес тот человек, который десяток минут назад проверял на прочность мою черепную коробку.

Чем?

Я пошарила взглядом по комнате и сразу нашла предмет, обрушившийся на мой затылок. Обычная скалка. Даже не предполагала, что в хозяйстве у Санька такое имеется. Я подняла ее и задумчиво рассматривала, попробовала махнуть. Н-да! Молодежь в фильмах дерется бейсбольными битами. Что ж, за неимением таковой сошла и скалка. Чуть полегче, но, в сущности то же самое.

— Женя! — прервал мой мыслительный процесс Антон. — Может, переберемся в дом?

Делать здесь мне было нечего, и потому я приняла его предложение. Отчего-то мне хотелось поговорить с ним по душам. Ему со мной, я думаю, тоже.

Мы остановились в холле. Только сейчас я вспомнила, что держу в руках предмет, ради которого нагибалась. Это фотоаппарат. Разбитый фотоаппарат. В фотоискусстве я разбираюсь слабо, потому не могла сказать — профессиональный ли это аппарат или обычная «мыльница». Понятно одно — кому-то он очень даже не понравился!

— Итак? — проговорил хозяин, ставя передо мной чашку с кофе. Я покосилась на бутылки, стоящие на столе еще со вчерашнего дня рожденья. Антон понял меня без слов и налил в рюмки коньяк.

Кофе с коньяком вновь сделало из меня человека.

— Я решила разобраться в произошедшем ночью, — ответила я на его невысказанный вопрос. — Не хочу, чтобы ребенка делали козлом отпущения. Даже такого сорванца, как Катя. Не за деньги, — продолжала я, хотя он и не спрашивал меня об этом. — Просто так.

«Потому что девчонка оказалась в дерьме в результате моего ротозейства!» — мысленно уточнила я про себя. Но Антон, кажется, понимал это без слов. Он кивал, не глядя на меня. Задумался о чем-то своем.

— А что, собственно, дает тебе основания полагать, что Андрея убила не Катя? Только уверенность в том, что девочка не могла выстрелить в лоб, а обязательно попала бы в туловище?

— Не только, — серьезно отвечала я ему. И тут же сама спросила, предупреждая его вопросы: — Антон, признайтесь: что вы здесь делаете? — Мне сейчас самой нужно было получать ответы, а не вести пустые разговоры на предмет «могла — не могла».

— Охраняю все это! — пожал плечами он. — Александр сбежал. Сказал, что не хочет больше работать.

— А почему въездные ворота открыты?

Я помнила про ключи, оставленные Саньком в сторожке на столе.

— Открыты? — удивленно проговорил он. — Я их закрывал. Сторож оставил ключи утром у себя на столе.

— Сигнализация включена?

— Нет. Я просто не знаю, как это делается.

Врет или правду говорит? В принципе — может действительно не знать.

Ладно, пришла пора от частностей переходить к главному.

— Антон, можно я спрошу вас об одной вещи? Может, не очень приятной для вас, — начала я.

— Спрашивайте, — пожал плечами он. — Если хотите спросить меня, убивал ли я Андрея, сразу скажу — нет. Не было никакой в этом нужды. Лично для меня. Да, я так думаю, и ни для кого в этом доме.

— Я о другом хотела спросить. Должны ли вы были покойному?

— В смысле? — Вершинин смотрел на меня непонимающим взглядом.

— Пятьдесят тысяч долларов?.. — спросила я напрямую. В ответе практически не сомневалась. Сейчас он заявит, что это полный бред, и я ему поверю. Но все же Антону удалось меня удивить — он вдруг начал смеяться. Отсмеявшись, посмотрел серьезно:

— Женя, кто вам это сказал?

— Сам покойный.

Я помолчала с минуту и пересказала ему, за некоторыми исключениями, весь ход нашей первой встречи с Киреевым. В частности, я опустила его предложение нырнуть в койку к сидящему рядом со мной человеку.

— С этим и связано ваше появление у нас? — выслушав меня, уточнил Вершинин.

— Нет, — честно ответила я ему, потом пересказала наш следующий разговор и объяснила причины, по которым действительно оказалась здесь.

— Теперь я понимаю, почему вы хотите доказать, что Андрея застрелила не его дочь. Совесть? — Из моего рассказа Антон сделал, в общем-то, правильный вывод.

— Не только, — подумав, ответила я. — Еще и действительная уверенность, что девочка не виновата.

Он обдумывал мой ответ, глядя прямо в глаза. Взгляд я не прятала, поскольку говорила совершеннейшую правду.

— Ладно. — Помолчав, он все же решился: — Расписка существовала. Только не я ему был должен, а он — мне. Все с точностью до наоборот. Месяц назад Киреев попросил помочь ему с деньгами. Пятьдесят тысяч — не пустяк, но для меня небольшая проблема. Единственное, на правах старого друга я поинтересовался, зачем ему понадобились деньги. Он объяснил, что для решения личных проблем. Сказал, что деньги нужны срочно. Я удивился, поскольку дела в «Данко», как он мне сам говорил перед этим, шли совсем неплохо. Андрей объяснил, что из фирмы деньги выдернуть не может — для этого необходимо время, а у него его нет. Больше Киреев ничего не сказал, а я не стал настаивать. Кстати, на расписке он настоял сам. Я бы ему и так дал.

Я переварила услышанное и задала следующий вопрос:

— Антон, а вы предполагаете, какого рода неприятности могли быть у вашего друга?

Он неопределенно повел плечами, красноречиво показывая отношение к вопросу.

— Андрей, эх, не тем будь помянут, склонен был к разного рода авантюрам. Он либо зарабатывал на этом, либо прогорал. В последнем случае обычно справлялся сам. Когда я давал деньги, то просто решил, что его очередная авантюра требует больших средств, чем у него имеется в наличии. Вот и все.

— Хорошо, с этим ясно. Другой вопрос — кто мог использовать против него украденную расписку?

— Да никто! В том-то и дело!

— Антон, а вы мне адрес вашего бывшего сторожа не дадите? И еще — был какой-то приходящий садовник...

— Господи, да Павел Сергеевич-то тут при чем? Он букашку задавить не способен. С листиков снимает и отпускает!

— И все же?

— Адрес Александра Семенова я вам дать не могу, поскольку у меня его нет. Да и зачем он мне нужен был? На работу его принимал Андрей. Он, наверное, знал адрес. Саша тут жил и зимой, и летом. Четвертый год он уже у нас. Э-э-х, жаль!

Поморщившись, Антон продолжил:

— Есть у него в Тарасове квартира. Вернее, частный дом. Но где, не знаю, — не договорив, он развел руками. — А садовника найти легко. Тот живет в доме на въезде. Одноэтажный дом.

Я сразу поняла, о каком доме говорит Антон. Это строение выделялось на фоне общего колорита, и не заметить его было бы трудно.

«Ладно, с этим разберусь!» — решила я и задала вопрос, теребящий душу последние полчаса:

— Антон, до меня никто не приезжал? Может, машину слышали?

— Нет.

— А как вы оказались в сторожке?

— Сидел смотрел телевизор у себя в комнате. Встал за сигаретами и выглянул в окно. Показалось, что увидел... тебя. Думаю — нет, чертовщина какая-то! Вышел, смотрю, Сашкина дверь открыта. Заглянул и, прости, охренел!

— Как ты думаешь, кто это мог быть? — тихо спросила я его.

— Да не знаю!

Антон задумался на некоторое время. Затем выдал свою версию:

— Ты говоришь, что въездные ворота были открыты? Хотя я помню, кажется, еще утром закрывал... ну, может, не закрыл. Скорее всего, так и получилось! Забрел вор, зашел в первую попавшуюся дверь. Видит, никого нет. Давай шарить. Ну а ты спугнула его. Он притаился и... Другого объяснения просто не нахожу!

Я нисколько не верила в версию Антона. Возможно, он и сам-то в нее не верил. Но правду я узнать никак пока не могла. У меня крепло ощущение того, что он чего-то недоговаривает. На этом я решила расстаться. Вопросы у меня к нему еще имелись, но пока я не готова была их озвучить. Требовались факты, а у меня их пока кот наплакал.

«Время — деньги!» — напомнила я себе и решительно поднялась.

— Выбросьте вашу затею из головы, — неожиданно серьезно заметил Антон напоследок. — Только нервы себе измотаете и время напрасно потратите. Андрея все равно не вернешь, а Катерине мать быстрее поможет. Поверьте — Аня еще та сила! Да и я помогу ей, конечно!

— Дело не в этом, Антон. Ты же все прекрасно понимаешь.

— Удачи, — вздохнул на прощание он, давая понять, что в удачу он, собственно, и не верит. — Если понадоблюсь... — Он похлопал себя по карманам, затем попросил обождать, поднялся наверх и тут же возвратился с визиткой в руках. — Если что — звони, — с грустной улыбкой сказал он и робко добавил: — И просто так звони. Всегда рад с тобой пообщаться.

Вместе с последними словами Антон одарил меня весьма красноречивым взглядом.

Однако мне пока было не до любви.

Глава 5

Одноэтажный кирпичный домик на въезде в дачный поселок я нашла без труда. Действительно, такой, как он, оказался единственным.

«Только бы хозяин был дома», — говорила я себе, выбираясь из машины.

Аккуратный деревянный забор свежевыкрашен. Дом, насколько мне видно, тоже в полном порядке. Это мимолетное наблюдение сразу же дало некоторое представление о хозяине. Я надавила кнопку звонка, и тотчас густым лаем откликнулась собака.

«Должен быть дома. После дождя ему на участках делать нечего!» — успела подумать я и следом услышала:

— Тише, Артист.

Артист — странная кличка для собаки. Ну да бог с ним. Калитка отворилась, и я увидела Грача. В том, что это именно он, я не сомневалась ни секунды. Катя весьма метко окрестила садовника. Высокий, черноволосый. Нос напоминает клюв птицы. Глаза смотрят внимательно, но без тени страха. Да и, собственно, почему он должен меня бояться? Но и любопытства во взгляде я не заметила.

— Вам кого?

— Вы Павел Сергеевич?

— Я.

— Вы знаете, у меня к вам небольшое дело...

— Если насчет работы на участке, то вы опоздали. На этот год я полностью загружен, — не дослушав, поспешил он предупредить меня.

— У меня к вам дело конфиденциальное, — состроив загадочную физиономию, негромко произнесла я.

— Пройдемте в дом, — все тем же равнодушным голосом отвечал он. До того равнодушным, словно Грач привык, что к нему каждый день приходят неизвестные молодые женщины и предлагают поговорить о чем-то секретном.

Артист — немецкая овчарка — смотрел на меня укоризненным взглядом. Будто заранее упрекая за то, что я собираюсь врать его хозяину. Я надеялась, что Павел Сергеевич менее прозорлив, чем его пес. Пока мне судить об этом было сложно.

Внутреннее убранство дома оказалось примерно таким, каким я себе его и представляла.

— Присаживайтесь, — кивнул Грач на кресло. Чаю-кофе не предлагал. И слава богу! По кофе я уже перебрала тройную норму за сегодняшний день!

— Так что у вас за дело ко мне? — напомнил Павел Сергеевич, едва я села.

— Дело такое. Я попросила Александра Семенова об одной... услуге, и мы договорились сегодня встретиться. На встречу он не пришел. Мобильный у него не отвечает, я приехала к нему на работу. А там, похоже, что-то случилось — так я поняла. Во всяком случае, мне сказали, что Александр уволился, и никто не знает, где его искать. Мужчина, которого зовут Антон, предложил обратиться к вам.

— Вам нужен адрес Саши? — догадался он.

— Именно, — мысленно аплодировала я его смекалке.

— На память не помню, где-то должен быть записан. Мы с Сашей, в общем-то, не большие приятели. Но адрес где-то был!

Грач начал копаться в стенке, между делом спросил:

— Простите, а как вас зовут?

«Женя», — чуть не ляпнула я, но в последнюю секунду передумала.

— Марина.

Пока садовник копался, я бросила пробный камень:

— Семенов мне фотографии кое-какие сделать обещал...

Кажется, в его равнодушии что-то дрогнуло. Или мне показалось?

— Раз обещал — сделает. Саша, насколько я знаю, человек слова.

Нет, наверное, показалось. Ответ прозвучал точно так же, как и все сказанное до этого. Без тени намека на эмоции.

— Вы знаете, я вспомнил!

Наконец-то на его лице появилось бледное подобие человеческой улыбки! Честное слово, ради этого стоило ждать добрых десять минут, терпеть молчаливое копание в ящиках. Что же ты вспомнил, дорогой?

— Я блокнот в кармане рабочей куртки оставил. Поскучайте одна, я в сарай схожу — она у меня там висит!

«Поскучайте!» Можно подумать, я с тобой здорово повеселилась.

— Конечно, подожду, — милостиво отпустила его я.

Возвратился он минут через пять.

— Вот, сейчас запишу.

Откуда-то был извлечен листок, и Грач что-то накорябал на нем. Потом сложил пополам, аккуратно отделил нужную часть и протянул мне. То, что местный агроном изрядный аккуратист, видно невооруженным взглядом. Удивительно только, как это он блокнот забыл в рабочей куртке. Я посмотрела адрес: «Второй Детский проезд, дом пять, квартира тридцать шесть».

— Спасибо большое, — расплылась я в улыбке. Сама же думала: «Куда же ты, гаденыш, ходил-то? Кому сдать-то хочешь?!»

Я попрощалась и покинула его жилье. Артист, как и положено умной собаке, молчал.

* * *

Всякое бывает в жизни. Мог Антон ошибиться или попросту обмануть меня. А его садовник сказать правду. Могло быть и наоборот. Я никому не верила. Единственное, на что я надеялась в данный момент, — на свою интуицию и здравое мышление.

И первое и второе подсказывало мне, что выходил Грач в сарай вовсе не на поиски блокнота, а чтобы позвонить кому-то и получить инструкции по поводу моего вторжения. Кому именно? Да тому же Саньку!

«И к чему мне теперь готовиться?» — спрашивала я себя, поворачивая на шоссе и поздновато вспомнив о ремонте дороги. Эта мысль настигла меня только тогда, когда я миновала застывший по случаю выходного экскаватор. Или выходной тут ни при чем? Может, солярка кончилась? Да какое мне дело! На данный момент меня волновало совершенно другое — будет ли ко мне милостив дорожный бог?

Он отнесся ко мне вполне благосклонно, и я не попала в пробку.

«Второй Детский... Второй Детский... — напрягала я память, представляя в голове географию Тарасова. — Это где-то у поселка Агафоновка».

Я глянула на индикатор и поняла, что нужно срочно заправиться. Едва увидела заправку, возникла еще одна насущная потребность — зверски захотелось есть.

Заправка в стиле модерн предполагает наличие кафе. Его вывеска была заметна издали. Я быстренько заправилась и припарковала машину. Потом пошла наполнять желудок.

В небольшом зале на четыре столика, кроме ленивой продавщицы-барменши, находились еще два молодых человека. Клиенты. Я окинула их мимолетным взглядом и сразу же углубилась в меню, приклеенному скотчем к стеклу. Как и предполагалось, выбор был минимален. Те же пельмени, что я ела утром, и куры-гриль. Я взяла кусок курицы, соус и хлеб.

— Эй, девушка! Может, к нам присоединишься? Ха-хаха! У нас тоже курица!

Ну, понятно!

Я повернула голову и встретила два совершенно одинаковых взгляда, полных беспредельной наглости и, хотелось бы сказать, похотливости. Но это было бы неправдой! Похоти в них не сквозило. Наличествовала сытая наглость, ощущение вседозволенности и простое желание покуражиться. Обоим парням едва исполнилось двадцать. Коротко стриженные, в дорогих шмотках. Цепуры на их тощих шеях среднего достоинства, такие носят ребятки, застрявшие где-то между бригадиром и начинающим бандитом. Только даже на «пехоту» они не тянули — братков я узнаю безошибочно. Эти же, скорее всего, катили из того же дачного городка, что и я. С папиной дачи. Играли в бандитов. Понятное дело — нужно же себя от скуки чем-то занять!

— Ребята, я обедаю одна, — заметила я вполне миролюбиво, хотя они изначально не заслуживали подобного тона.

— А может, на дачку к нам?.. Там шашлычок, компания? — начал гнать бодягу один из них. Второй же презрительно заметил:

— Колян, на хрен тебе эта старуха? Щас у Гаврилыча возьмем классных телок.

Сволочь!

Голос он приглушил ровно настолько, чтобы сделать вид, будто говорилось это только Коляну, чье лицо сей же момент окончательно испохабила поганенькая ухмылка. Однако слышали это и я, и барменша. Что ж, на то и было рассчитано!

Сволочью я его обозвала про себя потому, что определение «старуха» ко мне не клеится совершенно. Мне и тридцати нет! Хотя для этих молокососов...

— Вот-вот, — ставя перед собой тарелку, как бы между прочим заметила я так же громко. — Езжайте к Гаврилычу, к Гориллычу... А лучше всего в зоопарк — выпишите себе там мартышек. Они вам самая пара!

Единственная работница кафе кинула на меня опасливый взгляд.

— Опа! Наезд! — радостно констатировал один из придурков. Я оказалась права — мальчики играли в бандитов!

Он же встал из-за стола и подкатился к моему. Глумливо-вежливо спросил:

— Разрешите присесть?

Еще можно было замять назревающий конфликт, но мои тормоза полетели напрочь — слишком много «хорошего» произошло со времени вчерашней ночи. А нервы у меня не железные.

— Отвали, не порть аппетит своим присутствием.

Похоже, недоносок не привык, чтобы с ним так разговаривали. Тем более что приятель его неожиданно разразился хохотом. Лицо стоявшего напротив меня парня стало откровенно злым.

— Ребята! — строго заметила барменша. — Успокойтесь, а то охрану вызову.

— Вызывай! — безо всякой угрозы или запальчивости тут же откликнулся второй. — Завтра же твое кафе закроют.

— Петя! — тут же зычно отреагировала на его угрозу девушка.

— Я тебе не аппетит испорчу! — пообещал мне тем временем другой кретин. Он навис своей тощей фигурой над моим столиком и пытался напугать грозным взглядом. — Я тебе другое кое-что испорчу!

Тут появился могучий Петя и посмотрел на всех сразу оценивающим взглядом. Потом быстро определил среди присутствующих возможных нарушителей и деловито осведомился у барменши:

— Платить не хотят?

— Хамят, — скучно отозвалась та.

— Кто хамит?! Мы слова матом не сказали! — с вызовом заявил тот, которого родители окрестили Колей.

— Ладно, пошли из этой тошниловки, — презрительно заметил второй и отклеил ладони от моего столика. — Не разборки же из-за этой козы устраивать!

«Коза», то бишь я, впилась зубами в курицу, забыв на время о дебилах. То, что они будут поджидать меня снаружи, было ясно как белый день. Плевать — я хотела есть.

— Вы на машине? — поинтересовалась женщина за стойкой.

— У-угу, — промычала я, не прекращая работать челюстями.

— Может, попросить Петю, чтобы проводил вас?

— У-к-у, — энергично затрясла я гривой, протестуя против предложенной помощи.

— Как знаете, — вздохнула барменша.

— Большое спасибо, — поблагодарила я ее, когда с обедом было покончено. — Действительно, не нужно меня провожать.

— Как знаете, — еще раз проговорила она, потеряв ко мне интерес.

Балбесы поджидали меня между кафе и стоянкой. На двух парней в форме работников комплекса, что с интересом наблюдали за сценой со стороны, им было явно наплевать. Кто они для них, крутых, такие?!

— Ну вот что, подруга...

С этими словами обиженный мною тип начал встречное движение ко мне... Окончить начатую фразу, как и подойти вплотную, он не успел.

Разговаривать я с ними не хотела совершенно, присутствие свидетелей меня не смущало точно так же, как и их. Потому я просто ударила. Один раз, сильно и точно. Прыжок навстречу и быстрый удар в солнечное сплетение. Недоносок тут же задохнулся и осел на асфальт. Его товарищ сделал непростительную для себя глупость: извлек на свет божий выкидной нож. Лезвие угрожающе щелкнуло, принимая боевое положение. С этим ублюдком я развлекалась на два удара дольше: подсечка, после которой его сорвало с асфальта, и последующее добивание — прямой кик в зубы. Потом, для верности, последовал еще один. Недельку-другую целоваться ему не придется: губы после моей обработки превратились в кровавый бантик.

Я вновь переключила внимание на первого противника, но тот уже раздумал наказывать «козу». Он стоял на карачках и держался руками за брюхо. Ему явно было не до меня, даже смотрел, бедолага, в другую сторону. Надо бы ему еще наподдать. За «козу» и за «старуху». Да и чтоб перед товарищем обидно не было — тому все же больше досталось. Но пар из меня уже вышел.

— Класс! — заметил один из невольных зрителей. Ребята в форме подобрались поближе. Может, хотели помочь? Во всяком случае, во взглядах читалось понимание и одобрение. Я подмигнула сразу обоим и собралась уже покинуть поле боя, как вспомнила о той игрушке, что была в руке у одного из поверженных дебилов.

Нож лежал в метре от него. Я подняла его.

Хорошая штучка!

Честно заработанный трофей, да к тому же при отсутствии мозгов у его предыдущего хозяина вещь для него и окружающих опасная! Поэтому я экспроприировала холодное оружие без зазрения совести. Я ведь осталась без ствола, который еще нужно разыскать в кратчайшие сроки, а идти в волчью стаю — да без клыков?! То, что рядом со мной имелся хищник, было фактом, не требующим уже доказательства. Но интуиция мне подсказывала, что дело придется иметь с целой стаей.

Признаться, это меня нисколько не радовало.

* * *

Я думала, что утренний ливень подстроит мне пакость — намочит лавочки у подъезда и разгонит обязательно околачивающихся там бабушек, у которых всегда можно спросить код подъезда, рассказав предварительно, к кому и зачем пришла. Хотя сгодится и постучать в окошко первого этажа. Это выход! Конечно, так и поступлю!

Я понимала, что проблема открытия подъездного замка — ерундовая. Если он стоит уже достаточно давно, вообще никого тревожить не нужно. Цифры, используемые для шифра, основательно затерты пальцами жильцов и их гостей. И выделяются так, что только слепой не заметит.

Занимала я свою голову такой дребеденью только для того, чтобы не думать ни о чем серьезном. Поскольку новых фактов не прибавилось, старые тасовать в очередной раз не имело пока никакого смысла.

Действительность оказалась совершенно иной. Лавочки благополучно высохли, были полностью заняты старушками, и подъездная дверь открыта настежь. Так что спрашивать ничего ни у кого не пришлось.

Несложные вычисления подсказали мне, что тридцать шестая квартира находится на девятом этаже. Ох, не люблю я эти девятые этажи! Коляновская «выкидуха» лежала у меня в заднем кармане джинсов. Автоматически посмотрела время на панели авто — шестнадцать сорок пять. Хотя какая Саньку разница? На заводе он не работает. Но я была уверена, что встреча мне предстоит не с киреевским сторожем. Тогда с кем?

«И как мы, на огонь все летят и летят мотыльки...» — поет в своей песне известный бард. Я чувствовала себя таким же мотыльком, летевшим сейчас прямо на огонь.

Но другого варианта пока не было, и я надавила кнопку лифта. На этаже быстро осмотрелась. Одна секция заблокирована серой железной дверью. Квартиры тридцать три и тридцать четыре. К квартирам тридцать пять и тридцать шесть проход свободен. Дверь тридцать пятой квартиры еще более-менее приличная. Тридцать шестая... Такие бывают только у алкашей или у наркоманов на последней стадии. Представляю, что там в квартире!

«Сволочь этот Грач! Адрес какой же «малины» он мне дал?!» — раздраженно думала я, переминаясь с ноги на ногу.

Но раз уж пришла... Потолковать с чересчур умным садовником можно и потом! Звонка не имелось, поэтому стучать пришлось что есть силы. На мои усилия никто не реагировал. Впрочем, того и следовало ожидать. Морально я уже приготовилась к этому.

Подстава, засада!

Какая же ты дура, Женька! Да от тебя просто отделались, как от надоедливой мошки — махнули рукой, и все! Вали в Тарасов, стучи в дверь к какому-то алкашу, только не докучай нам своей дотошностью! Может, тут вообще никто не живет? И сказать нечего: при следующей встрече Грач мило разведет руками — что имел, то и дал! Не обессудьте!

«Но откуда-то у него этот адрес взялся? — пыталась я не утонуть в собственном отчаянии. — Не от фонаря же он его нарисовал!»

«А может, и от фонаря! Вспомнил про какого-то родственничка-бедолагу, уехавшего неизвестно куда или просто пропавшего без вести. Помершего недавно, например. Какая разница?!»

Ответить мне самой себе было нечего, потому я исследовала дверной замок. Он буквально дышал на ладан. Впрочем, для воров квартирка вряд ли представляла хоть малейшую ценность. Состояние двери свидетельствовало об этом весьма красноречиво. Вряд ли оттуда можно что-то унести. Разве что, наоборот, подбросить жильцам на бедность.

Неожиданно мне показалось, что за дверью послышалось какое-то движение. Шорох — не шорох, скрип — не скрип. Еле уловимый абстрактный звук.

Для меня он — как манок для чирка. Подождала еще. Потом опять постучала и вновь подождала. Вслушивалась в каждый шорох. Вызванный кем-то лифт казался мне едва ли не громом небесным. Но стоять в коридоре можно до бесконечности. Поэтому я достала из кармана Колин «подарок» и нажала кнопку. Пружина вытолкнула отличное стальное лезвие американского производства. Минута упорного труда — и язычок замка отжат. Дверь открылась с обиженным скрипом.

Я заскочила в квартиру и толкнула дверь в обратном направлении. Не люблю распахнутых дверей. Особенно если это дверь чужой квартиры, хозяин которой во время твоего вторжения отсутствует. Статья УК.

Читать себе мораль я не собиралась. Закрыла дверь. Ветхий замок выдержал и не сломался. Теперь огляделась. Н-да! Хоромы!

Квартира, вернее пока одна комната, прямо передо мной пуста. Пуста совершенно, если не считать тряпки непонятного происхождения на полу.

На кухне что-то имеется. «Что-то» — это два колченогих табурета, газовая плита и мойка. В раковине и на табуретах — следы человеческого бытия. Такие, как, например, грязные стаканы и тарелки, вилки и пара ложек. Под мойкой несколько пустых консервных банок и галерея водочных бутылок. Причем на вид — заводских.

Зал чуть богаче кухни, там даже есть подобие дивана, которому самое место на городской свалке. Причем уже давно. Больше в зале ничего не имелось, зато была дверь в третью комнату, и оттуда раздавались неясные звуки.

Я моментально собралась и, готовая в любой момент вступить в схватку, ударом ноги распахнула дверь.

— Ну зачем же так сильно?

Санек хлопнул трефовую восьмерку червовым тузом. Наверное, черви у него козыри. Сгреб колоду в кучу и убрал на подоконник. Молча пододвинул мне освободившийся табурет. На второй уселся сам. Дефицит мебели ощутим и в этой комнате.

— Ты хотела со мной поговорить, — взгляд его казался внимательным и в меру заинтересованным. Создавалось впечатление, что он опять играет. К чему, например, было направлять меня в этот клоповник? Можно же встретиться по-человечески, где-то в более приличном месте.

— Это небольшой тест для вас, — разгадал он ход моих мыслей. — Я думал, вы на полчасика раньше будете!

— Непредвиденная задержка на дороге, — равнодушно пожала я плечами.

— Пробка на ремонтируемом участке?

— Она самая, — не стала я его разочаровывать.

— Ну, ладно, — доставая из кармана пачку сигарет, деловито перешел он к главной теме: — Так что же вам от меня нужно?

— Узнать, кто настоящий убийца, — с места в карьер пустилась я.

— Вот как? — Бровь Санька изогнулась дугой, нарочито выказывая удивление моему вопросу. Мужчина слегка раскачивал табурет, широко расставив ноги в стороны и упершись ладонями себе в коленки. Кого же он мне тогда напоминал? Жабу! Огромную стокилограммовую жабу! Аллергия на этого типа от невольной ассоциации усилилась еще больше, но покидать угловую комнату обшарпанной «трешки» я и не думала! Мне нужна была эта встреча. Она давала единственный шанс ворваться в замкнутый мир Киреевых — Вершининых. Без этого мне ни за что не разобраться в том, кто же настоящий убийца. Если только Санек мне милостиво не подскажет.

Но Семенов как будто не собирался этого делать. Он тщательно изучал мое лицо. Кстати сказать, тот Санек, что работал в поместье — простоватый и чуть глуповатый на вид, — остался в прошлом. Теперь передо мной сидел совершенно другой тип, к которому простецкое «Санек» даже не клеилось. Его бы уголовной кличкой окрестить! Типа Серый или Паленый! Но поскольку другого его прозвища я не знала, то решила про себя и дальше обзывать по-прежнему.

— А почему ты решила, что я знаю, кто на самом деле застрелил старого мудака?

— Но ведь ты тоже не веришь, что это сделала Катя?

— Слушай, Женя, а почему ты решила, что я вообще стану с тобой откровенничать? — Вопрос прозвучал настолько серьезно, насколько это было возможно. От меня требовался весомый аргумент. Без него разговор, скорее всего, не продолжился бы.

— Зачем-то ты меня ждал?

— Считай, ждал, чтобы задать этот вопрос! Итак?

— Потому что я знаю, что ты занимаешься шантажом, — заявила я, внимательнейшим образом наблюдая за его реакцией.

Если Семенов и испугался, то виду не подал совершенно.

— Ну и что? — только развел руками Санек. — То, что ты знаешь, это только твои личные догадки. От них мне ни жарко, ни холодно! Назови мне хоть одного человека, которого я шантажировал! Не сможешь, потому что не знаешь! И если бы знала, что с того? Сам «терпила» никогда в жизни не признается никакому следаку! А без этого, как ты понимаешь, дела не состряпаешь! В мокрухе меня не заподозришь, поскольку, как сама догадываешься, я совершить этого просто физически не мог! Когда в Киреева стреляли, меня в доме не было. И что дальше? — поинтересовался он с усмешечкой в конце монолога.

Что ж! Сейчас он на коне, поскольку крыть мне нечем. Но тем не менее, пока он все это говорил, в голове у меня четко проецировалась одна мысль: ему встреча со мной так же нужна, как и мне — с ним. Зачем? Если я сумею быстренько себе ответить на этот вопрос, разговор продолжится.

Мысль лихорадочно крутилась в голове, пока он в ироничном молчании разглядывал мое лицо. Мелькали кадры прошедшего дня и ночи. Где же ключик к тебе, Санек? Что тебе может быть нужно?!

Стоп!

— У меня есть то, что тебе нужно.

— И что же это?

— Пленка.

Внешне он остался невозмутим. Но я интуитивно чувствовала, что попала в точку.

— С собой? — быстро спросил он.

— Саша! — Теперь уж я развела руками. — Неужели я так сильно на дуру похожа? Ехать к тебе в гости и везти с собой пирожок? Родной, я спрятала ее в надежном, только мне известном месте!

— Что ты за нее хочешь? Сколько?

— Денег мне не нужно. Мне нужно найти убийцу Киреева.

Он задумался. Думал довольно долго, и я ему не мешала. Раскачивания табурета все усиливались, пока не дошли до критической точки. Чуть больше амплитуда — и Санек просто упадет. Но этого не произошло.

— А почему ты решила, что я знаю, кто его убил? — вновь повторил он вопрос, который я слышала в начале нашего разговора.

— Той ночью, когда я застала тебя за экстренными сборами, ты проговорился.

На его лице появилось недоумение.

— Я ничего не говорила тебе о том, как именно убили Киреева. Просто сообщила, что убили. Ты же определенно заявил, что его застрелили.

— Ах, вот оно что! — хмыкнул Семенов и покачал головой. — Ну, надо же!

— Заметь, если я расскажу об этом следователю, то и у него появятся к тебе вопросы, — на всякий случай заметила я.

— Не расскажешь, — заявил Санек уверенно. — Думаешь, я не понимаю, что тебе самой нужно убийцу вычислить. Облажалась?

Еще один психолог хренов нашелся!

— Ну так что? — не став спорить насчет его прозрений относительно моей мотивации, возвратила я разговор в нужное русло.

— У тебя нет пленки, — немного подумав, произнес он. — Если бы была, ты бы уже знала, что на ней. Тогда...

Санек не договорил. Посмотрел на меня задумчивым взглядом и неожиданно ухмыльнулся.

— Знаешь, я тебе все же расскажу кое-что. Просто так. А потом мы расстанемся. Если в дальнейшем захочешь меня найти, скажем, завтра, звони на мобильник. Запоминай!

Он назвал номер, который я тут же срисовала в память.

— Так вот. Я в тот вечер находился в парке, почти у самого дома. И слышал выстрел. Некоторые события, произошедшие накануне, дали мне полное основание решить, что палят не в воздух. Единственное: я не знал, кто и в кого стрелял.

— Ты решил, что стрелял Киреев? — догадалась я, вспомнив его реакцию на мое сообщение.

— Ну-у...

Я угадала. Ну, правильно! Поэтому-то Семенов и решил драпать, лишь бы избежать перспективы стать следующим трупом? Нет, что-то не то... что-то не связывается... ладно, подумаю после.

Некоторое время размышляла над другим обстоятельством, неожиданно пришедшим на ум.

— Так ты, говоришь, слышал выстрел? До или после своей встречи ночью в парке?

Задала я каверзный вопрос не просто так. Из парка Санек вряд ли бы что услышал. Ведь я тоже стояла там примерно в то же самое время, когда, как полагаю, и убили Андрея Викторовича. Сначала с Антоном, затем одна. В дом Санек не заходил. Но он знал, что выстрел прозвучал! Единственным человеком, который мог ему об этом сказать, была та неизвестная, с которой он встречался! Женщина, судя по ее же словам, побывала в доме. Перед самым разговором со сторожем. Тогда почему он не знал, кого именно убили?

Вариантов два: либо та, что побывала в доме и убила Киреева, не стала откровенничать с Саньком. Либо... либо неизвестная сама только слышала выстрел и тоже ничего толком не знала! Но со слов той женщины совершенно ясно...

Мой мыслительный процесс был прерван встречным вопросом.

— Так это ты там шастала? — прищурился Семенов.

— Угу, — подтвердила я сей факт. — И, заметь, кое-что слышала.

На некоторое время он задумался. Во время этого процесса иногда сам себе кивал, словно ставя зарубки на память или отмечая успешно пройденный мыслительный рубеж. Затем выдал:

— Ладно, пусть я не слышал выстрела. Как ты правильно поняла, мне об этом сказала...

— Кто? — вырвалось из меня, и через секунду я с ужасом поняла, что своим вопросом завалила все дело.

— А! — Торжеству Санька не было предела. — Вот в чем дело! Нет, дорогая, вот этого я как раз тебе и не скажу! Только после того, как пленка будет у меня! Ну, бывай! — решительно встал он с табурета. Я тем временем пребывала в состоянии морального нокаута. — Захлопнешь за собой.

Я молча проводила его взглядом. Мне ничего больше не оставалось, поскольку теперь он точно мне ничего не сказал бы. В одном только я была уверена теперь на сто процентов — это не Семенов напал сегодня на меня. Когда Санек покидал утром коттеджный городок, пленку с собой он не увозил. И, пожалуй, единственный точно знал, что в сторожке ее нет.

Нет, не единственный! Кроме него, про это знал и знает еще один человек — тот, у кого она сейчас.

* * *

Я отлично понимала, что бывший сторож, а по совместительству шантажист хотел моими руками вытащить каштаны из огня. Впрочем, Санек этого и не скрывал.

Вечер подкрался незаметно. Небо окрасилось поначалу в золото, затем — в пурпур. К вечеру на меня навалилась невероятная усталость. Никакие кофе и коньяк уже не могли меня реанимировать. Нужно было выспаться.

Потому я выкинула из головы Санька, Грача и всю остальную компанию, зрительно рисовала мирную картину собственной спальни, пытаясь вселить в душу хоть немного умиротворения и тепла. Неожиданно поняла, что со страшной силой хочу именно домой.

Сигарета полетела в окошко, и я завела мотор.

* * *

— Женечка, ты уже освободилась?

По блеску в глазах моей ненаглядной тетки я поняла, что дорогой гость еще не уехал. Но сейчас мне было уже все безразлично.

— Тетя Мила, я страшно устала. Поэтому отправляюсь спать!

Объявила я это еще в коридоре. На всякий случай — громко. После чего кивком поздоровалась с весьма заинтересовавшимся моим появлением «другом юности» и быстренько удалилась в свою комнату. Разделась и нырнула в кровать. Все! Меня ни для кого больше нет!

Меньше чем через минуту окружающий мир для меня перестал существовать окончательно. Я провалилась в никуда. Безо всяких сновидений.

* * *

Утром я первым делом посмотрела на часы. Половина одиннадцатого!

«Ну и здорова же ты спать, Евгения Максимовна», — поддела я саму себя и рывком села на кровати. От души потянувшись, спрыгнула на пол. Сделала десяток резких ударов в воздух руками и ногами, затем восстановила дыхание. Все, со сном покончено!

Я облачилась в халат и пошлепала в ванную. Еще не дойдя до двери, поймала себя на мысли, что что-то в окружающей обстановке не так. И точно — квартира неожиданно встретила меня молчанием. Гость должен был спать на диване в зале. Дверь осталась открыта, и я зашла без стука. Следом заглянула в теткину комнату.

В квартире — никого.

Моя эгоистичная натура восприняла этот факт с большой радостью.

После утреннего моциона я прямиком отправилась на кухню. На плите завтрак, на столе — записка. Из нее я узнала, что, пока самым бессовестным образом дрыхла, произошло несколько событий. Во-первых, звонил мужчина, пожелавший остаться неизвестным. Во-вторых, звонила женщина, также пожелавшая остаться неизвестной.

А в-третьих, тетка поехала провожать на вокзал Ивана Игнатовича. Мне он передает большой привет и свои сожаления, что так и не удалось пообщаться. Последний пункт заставил меня довольно неприлично хмыкнуть.

Мой завтрак завершился большой чашкой черного кофе. Все — я была готова к работе. Осталось только решить, с чего же, собственно, начать день.

Сначала, разумеется, надо попробовать выяснить что-нибудь про неизвестных мужчину и женщину. Я просмотрела электронную запись прежних звонков. Последние два номера. Они мне ни о чем не говорили. Перезванивать по ним я не собиралась. Пока.

Я задумалась над более существенными, с моей точки зрения, вещами.

Итак, что у нас есть на сегодняшний день? Есть убийство. Подозреваемых — трое: Антон, его сестра Лада и третье неизвестное лицо. Точнее, неизвестная. Женщина. И еще есть шантажист или бригада шантажистов. По крайней мере — один точно. Второй...

Я думала о личности Павла Сергеевича, то бишь Грача. Он из команды Санька? Вполне вероятно. Но, может быть, все проще? Мысленно я поставила себя на его место: приезжает неизвестная барышня и просит дать адрес знакомого ему человека. Говорит, что тот нужен по делу, а по телефону связаться не удается. Что бы я сделала на его месте? Попыталась бы позвонить сама, прежде чем давать адрес. Что, собственно, он и сделал. Ну а дальше... Дальше Санек моментом сообразил, кто же именно разыскивает его. И решил сыграть по-своему.

Могло быть, конечно, и так. Только руку даю на отсечение: когда я, как бы между прочим, обмолвилась про фотографии, Грач вздрогнул.

Если убийство ассоциируется в моей душе с тяжелым черным пятном и от этого слова веет холодом, то шантаж — с чем-то серым, липким и до ужаса тошнотворным. Такова его сущность. Сущность пиявки — поймать удобный случай и присосаться к жертве. Пить из нее кровь до тех пор, пока не выпьет всю или жертва не покончит с собой. Или не устранит шантажиста.

Я попыталась детально воссоздать хронологию событий

той ночи. Итак, мы втроем. Затем Лада отправляется наверх, мы остаемся вдвоем с ее братом. Сколько длились наши обжимания? Минут пять-десять. Затем сигнал автомобиля, мы выскочили на улицу. Сколько мы там пробыли вдвоем с Антоном? Также минут десять. Ну, на пару минут он отлучался за сигаретами. Затем опять же минут пять-десять мы занимались друг дружкой. Сколько же времени мы провели на улице? Получается, минут двадцать в общей сложности. Затем Антон ушел в дом...

Разговор.

Стоп! Я попыталась вспомнить дословно, что же мне удалось услышать. Итак, неизвестная обвиняла...

«...ты за кого меня принимаешь? Говори, куда дел? Он или она тебе больше пообещали?..»

Да, именно так.

«Он или она тебе больше...»

Стоп.

Он или она? О ком же шла речь? «Он» — это кто? Антон? Киреев?

Судя по ответу сторожа, пленка должна была находиться в сейфе. Какого черта Киреев должен за нее платить? А может быть, заплатил, а затем ее выкрали? Вместо той пресловутой расписки, на которую мой клиент пытался купить меня? Оттого он и забеспокоился?

«Он или она...»

Чета Киреевых или же Антон с сестрой?

Никакой информации о том, что Антону потребовалась какая-то пленка, у меня не было. Из всей этой своры суетящихся людей один только он у меня ассоциировался с айсбергом. Спокойный как лед, не обращающий внимания на бурлящие вокруг течения. А его сестра Лада? Безмятежная, прямо само спокойствие! За все время вечера лишь один раз я увидела у нее проявление негативных эмоций. Тогда, за столом, когда Киреев толкал свою посмертную речь. По крайней мере, от него я больше уже ничего не услышала!

Телефонный звонок вдруг вторгся откуда-то извне. Я не смогла сразу отключиться от своих глубоких раздумий и не сразу поняла, что мелодичная трель исходит от аппарата в прихожей.

— Слушаю вас, — ответила я, одновременно глянув на высветившийся на определителе номер. Надо же, тот самый, утренний!

— Евгения Максимовна?

Лед из уст абонента просачивался даже сквозь тонкий телефонный кабель. Я тут же узнала этот голос.

— Здравствуйте, Анна Андреевна. Я еще вчера хотела с вами встретиться.

— А я хотела бы сегодня. До шести буду занята похоронами, поминками. Что, если вечером, после шести?

— Давайте в семь. Место назначьте сами.

— На набережной у моста есть кафе «Бюргер». В семь!

— Вполне устроит.

Я не знала, о чем хочет беседовать со мной вдова, но вполне догадывалась. Судя по ее тону, она уже разговаривала обо мне с Антоном.

Теории — теориями, но кое-что можно успеть сделать практически. А именно — раскрыть настоящее место проживания шантажиста. Есть два способа — пробить номер телефона и номер автомобиля.

Да, вчера, после того как Санек покинул квартиру, я не стала сидеть и горевать!

Прижала ушко к двери и едва услышала, как лифт с ним отчалил с девятого этажа, сломя голову бросилась вниз по лестнице, немного опередив техническое устройство. Автомобили на импровизированной стоянке у дома помогли мне спрятаться, в результате чего удалось запомнить номер машины, на которой передвигается по Тарасову Семенов. Так что даже если номер мобильного оформлен на паспорт другого человека, то остается еще шанс пробить его через машину.

Заперев квартиру, я вышла на улицу. Сегодня дождем и не пахнет — небо однотонно синее, и яркое солнышко безраздельно господствует на нем. Я завела свою «ласточку» и аккуратно обрулила лужу посреди двора. Добравшись почти до Сенного рынка, набрала номер на сотовом. Не звонила раньше потому, что была уверена — нужный мне человек либо дома, либо на работе. Последнее для меня даже лучше. А ехать мне в любом случае надо было в том направлении.

Глава 6

Через два часа я вновь сидела в машине.

Сотовый, как я и предполагала, был зарегистрирован на другого человека. А вот с машиной все прошло нормально. Теперь я знала, что Александр Владимирович Семенов, одна тысяча девятьсот шестидесятого года рождения, проживает по адресу: Прибрежная, дом шестнадцать. Ранее не судим, отпечатков пальцев в архиве не содержится.

Кто тот человек, снабдивший меня сведениями о гражданине Семенове, даже не спрашивайте. У меня свои профессиональные тайны.

Пока машина стояла, я вновь размышляла о том, куда направить свои стопы. Времени до оговоренных семи ноль-ноль — тьма! Эту тьму нужно было использовать.

Я быстренько кое-что прикинула и завела двигатель. Машина вновь помчала меня по тарасовским улицам к центру города.

Небольшое фотоателье «Профиль» — первое место, которое я собиралась посетить. Там работает мой одноклассник. Правда, я не знала, как у них обстоят дела с выходными. Работают они в воскресенье или нет? Последний раз я была у Миши годика три назад. Смутно помнится, что выходной у них вроде как в понедельник.

С понедельником я не обманулась, но вот Миша, оказывается, давно уволился. Черноволосый, крепко сбитый паренек заинтересованно смотрел на меня. Поскольку я несколько раз сокрушенно вздохнула, явно расстроенная тем, что не застала своего знакомого, он наконец изрек то, чего от него и требовалось.

— Может, я смогу вам чем-нибудь помочь?

Я впилась в него насмерть, без всякого зазрения совести и через десять минут общения с ним знала, что найденные в сторожке обломки принадлежат фотоаппарату фирмы «Никон». Аппарату хорошему, дорогому и, главное, профессиональному. Кроме этой информации, я уносила с собой домашний телефон приятного юноши, надеявшегося на то, что я ему позвоню. Пока в мои планы это не входило совершенно, но... жизнь штука непредсказуемая! Вдруг когда-нибудь понадобится помощь фотографа?

Следующим пунктом моего списка являлась улица Прибрежная. Беспокоить Семенова я не желала, просто хотелось визуально ознакомиться с его жилищем. На всякий случай.

Я миновала новый мост, повернула перед следующим, соединяющим берега Волги, налево. За судоремзаводом отгрохали новый платный пляж. Вопли и музыка слышались за километр. Я проехала мимо и притормозила рядом с остановкой.

— Извините, как мне на Прибрежную выехать? — спросила я у трех бабуль, торгующих семечками. Они загалдели хором, я быстро профильтровала гомон, выделила суть; поблагодарила и двинулась в сторону ближайшей стоянки. Оставила там машину — дальше мне предстояло идти пешком.

Следуя полученным инструкциям, я ползла в гору до первой поперечной улицы. Это и есть Прибрежная. Определилась с нумерацией домов и свернула налево. Восьмой... десятый...

До нужного шестнадцатого я не успела добраться. Остановилась и пошарила глазами в поисках укрытия. На то возникла серьезная причина — у дома Семенова стоял знакомый седан. Его я видела в гараже поместья. Со зрением у меня все в порядке, и с тридцати метров я отлично видела номера. Сомнений быть не могло. Либо Антон, либо Лада сейчас находились в гостях у своего сторожа. Либо оба они сразу.

«Что ему или ей там нужно?»

Причина, самая банальная, тут же пришла на ум: Антон приехал уговорить сторожа вернуться к своим обязанностям. Возможно, с повышением жалованья. Просидел сутки в одиночестве и отправился на поиски.

К тому же сегодня похороны друга. Кстати, а почему Антон не рядом с безутешной вдовой? А может, он там и есть, а сюда попросил съездить Ладу?

Может, оно и так, но моя подозрительная натура сразу же начала выискивать подводные камни: тогда почему мне вчера соврал, что не знает адреса своего работника? С большим натягом я в это поверила — и, оказывается, напрасно!

Гадать не люблю. Оставляю это занятие для почтенных

старушек. Сама же предпочитаю полагаться на факты. Посему...

Почти напротив седана, на другой стороне Прибрежной стоял грузовик со спущенными колесами. Вернее сказать: то, что было когда-то грузовиком. Я устроилась за ним и ждала. Ждать пришлось довольно долго, и я даже начала жалеть, что не взяла с собой сигарет.

Можно было вернуться на стоянку и наблюдать оттуда, но грузовик от ворот дома номер шестнадцать находился совсем недалеко, представляя шанс не только увидеть визитера, но и что-нибудь — дай бог повезет! — услышать полезное.

Ждать, как я уже говорила, пришлось довольно долго — почти час. Затем калитка открылась и выпустила господина Вершинина.

— ...Запомни, что я тебе сказал!

— Не беспокойтесь, запомнил.

Это все, что мне удалось услышать. Однако и эти две фразы ясно говорили о том, что беседа вряд ли шла о предложенном Саньку продолжении карьеры сторожа. Дружелюбием в их репликах и не пахло. Во всяком случае, слова Антона больше всего походили на угрозу. Но и сторож не затрепетал от страха!

Калитка рассерженно обдала улочку металлическим звуком. Седан сделал крутой разворот, чуть не тараня при этом мое укрытие, и устремился к спуску.

Что ж! Обиталище Семенова Александра Владимировича, ранее несудимого, было установлено.

Загадки, загадки. Пока только одни загадки!

Я запомнила хорошенечко жилище шантажиста и спустилась вниз.

Со стоянки я убираться не спешила. Во-первых, нужно было какое-то время спокойно подумать. Во-вторых...

Что во-вторых, честно признаться, пока сама не знала, но интуиция велела мне пока не покидать Затон.

Я не успела докурить сигарету, как с горы спустилась синяя «пятерка». Мне не было нужды даже смотреть на номера — это Санек!

Спешил он как на пожар, и мне пришлось даже пару раз нарушить правила уличного движения, чтобы не потерять его из виду. В конечном итоге я плотно зависла метрах в пятидесяти от него. Машину мою он знал, но я не думала, что Семенов ожидает слежки, хотя на всякий случай выдерживала интервал.

Когда возле автовокзала Санек свернул на Аткарскую, я уже понимала, куда он движется. Свернула у аккумуляторного завода и забрала вправо. Потом усиленно надавила на газ и в итоге на Втором Детском проезде у дома номер пять оказалась первой. Пролетела мимо первого подъезда, миновала второй, третий... Только в конце дома остановилась и покинула машину.

Перебралась ближе, но не намного. Мне и с этого расстояния все хорошо было видно.

Я вспомнила о своем вынужденном томлении за грузовиком и решила вернуться к машине за сигаретами. Только об этом подумала, как увидела Санька. Едва не упустила его! Я-то полагала, что он подкатит к подъезду на машине. Святая наивность! Семенов оставил ее где-то в стороне, не доезжая до дома номер пять.

О чем это говорило?

Первое, что пришло на ум: бывший сторож встречается с кем-то, с кем вынужден вести себя осторожно. Возможно, новая жертва шантажа. В любом случае — это человек, перед которым Александр Семенов боялся светиться. Да и в подъезд он постарался прошмыгнуть незамеченным. Быстренько так из-за угла вывернул — и шмыг в дверь! Опасался, что за ним следят? Что ж, при его-то делах...

Но, как бы то ни было, я все же засекла его. Теперь оставалось узнать, кто же приедет к нему на свидание.

Я быстро возвратилась к машине, схватила пачку. Ну вот, теперь можно заняться ожиданием. Я закурила, невзирая на осуждающие взгляды местных старушек. Милые создания, еще недавно совершенно не подозревавшие о моем существовании, теперь смотрели исключительно в мою сторону и негромко перешептывались. О чем — легко догадаться!

Пятнадцать минут ожидания не привели ни к какому результату.

В подъезд за это время зашли только два человека. Седоволосый старичок с палочкой и женщина с объемным полиэтиленовым пакетом в руках. Первый не вызывал совершенно никаких подозрений в силу своего возраста, вторая — тоже, но по другой причине. Перед тем как зайти в подъезд, она минут пять болтала с одной из женщин на лавочке. Даже неискушенному детективу стало бы сразу ясно, что встреча с шантажистом в ее дальнейшие планы никак не входит. Мысли ее, скорее всего, крутятся вокруг домашнего очага. Что ж, ей можно только позавидовать!

Прошло еще пятнадцать минут, и ситуация перестала мне нравиться окончательно. Либо я что-то упустила, либо...

Мысль не успела до конца сформироваться в многострадальной голове, а ноги уже несли к подъезду. Я поднялась на лифте до восьмого этажа. В подъезде стояла первозданная тишина, нарушаемая только доносящимся со двора шумом. Потом где-то на средних этажах хлопнула дверь, послышались неясные голоса. Но меня интересовал только девятый этаж.

Делать нечего, я поднялась и посмотрела на знакомую уже дверь. Потом осторожно толкнула ее. С легким скрипом она открылась.

Черт! Мое профессиональное чутье безошибочно подсказывало, что меня ждет. На всякий случай я достала конфискованный недавно нож. Щелчок лезвия слышен был очень отчетливо. Я быстро миновала зал и застыла на пороге дальней комнаты. Той самой, в которой мы вчера общались с Семеновым.

Он и сейчас был тут. Открывая дверь в комнату, я услышала странный звук и не смогла догадаться сразу о его природе. Увидев шантажиста, я все поняла.

Оставляю его и бросаюсь обратно.

Меньше минуты у меня уходит на то, чтобы убедиться, что в квартире, кроме нас двоих, никого нет. И вот я склоняюсь над ним.

Жить ему осталось совсем мало, это я вижу сразу. На этот раз убийца не поскупился — Санек буквально нашпигован свинцом. Пистолет лежит тут же, у его ног. Одного взгляда на него мне хватает, чтобы сразу похолодело внутри.

«ПМ». И я очень сильно подозреваю, что это мой пистолет.

— Ар... ар...

Боже мой, он еще пытается что-то сказать! Почти прижимаюсь ухом к его губам, пытаясь поймать еле слышный шепот умирающего.

— ... тис...

«Артист?! Собака его приятеля садовника?!»

Семенов напрягся, собираясь сказать что-то еще. Я забыла в тот момент, как дышать, боясь пропустить хоть звук из его шепота. Но ничего больше шантажист сказать не успел. Он умер.

Итак: пистолет. Он действительно оказывается моим собственным. И что стреляли именно из него, нет никаких сомнений. Бегло осматриваю комнату, на сей раз несказанно радуясь отсутствию в ней признаков человеческого уюта.

Раз, два, три. Три гильзы.

Ствол я аккуратно держу за дуло, шаря глазами по полу. Быстренько перемещаюсь в зал, затем на кухню. Там мне везет — я нахожу целлофановый пакет, выворачиваю его наизнанку и пакую в него оружие.

Больше мне задерживаться в квартире нельзя. Уже на лестничной клетке я слышу, как натужно гудит лифт. Не задумываясь, спускаюсь на два этажа ниже.

— Где это?

— Здесь, вот дверь открытая!

— Да, все правильно! Тридцать шестая квартира...

Больше мне знать ничего не нужно — и так все ясно! Поэтому милицейский «газик» у дома меня не удивляет.

Сердце бьется на рекордной скорости, когда я, стараясь придать походке беспечность, топаю мимо него в сторону своей машины.

Только оказавшись в салоне своей ласточки, перевожу дух.

Итак — подстава!

«А чего ты ожидала? Думала, пистолет у тебя украли ворон пугать?»

Но выяснять отношения с собой у меня совершенно нет времени — нужно побыстрей убираться.

Муки совести насчет того, что скрываюсь с места преступления и увожу с собой главную улику, меня не мучают.

Я отлично вижу весь дальнейший ход развития событий. Пока буду доказывать, что не верблюд, уйдет масса времени. На это убийца и рассчитывает — выключить меня из игры. Чтобы не путалась под ногами. К тому же, когда убили Киреева, я тоже была рядом. И у следователя может вполне возникнуть желание связать два убийства воедино. Признание Кати в сложившихся обстоятельствах ничего не значит. Если откроется, что Семенова убили из моего табельного оружия, ловкий адвокат сразу же посоветует ей изменить показания. А что таковой у нее имеется, я не сомневаюсь нисколько — денег у вдовы предостаточно! Так что положению моему вряд ли можно будет позавидовать — вляпалась по самые уши! И еще неизвестно, захочет ли Антон подтвердить, что ствол у меня похитили! В конце концов — он сам из числа тех немногих, кто мог убить Киреева.

«Кстати, он же мог тебя и по голове садануть! А потом разыграл этакого благородного рыцаря! Отвел подозрения, чтобы со спокойной душой подставить!»

Мысль, пришедшая только что в голову, сильно походила на правду. А особенно если учесть все остальные факты, почти не остается места для сомнений, что так все и было.

«Зачем? Зачем Антону убивать своего друга, а затем и Семенова?»

На этот вопрос я не могу ответить. Пока не могу.

* * *

Окончательно прихожу в себя только на углу Зарубина и Рахова, паркуя машину на небольшой стоянке у кафе «Ностальжи». Есть не хочу совершенно, просто мне нужно время посидеть и спокойно подумать. В машине делать это совершенно не хочется.

Заказываю чашку кофе с коньяком и углубляюсь в мысли. Итак, что мы имеем?

Этот вопрос я периодически задаю себе в течение двух последних суток и с грустью признаюсь, что ни на шаг не приблизилась к разгадке. Наоборот, вопросов только прибавилось. Да и положение мое стало из плохого просто отвратительным! Если меня еще вчера побуждали к расследованию смерти главы «Данко» в основном душевные порывы, то теперь к ним прибавилась еще весьма ощутимая угроза оказаться главной подозреваемой в двойном убийстве.

«Артист». Что же этим хотел сказать умирающий шантажист? Кличка собаки его приятеля? Что может быть общего между смертью Санька и симпатичным, в общем-то, псом?

Обычно в такой ситуации человек спешит сказать самое важное! А тут — кличка пса.

«Может, он другое имел в виду? — спрашиваю себя, делая большой глоток. — Почему ты прицепилась именно к собаке? Только потому, что не знаешь, к чему или к кому еще могут относиться его слова?!»

Некоторое время тасую в голове различные варианты, но все они представляются мне в конечном итоге один нелепее другого.

Не имею склонности к отвлеченным размышлениям. Ну а в сложившихся обстоятельствах для меня это просто непозволительная роскошь. Времени у меня в обрез, что я отлично понимаю.

Потому переключаюсь ко второму насущному вопросу — до встречи со вдовой господина Киреева остается совсем немного времени.

«Итак, что ей от меня может быть нужно?» — спрашиваю себя.

«Скорее всего, будет уговаривать не соваться туда, куда не просят».

«Артист, артист», — вновь вертится в голове, когда я покидаю «Ностальжи».

* * *

Однотонная музыка уже основательно меня начала раздражать. Не знаю, кому вообще может это нравиться?! Я уже готова была сорвать зло на бестолкового вида барменше, когда увидела Анну. Такая же невозмутимая и спокойная. Только чуть бледновата. Оно и понятно — не каждый день мужей хоронишь! Даже если семейная жизнь и не наполнена страстной любовью, занятие не из приятных.

— Послушайте, — начала она без долгих предисловий. — У меня всего один вопрос: когда вы нас оставите в покое?

— Вас — это кого? — сразу уточнила я. В моем голосе тут же прорезались стальные нотки. Когда нужно показать коготки, это делаю будь здоров! Кажется, вдова это уловила и в следующем раунде сбросила обороты.

— Сколько? — безучастным, даже скучноватым, голосом изрекала Анна.

— Что — сколько?

Я сделала удивленное лицо, хотя отлично поняла, что она имеет в виду.

— Не притворяйтесь! Сколько вам нужно денег, чтобы вы перестали копошиться возле меня и моей дочери? Понятно, что вы хотите использовать ситуацию и заработать. Я спрашиваю: сколько?

Честное слово, я еле сдержалась, чтобы не вмазать от души по ее холеной физиономии! Но вовремя успокоилась.

— Денег мне не нужно, — спокойно отказалась я. Даже сама поражаюсь, насколько спокойно! — Мне нужно только одно — найти настоящего убийцу вашего мужа. Я почему-то думала, что это и в ваших интересах. Или это не так?

Некоторое время Анна молчала, глядя мимо меня. Мой вопрос леди в трауре просто проигнорировала. Затем еле слышно произнесла:

— Сегодня Катя подписала признание. Она зашла в кабинет посмотреть, что с Андреем. Он все же ее отец... был. Из любопытства открыла сейф. Тот неожиданно проснулся. Пьяный, не разобрал, кто перед ним, накинулся на собственную дочь...

— Попытался изнасиловать, — вставляю я реплику, уже отлично поняв, куда она клонит.

— Откуда вы знаете? — несколько оторопело посмотрела на меня Анна Андреевна, затем спохватилась: — Ну, да!

— Кто адвокат вашей дочери?

— Камневский Артур Борисович.

— Можете не волноваться. Он Катю вытащит. Скала — так его кличут. И совершенно справедливо! Если не подчистую отобьет, то на условное наказание — точно можно рассчитывать!

— Так он мне и сказал, — согласно кивнула она. — Теперь вы понимаете, что своей вознёй вы только навредите девочке? Есть, слава богу, пока и без вас кому о ней позаботиться.

Теперь уже молчала я, не торопясь отвечать на ее вопрос.

— А вас нисколько не коробит то, что Катя страдает за чье-то преступление? Ведь вы сами ни на секунду не поверили, что это она убила вашего мужа?

— Какое вам дело до моих чувств?

«Верно, какое...»

И тут словно игла пронзила мой мозг. Черт бы побрал! Так все просто! Нужно было понять это сразу, еще тогда, когда девочка обнимала пса. Тогда, когда она в своем рассказе споткнулась на событиях на втором этаже особняка. Кого Катя могла покрывать?! Да только ее! Свою мать!

От этой простой догадки меня бросило в легкий озноб.

— Мы с вами прощаемся...

Киреева уже начала подниматься, когда я наконец очнулась.

— А как с шантажистом быть? Или вы нашли пленку?

— Что?! Каким шантажистом, какая пленка?!

Она так стремительно рухнула обратно, что я на секунду испугалась, выдержит ли стул.

Я наблюдала за ее реакцией так внимательно, как только умела. Но в этом не было особой нужды — все и так отчетливо отразилось на ее лице. От восковой маски не осталось и следа!

— О той самой, о которой вы разговаривали ночью со сторожем.

На сей раз моя реплика не привела к ожидаемому результату. Анна Андреевна, похоже, справилась с собой, и ее лицо вновь приняло безразличное выражение.

— Ночью? Не понимаю, о чем вы говорите.

— Я слышала ваш разговор в саду. И узнала голос.

Я блефовала, поскольку не была уверена, что слышала голос Анны Андреевны. Но все мои предыдущие соображения говорили о том, что это именно госпожа Киреева!

— Объясните, что вы имеете в виду! — потребовала она.

— В ночь, когда убили вашего мужа, мне стало вдруг одиноко, и я вышла подышать свежим воздухом. И нечаянно подслушала разговор двух людей. Один из голосов принадлежал мужчине, второй... второй — женщине. Женщиной были вы, Анна Андреевна.

— Вы это серьезно?

Теперь ее глаза широко распахнулись и пытливо смотрели на меня.

— Серьезней некуда.

Некоторое время она хмурилась, покусывая губы.

— Женя, знаете, это не место для серьезного разговора. А я думаю... вынуждена признать, что он необходим. Давайте проедем ко мне домой и там уже спокойно все обсудим.

— Что ж, давайте, — согласилась я.

* * *

Я смотрела на диван в холле и невольно вспоминала Катю и нашу первую с ней встречу.

Хозяйка перехватила мой взгляд, но ей он сказал, скорее всего, о другом. Поскольку она тут же предложила мне:

— Располагайтесь, я сейчас принесу чего-нибудь выпить. Что вам?

— На ваше усмотрение.

Анна секунду поколебалась, потом все же удалилась.

Пока она отсутствовала, я пыталась собраться с мыслями. Дорога от кафе до ее дома оказалась слишком короткой, чтобы выработать хоть какой-то дальнейший план предстоящей беседы. Честно признаться, ситуация выходила несколько странной. Если следовать всем моим предыдущим умозаключениям, то получалось, что Анна Андреевна и есть убийца. Вопрос второй — тогда кто убил Семенова? Она же? По логике вещей, должно быть так. Тогда зачем госпожа Киреева пригласила меня в дом? Если она знает, что единственный настоящий свидетель ее возвращения в ту ночь мертв, к черту я ей сдалась? Не проще ли послать меня подальше и ждать, пока моей персоной не займутся соответствующие органы? Брошенный на месте второго убийства мой пистолет — верная тому гарантия.

Остается два варианта. Первый: Киреева была в ту ночь в доме, но убийца не она. Второй — Анна просто ломает комедию, выжидает время. Одновременно пытаясь запутать меня. Или же хочет выяснить что-то для себя важное? Тогда — что?

Я очень надеялась, что наш разговор продвинет меня на пути к разгадке.

Анна Андреевна не заставила себя ждать. Она появилась с бутылкой сухого мартини и двумя фужерами. Поставила все на стеклянный столик и села в свободное кресло.

— Для чего вы меня пригласили? — начала я первой, надеясь одним махом прояснить ситуацию.

— Честно признаться, я и сама толком не могу сказать.

Мадам Киреева наморщила носик и посмотрела куда-то мимо меня. Как я поняла, она всегда делала так, когда хотела сосредоточиться.

— Итак, вы утверждаете, что слышали мой голос ночью в саду? Во сколько это было? О чем... мы говорили?

Я заметила, что это самое «мы» далось Анне Андреевне с некоторым трудом.

— Давайте не так резво. — Я сразу попыталась взять инициативу в свои руки. — Ответьте мне сначала: это действительно были вы? Если так — то разговор вам известен и самой. Мне нет смысла его пересказывать. Уместнее поговорить о другом...

— Это была не я, — слегка покачала головой вдова. — Но мне важно знать, о чем разговаривали эти двое. Женщина... вы уверены, что это не Лада?

— Уверена. Она оставалась в доме. Да к тому же — ее медовый голосок трудно спутать с чьим-то другим.

— Да уж! — с неприкрытым сарказмом согласилась Анна. Желчь в ее голосе подсказывала мне, что не одна Катя из всего семейства Киреевых испытывала неприязнь к сестре Вершинина.

— О чем же они говорили?

Я не спешила отвечать на вопрос, поскольку не была уверена, выгодно ли мне делиться с ней информацией. Потом все же решилась:

— Общий смысл таков: ваш сторож пообещал что-то стянуть из сейфа в кабинете, но не нашел того, что там должно было быть. То бишь пленку. Женщина наседала на него, обвиняя в том, что Санек попросту собрался кинуть ее, решив продать другому человеку.

— Смысл? — уронила вдова, глядя на свои чрезвычайно ухоженные ногти.

— Что? — тут же уцепилась я за неосторожно оброненное слово.

— Да нет, — несколько поздно спохватилась она, — простите, я задумалась о другом.

— Да нет, — не приняла ее отговорку я. — Вы думали как раз о действиях Санька. Какой смысл продавать предмет шантажа другому? Ответ прост: деньги! Допустим, вы договорились с ним на пятьдесят тысяч, а другой человек предложил ему сто.

— Я ему ничего не предлагала!

— Я вам не верю, — откровенно призналась я, — не верю, что вы в ту ночь не возвращались на дачу и что не вы встречались с Семеновым. Почему тогда вас интересует пленка?

— А кто вам сказал, что она меня интересует?

— Вы сами и сказали.

— ???

— Своим поведением.

Мой насмешливый взгляд сделал свое дело. Действительно, зачем отрицать очевидное.

— Ладно, скажем, так. В ту ночь я не возвращалась в загородный дом. Но пленка действительно меня интересует. Если она у вас или вам известно...

— ...то вы заплатите мне деньги, — закончила я за нее фразу.

— В разумных пределах, — внесла поправку госпожа Киреева.

— А вы можете мне рассказать, как вы провели ту ночь?

— Могу. Только к чему вам это? Вы всерьез считаете, что я убила Андрея?

— Я так не считаю, — немного подумав, покачала я головой. — Но мне все же интересно знать.

«Снежная королева» неопределенно передернула точеными плечиками. Ее жест мог означать все, что угодно:

«Как вы смеете задавать мне подобные вопросы, молодая нахалка?» Или же: «В этом нет никакого секрета!»

— Была дома. Выпила пару бокалов мартини, посмотрела телевизор и легла спать. А около четырех позвонил Антон и... ну, дальше вы и так все знаете.

Ничего другого я и не ожидала. Пока переваривала ответ, Анна Андреевна вновь попыталась взять инициативу в свои руки:

— Вернемся к пленке. Она у вас?

— Нет, но я догадываюсь, где ее искать.

— Где?

«Она что, за полную дуру меня держит?!»

Такая мысль невольно пришла в голову. И, наверное, не мне одной, поскольку Анна Андреевна поспешила объясниться:

— Если вы мне скажете место, то я...

— ...Я вам заплачу в разумных пределах, — вновь заканчиваю я за нее.

— Послушайте, зачем ВАМ негатив?!

— Чтобы посмотреть, что на нем. И понять, что за каша заварилась в славном домишке на Волге.

Говоря это, я встала, давая тем самым понять, что разговор окончен.

— Пятьдесят тысяч долларов, — бросила в бой последний резерв госпожа Киреева. — Пообещайте хоть, что сообщите мне, если вам предложат больше, — слышала я уже в холле ее голос, — это, кстати, и в интересах моей дочери. Раз вы о ней печетесь.

Последняя фраза хоть и была полна язвительных интонаций, но здорово смахивала на ту соломинку, за которую хватаются безнадежно тонущие.

Но я ничего не ответила. И молча покинула квартиру.

* * *

Улица встретила меня теплом летнего вечера и звуками обычной человеческой жизни. Невольно возникло ощущение, будто я только что покинула склеп.

Пока открывала водительскую дверцу, бросила осторожный взгляд на окна квартиры Киреева. Занавеска слегка колыхнулась. Это мне и нужно было увидеть! Теперь оставалось только ждать. Но торчать во дворе я не собиралась вовсе. Поэтому завела двигатель и спокойно покатила на улицу Чернышевского.

Дом располагался так, что в город можно было выехать по двум улицам. Но обе они неизменно приводили к проспекту Ленина. Потому я заняла пост за два квартала от жилища Киреевых и спокойно подождала. Ждать пришлось от силы минут пятнадцать. Потом я засекла вишневую «Ауди» Анны Андреевны.

Она спешила, и мне пришлось здорово попотеть, чтобы не потерять ее. Минут десять мы играли в бесшабашных водителей, периодически нарушая правила дорожного движения. Я рисковала значительно больше, поскольку задержка в виде беседы с работником ГИБДД моментально поставила бы крест на слежке за вдовой. А мне чертовски важно было знать, с кем же она так торопится встретиться и поделиться результатом разговора со мной! То, что именно я ее сорвала с места, не вызывало никаких сомнений.

Дом, у которого Анна Андреевна припарковала машину, прямо скажем, вызывал у меня удивление. Это оказалась бывшая заводская общага. Рядом стояла еще одна такая же серая пятиэтажка. Я порядком удивилась, поскольку предполагала, что безутешная вдова ринется первым делом к Вершинину. То, что он не может проживать тут, совершенно точно. А может, у них традиция такая? Санек тоже назначал встречи в халупе, в которой в конечном итоге и нашел свою смерть.

В любом случае мне ничего не оставалось, как узнать номер комнаты. И я прибегла к очередной авантюре.

Едва за Анной Андреевной захлопнулась дверь, я выскочила из машины и помчалась к подъезду. Мой расчет строился на том, что вдова очень спешила и вряд ли стала бы оглядываться назад. Хвост она пока не заметила, в этом я была уверена.

Выше слышался цокот ее каблучков. Поднялась следом, выдерживая интервал в один этаж. Наконец каблучки перестали выбивать чечетку, и раздался громкий звук звонка. Долгий и настойчивый. Едва звук прекратил буравить воздух, пальчик вновь вдавил кнопку.

«Ого, Анна Андреевна! Да вы встревожены не на шутку!»

Но размышлять мне было некогда и, пока дребезжащий звонок тревожил воздух, сделала небольшой рывок в пол-пролета.

Как я и предполагала — Киреева стояла спиной ко мне и давила кнопку квартиры номер четырнадцать.

На пролете я задержалась лишь мгновение и вновь ретировалась на безопасный второй этаж. Теперь уже только слушала.

— Кто там?

— Марина, открой!

— Щас!

Послышался лязг замка. Затем распахнулась дверь. Через пару секунд она, судя по звуку, вернулась в исходное положение, и я перевела дух.

Теперь уже спокойно поднялась наверх и некоторое время задумчиво рассматривала дверь квартиры одиннадцать. И пришла к выводу, что она мало чем отличается от двери той злополучной халупы, в которой назначал мне встречу шантажист.

Что поделать: традиция!

* * *

В Затон я приехала уже затемно. Мое настроение к тому времени заметно улучшилось, поскольку я обогатилась такой информацией!.. Да, такого поворота я даже не предполагала. Но об этом потом, поскольку последующие события не менее занимательны.

Итак, машину я оставила на той же стоянке на Малой Затонской и пешком преодолела небольшой подъем в гору.

Предварительно я забежала домой и экипировалась надлежащим образом, чтобы влезть в квартиру покойного шантажиста. Что делать — когда лес рубят, на щепки не смотрят! Да! Успела я сделать еще одно дело: побывала у знакомого, что помог мне с координатами настоящего жилья Семенова. Приятель за двадцать минут установил, что мой «ПМ» не имеет на себе совершенно ничьих отпечатков, в том числе моих. Да, собственно, я и не надеялась на чудо. Так, на всякий случай!

Я достигла Прибрежной улицы.

Темнота на улочке — хоть глаз выколи! Один-единственный фонарь оставался у меня далеко за спиной, и только свет из окошек домов, почти полностью скрадываемый высокими заборами, давал скудное освещение.

Итак: забор. Его я преодолела без особых сложностей. Мягко, по-кошачьи, приземлилась уже с другой стороны и на секунду застыла. Затем, стараясь на всякий случай не производить лишнего шума, перебралась к дому. Определить вход в него не составило большого труда.

Теперь передо мной вставала дилемма: выбрать для проникновения окно или попытаться открыть дверь. В голове мелькнула шальная мысль, что по случаю летней жары тарасовские жители иногда оставляют окна открытыми. И сама себя одернула: Санек вряд ли страдал беспечностью. Потому осмотрела входную дверь. Заперто надежно. Как я определила посредством фонарика — аж на два замка! Стояла и медленно остывала, понимая свое полное бессилие. Эту дверь «выкидухой» не откроешь! Надежная, как у сейфа!

Оставалась слабая надежда на окна. Без особого энтузиазма прошлась вдоль дома. Первое, второе, третье. Поворот за угол, и опять: первое, второе, третье. Еще поворот и стоп! Окна закончились, и вместе с ними — моя надежда проникнуть в жилье Сани Семенова. Мало того, что они все закрыты, к тому же еще защищены надежными решетками.

Спохватываться поздно, а ведь могла бы сейчас не мучиться, догадайся сразу взять у убитого сторожа ключи. Но тогда мне было не до того — подгоняла срочная необходимость уносить ноги.

Возвратилась к входной двери и застыла в раздумье. Длилось оно достаточно долго, и я уже приготовилась признать фиаско, как вдруг услышала звук, доносившийся со стороны ворот.

Моментально исчезла в тень, подальше от крыльца, и замерла.

Да, так оно и есть! Кто-то пожаловал в гости к покойному. Мысль о том, что это могут быть работники милиции, даже не приходила мне в голову. Неожиданный гость так же, как и я, старался сохранить инкогнито.

Мне его почти не было видно, я улавливала лишь смутную тень, двигавшуюся к крыльцу. Зато отчетливо слышала малейший звук. Вот человек зазвенел связкой ключей (или отмычек?!), негромко ругаясь. Затем раздался звук поворачиваемого ключа и легкий скрип двери.

Упускать этот момент было никак нельзя, поскольку я не хотела остаться снаружи. А уверенности в том, что неизвестный лояльно отнесется к моему появлению в квартире Семенова, у меня не было никакой.

В мгновение ока я оказалась у неожиданного помощника за спиной, и рукоятка моего пистолета опустилась на затылок мужчине. Что поделать — вынужденная мера. К тому же вполне вероятно, что это он вчера пробовал на крепость мой череп. Тогда моя совесть может быть совсем спокойна: просто вернула должок.

Он упал лицом вперед, прямо в прихожую. Пришлось повозиться, протаскивая его обмякшее тело дальше, и запереть на всякий случай дверь: вдруг кто еще пожалует и нарушит наше уединение? А оно мне было так необходимо!

После того как дверь захлопнулась, можно щелкнуть выключателем. Только вот где он? На помощь пришел мой фонарик, и желто-белое пятнышко резво заскользило по стенам. Когда наконец включила свет, то лишь слегка удивилась, узнав в визитере Грача. Тот лежал в полном отрубе, давая понять, что минут десять у меня есть. Оставив садовника в прихожей, перебралась в комнату.

Нетронутый слой пыли на полках мебельной стенки указывал на то, что убитый был в своем доме нечастым гостем.

Вот и третья комната. Предположительно, именно там находилось то, что я искала. Открыла дверь и пошарила рукой по стенке в поиске выключателя. Есть!

На фотолабораторию шантажиста увиденное не походило нисколько: вместо ожидаемого красного света загорался самый обычный. И комната самая обычная: небольшая спальня с кроватью и тумбочкой. Остальные детали я не успела разглядеть, поскольку тумбочка у кровати сразу же приковала мое внимание. Верхний ящик был задвинут не до конца.

В нем я обнаружила кучу исписанных тетрадей, ручку, блокнот и ключи. Большая связка. Вид этих ключей сразу же натолкнул на новую мысль.

Я забрала из ящика все, кроме ручки. Тетради кинула в оказавшуюся весьма кстати в комнате сумку, ключи и блокнот сунула в карман. Не задерживаясь более, вернулась в зал и вновь скользнула взглядом по находящимся в комнате предметам. Налет пыли безошибочно указывал на те места, в которые даже соваться — излишний труд. На всякий случай порылась в ящиках стенки. Совершенно без успеха. Кроме скомканного белья, ничего там не нашла.

Ну, пора уделить внимание и безобиднейшему, с точки зрения Вершинина, садовнику. Тем более, когда я выходила в коридор, он уже стоял на четвереньках и тряс головой. Присела напротив него на корточки и участливо спросила:

— Больно?

Вообще-то я совершенно не жестокий человек. Напротив, ласковая и нежная, какой и положено мне быть по природе. Просто ситуация последних дней потихоньку выдавила из меня все добродушие. Я уже всерьез начинала опасаться, как бы это не закрепилось в моем характере.

— Падла!

— За падлу можешь схлопотать повторно, — на всякий случай предупредила я.

Возможно, Грач попытался бы выяснить, кто из нас двоих большего стоит в рукопашной, но благоразумно покосился на «ПМ» в моей руке и в ответ только скрипнул зубами от злости.

— Пойдем за мной.

Это не приглашение, а приказ. Специалист по грядкам правильно понял интонацию моего голоса и безропотно поднялся. На кухне мы уселись напротив друг друга, но на почтительном расстоянии.

— Итак, вопрос первый. За что ты убил своего подельника Семенова? Делиться не хотел?

— Я не убивал его! — горячо запротестовал он. И для пущей убедительности энергично замотал головой.

— Откуда тогда ключи от его дома?

— У меня... были.

Ответ донельзя глупый, и принимать его за чистую монету я не собиралась.

— Ты что, меня за дуру держишь? Еще скажи, что вы педики и живете вместе!

— Да нет, тут другая история. Но я Санька не убивал! Я правду говорю!

— Но ты знаешь, что он мертв. Откуда тогда?

— А по какому праву вы меня допрашиваете? — неожиданно вернулся он к присущей ему манере безэмоционального общения.

— Павел Сергеевич, — подражая ему, перешла я на тот же язык, — я застукала вас здесь с ключами человека, которого убили несколько часов назад. Где вы их взяли? Этот вопрос вам первым делом зададут в милиции. И если вы не хотите ответить мне, то следователю ответить придется. А если я еще расскажу про ваше, совместно с убитым, хобби...

— Какое хобби? — непроизвольно вырвалось у него, и я поняла, что попала в точку. Впрочем, к моменту разговора у меня уже не было никакого сомнения, что Грач и убитый владелец дома — одна команда.

— Занятное хобби, — жестоко уточняю я, — фотографировать людей в нелицеприятный момент жизни, а затем вымогать у них деньги. Наш УК подобное действие квалифицирует как шантаж.

— Я не знаю... я ничего... я...

— Я — не я, и лошадь не моя, — прервала я насмешкой его стенания. — Это будешь в прокуратуре петь. А если не хочешь сейчас же отправиться прямой дорогой туда, то рассказывай.

— Что?

— Все, что знаешь, и с самого начала! И, попрошу, во избежание лишних вопросов, не опускать подробности.

— Хорошо, — разом скис Грач. — Я попробую... С Сашей я познакомился давно, как только он стал сторожем во Флориде.

— Где?

— Это мы так между собой называем их участок. Больно похоже на то, что по телику показывают. Вот Санек и окрестил.

— Давай дальше.

— Ну, сначала мы не очень контачили. Я человек по природе замкнутый. Да и Саша тоже не больно разговорчивый... был.

— Давай ближе к делу.

— Неожиданно где-то около года назад он переменил свое отношение ко мне. Стал в гости звать. Ну однажды я и зашел...

— Короче! — торопила я его, забывая о своей же просьбе не выкидывать подробности.

— Он предложил мне заработать деньги.

— Каким образом?

— Ну, я же не только Флориду обслуживаю. Еще шесть таких же угодий на мне. Да и так заходят, время от времени. Ну Семенов и предложил: прислушивайся, смотри по сторонам. Если увидишь что интересного или услышишь — сигналь мне.

— То бишь, — подытожила я услышанное, — предложил быть вам наводчиком. Что его интересовало?

— Да все! Садовник, он же для таких бар что? Так, безликое существо, копающееся в земле. Многие, наверное, думают, что и ушей-то у меня нет. Говорят откровенно, про связи, любовниц или любовников. Иногда везло и удавалось услышать, кто с кем встретиться хочет, ну, или еще какой любопытный фактик. Сплетню какую.

— Ясно. То есть вы выбирали объект для предстоящего шантажа.

— Ничего я не выбирал! — яростно запротестовал Грач против такого определения. — Я просто рассказывал Саше, что слышал. А уж он решал, что дальше делать. Он или еще кто-то.

— Еще кто-то? — сразу настораживаюсь я.

— Ну, однажды Санек обмолвился, — после небольшой запинки признался Грач, — что есть человек над ним. Он-то и придумал все это. А я, говорит, так, фотограф! Только правда это или нет — не знаю!

— Хорошо, давай дальше.

— Ну а перед тем, как во Флориде случилось убийство ее хозяина, он мне как-то брякнул, что поймал наконец «жирную рыбешку».

— Что это значит?

— Ну, мечта у него была такая. Сорвать как-нибудь такой куш, чтобы до конца жизни хватило.

«Несбыточная мечта шантажиста!» — усмехнулась я в душе. Вслух же спросила:

— Так, стало быть, он поймал такую золотую рыбку?

— Я так понял, да. Поэтому, когда он предложил мне сегодня приехать...

— Ты думал, что и тебе часть денег перепадет?

— Ну, в общем, так.

— А теперь давай подробно о сегодняшнем дне.

Я попутно перебивала его повествование вопросами, и постепенно мы пришли к следующему.

Со слов садовника, ему позвонил Семенов и тревожным голосом сообщил, что тот срочно нужен. Зачем, по телефону объяснять не стал. Просто велел приехать. Когда же Грач подъехал к девятиэтажке на Динамовском, то увидел там милицию и трупповозку. Ну, а разговоры в толпе зевак дополнили картину.

— А ключи у тебя как оказались?

— Я же говорю, были у меня...

— Спрашиваю: откуда?

Вытащить из Павла Сергеевича историю ключей на свет божий было неимоверно сложно. В конечном итоге она оказалась совсем простой и прозвучала так.

— Саша как-то попросил съездить к нему домой и кое-что забрать. Ну, я на всякий случай и сделал дубликат.

— Ничего себе! «На всякий случай»!

— Ну, понимаете. Саша в последнее время стал здорово зажимать меня в деньгах. Ну, я подумал...

Что подумал Грач, мне было неинтересно. Вернее, к этому вопросу я решила еще вернуться потом. Да заодно и к истории с ключами, поскольку версия Грача звучала очень неубедительно. Но в тот момент меня волновали более важные вещи.

— А теперь поедем или пойдем в гараж. Там ведь лаборатория?

Павел Сергеевич изобразил недоумение, явно приготовившись соврать. Пока он открывал рот, решила припугнуть его на всякий случай:

— Только попробуй промямлить, что не знаешь. При-стрелю на месте.

Павел Сергеевич хлопнул челюстью и некоторое время растерянно моргал. Однако все колебался, и я для пущей убедительности направила на него ствол пистолета.

— Есть у него гараж, но что там — я не знаю.

— Ну и ладненько, сейчас мы вместе это и узнаем.

Я встала и дулом своего «ПМ» красноречиво показала в сторону двери: иди, мол. Грач вздохнул и направился к выходу из дома.

Тому, что милиция не побывала на Прибрежной раньше нас, было простое объяснение: документов убитый с собой не носил. Судимым не числился, так что отпечатков его пальцев в милицейской базе данных попросту не оказалось.

Дверь дома и калитку запирала я. При этом не спуская ни на секунду глаз с Грача, поскольку не имела ни малейшего доверия к этому типу.

Вполне возможно, что все рассказанное им — просто вранье. Павел Сергеевич имел отличный шанс побывать в поместье, и именно он мог оглушить меня и взять ствол. И товарища своего пристрелить тоже мог. Мотив? Самый простой! Грач же его и обрисовал в своем рассказе: Санек стал зажимать его законные, что вызвало недовольство у подельника. А тут еще убитый на свою беду признался, что располагает материалами, позволяющими в случае успеха сорвать солидный куш. И Грач вполне был способен провернуть все дело самостоятельно. Подвернулся случай в виде моего ротозейства. Садовник забрал оружие, назначил быстренько встречу, убил Семенова и завладел ключами. Все бы ничего, но волею случая попался мне. Вопрос в следующем: а имеет ли он отношение к первому убийству? Возможно, имеет, а возможно — никакого.

Глава 7

Мы едем в сторону «Молочки». Так в обиходе тарасовские жители именуют район за городским аэропортом. Состоит он сплошь из частного сектора. Грач сидит рядом со мной на переднем сиденье, и мне невольно приходится раздваиваться: следить за ним и за дорогой. Вести машину он отказался, сославшись на то, что не умеет этого делать. Будто бы никогда за рулем не сидел. Поскольку опровергнуть это утверждение у меня не было никакой возможности, пришлось сесть за руль самой.

Всю дорогу меня тревожило ощущение, что за нами следят. Первое подозрение закралось у меня еще в Затоне. Не успели мы упаковаться в мою «ласточку», как где-то в темноте неподалеку заурчал мотор. Лучи фар на секунду ослепили меня, затем машина ушла вниз, на Малую Затонскую. Произошло все быстро, да и голова у меня была забита другим, потому поначалу я не придала этому значения. Но когда мы уже проехали половину Тарасова, мне показалось, что мой проводник слишком уж часто бросает взгляды в зеркало заднего вида. Меня это насторожило, и я невольно последовала его примеру. Мы миновали развилку на аэропорт, но ничего подозрительного я так и не заметила. И все же смутное беспокойство не оставляло меня.

— Что-то ты все время молчишь! Мы правильно едем? — спросила Грача больше для того, чтобы отогнать дурные мысли.

— Правильно, — чересчур бодрым голосом ответил он, что очень мне не понравилось. — За заводом поворачивайте направо. Затем сразу — налево и у третьего гаража останавливайтесь.

Выполнила его указания. Поворот, еще один следом, и я медленно покатила меж гаражей. Так. Вот третий.

— Справа или слева? — на всякий случай уточнила я.

— Слева, — односложно ответил специалист по грядкам и шантажу.

Остановилась у обозначенного объекта и скомандовала:

— Выходи из машины!

Я ждала, пока Грач послушно выберется. Едва он оказался снаружи, тоже покинула свое место.

— Дверцей хлопни, будь ласков! — вежливо попросила я, и он от души грохнул ею. Не может добраться до хозяйки, так хоть на ее собственности отыграться пытается. Вот козел!

Пока я возилась со связкой, подбирая нужный ключ, он перемещался ко мне все ближе.

— Стой где стоишь! — на всякий случай предупредила я, и Павел Сергеевич послушно застыл.

Тем временем я отперла навесной замок и возилась со внутренним. Наконец одолела и его и распахнула дверь. Включала фонарик и пошарила лучом по стене в поисках выключателя. Когда нашла его, включила свет.

Гараж выглядел обычно, только в кирпичной стене имелась еще одна дверь. Как я догадывалась, вела она в соседнее помещение. Сердце тихонечко екнуло, поскольку я поняла, что близка к цели.

— Иди сюда! — позвала я Грача.

Он присоединился ко мне, слегка щурясь с темноты. Я прикрыла за ним дверь. На всякий случай, от посторонних глаз. Затем подобрала ключ ко второй. Это удалось мне со второй попытки, и вновь пришлось искать выключатель. На сей раз в комнатке зажегся ожидаемый красный свет.

«Ловко придумал покойный! — невольно отметила я про себя. — Купил у соседа гараж, вход с улицы заделал, а у себя в стенке пробил. Получилось второе помещение».

Детально осмотрела лабораторию. Нашла несколько негативов, пачку фотографий, еженедельник. Еще какую-то тетрадку. Один из ящиков оказался закрыт. Ключ я подобрала из связки.

Внутри лежал «стечкин» и запасная обойма к нему. О безопасности Санек не забывал.

— Слушай, а кем раньше Санек работал? До того, как уйти в сторожа?

— Охранником в казино, — послышался равнодушный ответ Грача.

— Ну а до казино?

— Военным, кажется, был. Не знаю, он не больно-то о себе рассказывал, да и меня не сильно это интересовало.

Действительно, Семенов не любил откровенничать. Но то, что человек умел обращаться с оружием, видно было сразу.

Все найденное я пока без разбора покидала все в ту же клетчатую сумку, что взяла в спальне убитого «фотолюбителя». На всякий случай еще раз придирчиво осмотрела помещение: не пропустила ли чего? Кажется, нет.

Грач все это время держался очень спокойно, безучастно наблюдая за мной.

— На выход! — скомандовала я.

Он кинул на меня какой-то загадочный взгляд и, словно сомнамбула, двинулся к наружной двери. Я последовала за ним.

Едва щелкнула выключателем, как нас моментально накрыла непроглядная темнота, и на секунду я потеряла садовника из вида. Отыскать его мне уже не удалось, поскольку, едва я успела переступить порог, сразу услышала:

— Бросай ствол.

И вместе с этими словами что-то жесткое ощутимо уперлось мне между лопаток. Что ж, поплатилась за свою беспечность! Нужно было давно сообразить, что Грача кто-то доставил к дому на Волге. И что не по своей инициативе он полез в дом к Семенову. Потому-то и был уверен, что его выручат. В конечном итоге так и оказалось.

— В сумке! Все у нее в сумке! — подал голос Грач.

Вслед за его репликой неизвестный безжалостно выдернул сумку у меня из рук. И перед тем, как раствориться в темноте, выдал:

— Еще раз попадешься на глаза, убью!

Словно подтверждая серьезность угрозы, толкнул стволом в спину. Да так, что я невольно шагнула вперед.

— Пошли! — Это, верно, относилось к тихоне Павлу Сергеевичу. Тому самому, который, по мнению Антона, и мухи не обидит. С мухами, может быть, у него мир и согласие. А вот с людьми!..

— А ты стой где стоишь! — несколько запоздало донесся до меня приказ.

Я пыталась разглядеть что-либо, но видела лишь темноту. Через несколько секунд я адаптировалась к ней, но бесценное время было потеряно: я заметила лишь два темных, резво бегущих силуэта в конце гаражного проезда. Вот они свернули за угол, и мне уже их не достать при всем желании.

Огорченно вздохнула и принялась за поиски оружия. Свой фонарик, чтобы не мешался, еще раньше бросила все в ту же сумку. Теперь она у похитителя.

Потому залезла в салон своей машины и достала зажигалку и сигареты. Прикурила, затем чиркнула кремнем еще раз и при трепетном свете подобрала свое оружие.

Затем скоренько уселась за руль «жука» и завела мотор. Пронеслась по гаражной улочке на рекордной скорости. Свернула там же, где до меня свернул Грач со своим спасителем.

Мне невольно пришлось остановиться, чтобы не врезаться в черный «мерс». Он летел мимо со скоростью пушечного ядра. Его водитель, по всей видимости, чувствовал себя полным и безраздельным хозяином на дороге.

Как ни странно, именно появление этого технического достижения развитого капитализма несколько охладило мой пыл.

Потому после поворота я уже не жала на газ с таким азартом. Настало время вновь задуматься.

* * *

Казино — это трясина для азартной человеческой души.

В Тарасове, если пройдешь по улице в центре города и не обнаружишь пару подобных заведений или, на худой конец, зал игровых автоматов — значит, ты ослеп и тебе срочно нужно к врачу проверить зрение.

«Три семерки», «Тройка», «Бункер», «Адмирал»... Перечисление их всех займет слишком много времени, потому просто поверьте мне на слово, что в городе найдется достаточно мест, где вы сможете избавиться от имеющейся наличности.

Посетители бывают совершенно разные. Например, в «Адмирал» ходит один дедок, совершенно невзрачный на вид. В первый раз его охрана даже пускать не хотела. Парни подумали, попутал старый двери с каким-нибудь гастрономом. Но пенсионер достал толстую пачку купюр, аккуратно перетянутых резинкой, и помахал перед носом обалдевших охранников. Затем сел играть. Играл он всегда на автоматах, совершенно игнорируя карточные столы и рулетку. Уникальный старикан: за пару ночей просадит штук двадцать, а потом радуется, как ребенок, когда автомат даст ему пару тысяч выигрыша.

Известный тарасовский авторитет по кличке Агап тоже

играет строго в «Адмирале». Появляется примерно раз в два месяца. У работников заведения, являющихся невольными свидетелями его игры, дух захватывает от сумм, которые он с барской легкостью выкидывает на стол. Фишки на сто тысяч — обычный его заход. Когда деньги заканчиваются, Агап делает звонок по сотовому, и ему привозят еще.

Это завсегдатаи. Их, и еще десяток других, знают в лицо. Они живут казино. У каждого заведения они свои. И у каждого свои привычки. Предприниматель Самсон на протяжении всей ночи курит сигары, одну за другой, и девочки заранее морщат носики, едва он показывается на пороге. Другой джентльмен, имя которого работники не знают, сидит каждый раз сутки напролет и постоянно тянет кофе. Кофе пьют многие игроки, особенно ночью. Но этот мужчина поглощает его просто в невероятных количествах, наверное, девиз его жизни: «Тонна кофе в сутки!»

Бывают и залетные. Их никто не знает, и тем не менее они-то чаще всего и удивляют работников заведения. Например: приходит молоденький парнишка лет двадцати с небольшим и говорит, что хочет поиграть. К нему относятся снисходительно — пусть пацанчик выкинет пару тысчонок, жизненного опыта наберется. А «пацанчик» легко идет в игре до полумиллиона и к утру становится богаче на двести тысяч.

Чаще бывают, конечно, случаи наоборот. Приходит солидный дядька, несмотря на летнюю жару, в костюме и при «гавриле». А утром посмотришь на него — самому плакать хочется. Руки трясутся, за сердце то и дело хватается. Сидит и сквозь слезы давит свою историю деликатно покашливающему охраннику: мол, взял кредит на пятьдесят тысяч, решил заглянуть и пару штук тряхануть наудачу. Пару, затем еще пару... а к утру от кредита осталось только на водку и такси.

Откуда я все это знаю? Да мало ли у меня клиентов, которые вечером неизменно тащатся в «Ротонду» или в тот же «Адмирал»?! С одним добрым дядечкой у меня был контракт на месяц. И все ночи этого месяца, за редким исключением, я проторчала в «Трех семерках». Так что эту сторону жизни знаю хорошо. Ну а разговор о казино зашел именно потому, что мой путь той ночью лежал в одно из них.

Для начала я отправилась домой и поменяла свой прикид. Легкий костюм пришелся вполне кстати. Тетушка уже спала, и я старалась не шуметь. Привела себя в порядок и снова нырнула в машину. Часы показывали час ночи. Что ж, самое время развлечься. Только мне было не до развлечений. В «Бункере» я надеялась застать одного человека, о котором узнала совсем недавно...

И вот теперь самое время возвратиться к общаге на второй Дачной. К той самой, где в комнату под номером четырнадцать так настойчиво звонила госпожа Киреева.

* * *

Пока Анна Андреевна общалась с незнакомой мне Мариной, я решила вернуться к своей машине.

Пока шла, осматривала двор дома. Ничего особенного: женщины с колясками, мужики за столиком режутся в домино. Сломанные качели, которые облюбовал молодняк. Ребята потягивают пиво и о чем-то оживленно разговаривают. Три парня и одна девушка. Проходя мимо, услышала:

— Глянь, эта крутая опять к сестре намылилась.

— К Маринке? Когда? Что-то я проглядела.

Я невольно притормозила, копаясь в сумке и делая вид, будто ищу сигареты. На самом деле мне было очень важно дослушать их разговор, поскольку нутром чувствовала, что говорят они о жительнице квартиры номер четырнадцать.

«Сестра?! У Анны Андреевны есть сестра?! Нужно срочно с ней познакомиться. Хотя бы визуально!» — лихорадочно роясь в сумке, решила я.

Пачка наконец появилась на свет, и я принялась с прежним энтузиазмом искать теперь зажигалку.

— Да вон ее тачка стоит, — лениво заметил один из ребят и кивнул в сторону машины Анны Андреевны. Теперь уж сомнений никаких не может быть — я не промахнулась.

Я так и не «нашла» зажигалку и с мольбой посмотрела на компашку.

— Ребят, огонька не найдется?

— Найдется, — с готовностью подорвался один из парней. Девица проводила его недовольным взглядом.

В мои планы совершенно не входило отбивать у нее поклонников. Потому демократично шагнула навстречу к проявившему излишний энтузиазм парню. Прикурила и спросила:

— А вы местные?

— Да, а что?

Ответ прозвучал почти хором, и в нем чувствовалось доброжелательное любопытство.

— Да так, ничего. Может, вы знаете Тимура Фаридовича?

— А кто это такой?

Я сама не знала, кто это такой, поскольку выдумала имя-отчество на ходу. Но продолжила свою игру:

— Он тут вроде местного начальничка. То ли ЖЭКа, то ли еще какой-то конторы.

— Нет, не знаем. А зачем он вам? — проявила теперь инициативу девица. В ее вопросе сквозила легкая нотка вызова и небольшая толика ревности: еще минуту назад она была центром внимания. Сейчас он сместился в мою сторону, и ее это, по всей видимости, не устраивало.

— Дело в том, что я корреспондент газеты...

Специально выдержала значительную паузу. Проконтролировала впечатление, которое произвела на ребят моя реплика. Заинтересованности во взгляде прибавилось. Даже девица теперь смотрела на меня без былой враждебности.

— А какой газеты? — полюбопытствовал один из них.

— В «Тарасовских новостях», — охотно продолжала я заливать дальше, — должны были написать про ваш микрорайон, — да вот что-то запаздывает человек.

— А может, он вообще не придет, — радостно озвучил свою догадку веснушчатый лопоухий парень. — Испугался, наверное! Ведь тут еще с лета все трубы разворовали!

— Трубы? — делано переспросила я и достала для убедительности блокнот.

При виде блокнота и ручки молодняк притих и с некоторым испугом поглядывал на журналистские атрибуты.

— Ребята, — предложила я, демонстративно убирая письменные принадлежности обратно в сумочку. — У меня к вам деловое предложение. Я куплю пива, и мы просто посидим, побеседуем о вашем дворе. Ни имена, ни фамилии записывать не буду. Просто поговорим. Надолго я вас не задержу. Обещаю.

Я была полностью уверена в беспроигрышности такого варианта. Так оно и получилось. Даже за пивом мне самой идти не пришлось — отправился все тот же лопоухий парень. Метнулся зайцем под смешок товарищей. Видно, боялся пропустить самое интересное.

— А машина, про которую вы говорили, принадлежит жене директора фирмы «Данко», Киреевой Анне Андреевне, — как бы между прочим заметила.

— А вы откуда знаете? — тут же встрепенулась девица. Видно, разговор о жильцах дома интересовал ее в большей степени, чем коммунальные проблемы родного микрорайона. Мне, естественно, такое направление тоже было предпочтительнее, поскольку цель всего этого фарса как раз и состояла в том, чтобы выведать побольше про сестру вдовы.

— Ну-у, таких людей мы, как правило, знаем в лицо! Да и встречаться как-то приходилось. Только вот не знала я, что у нее есть сестра.

— Маринка? Так она только недавно освободилась!

«Опа! А вот это уже интересно!»

— Освободилась? Откуда? — изобразила я недоумение.

— С зоны! Понятно откуда! — радостно «просветил» меня крепкий паренек с короткой стрижкой, до того помалкивавший. Говорил веско, со знанием дела. Что-то в его взгляде и манере поведения подсказывало, что он и сам уже успел «отметиться», невзирая на юный возраст.

— Да ни за что она сидела, — неожиданно взялась защищать сестру Анны Андреевны девица. — «Попала» просто!

В таком емком «попала» заключалась масса информации, исключительно важной для меня. Потому я ненавязчиво попыталась раскрутить весь клубок недомолвок и неизвестных деталей.

Оказалось, что Марина является соседкой моей собеседницы по лестничной клетке, потому-то Катька все про нее знает. Со слов молодой особы выходило, что Маринка — во-от такая баба! Только ей по жизни жутко не везло. И в мужиках, и в работе. А сестра у нее сука изрядная. Столько «бабла» имеет, могла бы младшей хоть квартиру купить приличную!

К этому моменту рассказа неожиданно разговорившейся девицы я краем глаза заметила, что Киреева покинула подъезд и чуть ли не бегом припустила обратно к машине. Но мне она сегодня уже не пригодилась бы, потому я лишь отметила для себя этот факт и вновь сосредоточилась на рассказчице. Тем более та, тоже заметив Анну Андреевну, неожиданно примолкла и попросила у сидевшего рядом парня сигарету. Я протянула свою пачку, мучительно продумывая дальнейший ход беседы на ту же тему...

С ребятами я рассталась через полчасика, на прощанье дав им еще полтинник на пиво. Про их микрорайон я вряд ли узнала больше, чем уже знала до этого. А вот про Марину Цыпину, младшую сестру госпожи Киреевой, — предостаточно. Достаточно для того, чтобы всерьез заинтересоваться ее персоной.

Госпоже Киреевой где-то тридцать пять, сестре же ее, со слов все той же Катерины, не больше тридцати. Была замужем, разведена. Попала, как она выразилась, за наркоту. Сомнительная история с сомнительными обстоятельствами. Получила два года, из которых отсидела лишь один. Наверное, денежки Андрея Викторовича возымели действие.

Самое любопытное заключалось в следующем: сестры, несмотря на большую разницу в возрасте, были очень похожи. И еще — Марина работала стриптизершей в кафе при казино «Бункер».

* * *

Второй факт приобрел в моих глазах значение после того, как я исследовала записную книжку покойного Санька. «Бункер» в ней не просто значился, а был жирно подчеркнут фломастером. И напротив названия этого почтенного заведения стояла буковка М. Потому я и решила направить свои стопы именно туда.

Припарковав машину на стоянке для гостей, спустилась по ступенькам вниз. «Бункером» свое владение хозяин окрестил, скорее всего, без особой выдумки именно потому, что располагалось оно ниже городских улиц. Раньше, до перестройки, как мне помнится, здесь размещалась какая-то контора. Какая именно — убей, не помню! Теперь у винтовой лестницы стояла перевязанная подарочными лентами иномарка, а сразу за дверью — два секьюрити в безукоризненно отглаженных костюмах. Одинаковые, словно манекены. Гардероб по случаю лета не функционировал. Потому я открыла следующую дверь и оказалась в центральном зале. Тут же располагался бар и подиум. Игровые залы скрывались за следующими двумя дверями. Там было царство азарта. Здесь же преобладала спокойная атмосфера релаксации. В воздухе витал легкий джаз, невольно настраивая на отдых.

Поскольку у меня не было намерения делать ставки, я осталась здесь. Как и положено настоящей леди, заказала дорогой коктейль и со скучающим видом глазела на подиум. Там сейчас трудилась молодая девушка лет двадцати пяти. Я не отношусь к специалистам по стриптизу, но, судя по реакции зрителей-мужчин, работала она качественно. У меня оставался запас времени до утра. Можно было, конечно, форсировать события, но пока я предоставила им возможность идти своим чередом. Следом за девицей в изумрудном воздушном платье через небольшой промежуток вышла другая. Она крутилась вокруг шеста как заведенная. Я невольно отметила, что пластика движений у второй исполнительницы гораздо лучше. Потом в стриптизе наступил перерыв. Наверное, для того, чтобы мужская часть зала полностью переварила ощущения, полученные от первых двух танцовщиц.

Затем...

Едва она вспорхнула на подиум, произошли две вещи: прозвучали жиденькие аплодисменты, и в такт им гулко забилось мое сердце. Катька не соврала — Марина была очень похожа на свою старшую сестру.

Едва я увидела ее, у меня на секунду возникло ощущение, что на подиум вышла Анна Андреевна, только вдруг значительно помолодевшая.

Я с интересом просмотрела ее выступление. Оно было

ничуть не хуже двух предыдущих. Так мне, по крайней мере, показалось. Мужчинам, судя по хлопкам и одобрительному гулу, оно тоже понравилось.

Марина уже уходила с подиума, а я ломала голову, как проникнуть вслед за ней в служебное помещение. В дверях стоял набыченный парнишка, который, насколько я знала, не пропустит меня ни под каким соусом: здесь ему хорошо платили, и рисковать своим местом он вряд ли бы стал.

А вот мою записку передать он вполне бы смог. Только вот что написать?

Непродолжительные умственные усилия вылились в следующее:

«Марина, мне нужно с тобой поговорить о твоей сестре и о А. С. Женщина в бежевом костюме за третьим столиком от рабочей площадки».

Подумав, решила ничего не добавлять и подозвала официантку. Она ушла вместе с моей запиской и ста рублями оплаты за услугу. Я проследила за ней взглядом. Девушка подошла к непроницаемому охраннику, и тот сосредоточенно выслушал ее просьбу. На всякий случай кинул на меня быстрый внимательный взгляд. Я перехватила его и чуть улыбнулась в ответ. Затем он что-то сказал официантке, та согласно кивнула и исчезла за дверью.

Десять минут томительного ожидания, и девушка появилась с ответом. Скорее всего, она прочитала мое послание, потому смотрела на меня с некоторым интересом. Я сухо кивнула ей, получая ответную записку, после чего официантка ушла.

«Ухожу в полтретьего. Буду ждать вас на выходе». Я автоматически посмотрела на часы — уже почти два. Пора закругляться! Я расплатилась и пошла на выход. У меня было чем занять время — до этого лишь пролистала записную книжку Семенова. Теперь нашлось время досконально изучить ее.

В основном это были телефонные номера. Около некоторых из них имелись пометки. В основном двух типов: знак плюс и знак минус. Я догадывалась, что это номера тех людей, что Санек со своей бригадой брал в «оборот». Иногда рядом с телефонами попадались имена или просто заглавные буквы. Мне они пока ничего не говорили. Блокнот был исписан основательно, и запомнить все не представлялось возможным. Да и зачем? Пока я ждала на стоянке, меня объехала пара дорогих иномарок. Потом я заметила, что у тротуара на противоположной стороне остановилась бежевая «девятка». Ее появление почему-то меня насторожило. Почему именно, трудно сказать. Но ощущениям своим я привыкла доверять. Может, потому и жива до сих пор?

«Девятка» упорно стояла на прежнем месте, и я невольно задумалась: не на ней ли сегодня приезжал тот самый человек, что доставил Грача к дому на малой Затонной. И он же грозил убить меня при следующей встрече.

У моего костюма есть одно достоинство: в пиджаке имеется удобный боковой карман, и туда я на всякий случай поместила пистолет.

Наблюдая за приковавшей мое внимание машиной, я едва не прозевала Марину.

Девушка вертела головой, явно беспокоясь. Я покинула салон своей «ласточки» и подошла к ней, не забыв при этом еще раз окинуть взглядом «девятку». Потом на время переключилась на работницу «Бункера».

— Здравствуйте.

— Здравствуйте. О чем вы хотели со мной поговорить?

Судя по ее тону, заведомой неприязни ко мне она не испытывала. Впрочем, и должного любопытства я не услышала.

— О вашей сестре, ее дочери и о ночи с пятницы на субботу на прошлой неделе. И, возможно, об Александре Семенове.

— Понятно, — нахмурилась Марина. — Вы, наверное, та самая телохранительница, которую нанял Андрей? Женя, если не ошибаюсь?

— Не ошибаетесь.

— Сестра мне говорила о вас, — на секунду она замолкала и бросила быстрый взгляд в сторону. Мне не было нужды глядеть в том же направлении, поскольку до меня и так донесся звук хлопнувшей дверцы. Ясно: помощь пришла в движение. Я незаметно переместилась так, чтобы следить за ситуацией в целом.

Мужчина, только что покинувший бежевую машину, направлялся не к нам. Он по диагонали пересек улицу и скрылся за углом. Предложение, которое я услышала от Марины, едва ее «спаситель» исчез из вида, нисколько меня не удивило:

— Разговор серьезный. Может, пройдем немного вперед? А то сейчас наши девочки будут выходить. Зачем нам свидетели?

Была очень хорошая альтернатива поговорить в моей машине, но я заведомо знала, что Цыпина на нее не согласится. Ей сейчас крайне необходимо, чтобы я свернула за угол. Что ж, не буду разочаровывать ее до поры! Тронулась она, естественно, в том направлении, в котором я и предполагала.

На протяжении всей дороги мы молчали. И вот уже...

Но до того как повернуть, я делаю быстрый шаг в сторону и своей левой рукой ловлю запястье ее одноименной руки. Мгновение, и стриптизерша выгибается дугой, невольно вскрикивая от боли. Простой залом — и я прикрываюсь ею как живым щитом. Свободной правой рукой я вытаскиваю свое оружие.

— Сука!

— Еще хоть слово вякнешь — убью! — предупредила я ее на всякий случай.

Она не успела ничего мне ответить, поскольку ночную тишину распорола вспышка выстрела. Звук ударил по ушам, когда мы уже лежали на асфальте.

На счастье сестры госпожи Киреевой, я обладала отменной реакцией. Иначе бы в нашей истории прибавился еще один труп. А возможно, не будь я настороже, повествование закончилось бы на том самом месте. Так как после моей смерти рассказать вам все это было бы просто некому.

Но так или иначе второй раз выстрелить нападавшему не удалось, поскольку стреляла уже я. Стреляла сразу же, автоматически угадывая направление. Судя по громкому вскрику и паре последующих матюгов, попала. Разлеживаться мне было некогда. Секунда — и я уже вскочила на ноги.

Человек удирал от меня с завидной скоростью. Неожиданно его фигура четко проступила в свете уличного фонаря. Хорошо видно было, что он держится за плечо. Побежала за ним. Несмотря на отставание, у меня оставалось большое преимущество: он ранен, а я — нет. И все же я умудрилась его упустить.

Ушел буквально из-под носа. А виною тому стал неизвестно откуда появившийся на моем пути странный тип, оказавшийся на поверку обычным бомжом. Налетев на него на полном ходу, я не удержалась на ногах.

Так зла я не была еще никогда в жизни! Если бы это подобие человеческого существа открыло рот, прибила бы его, честное слово! Через пару секунд я остыла, а преследуемый растворился среди домов. Во всяком случае, на освещенной улице его уже не было видно.

Опять же — времени на раздумья у меня просто не оставалось. Бросилась в обратном направлении, но и сестренка-стриптизерша, так мило пытавшаяся подставить меня под пулю, скрылась. Пропала и бежевая «девятка». Я вполне допускала, что Марина отбыла именно на ней.

Только пара охранников, вышедших на улицу узнать, в чем дело, растерянно хлопали глазами. Вопросов они мне не задавали, чему я весьма обрадовалась.

Я была уверена, что Марина домой не поедет. Потому со спокойной душой решила, что приключений на сегодня хватит и пора отправиться спать. Я ведь не машина, и мне нужен отдых.

Глава 8

Отдохнуть столько, сколько хочется, я не могу себе позволить.

Третий день своего расследования я начала спозаранку. Будильник безжалостно выдернул меня из постели в восемь утра. Если учесть, что я легла туда в половине четвертого, то сразу становится понятным мое состояние на то утро.

Откликнулась я на верещание железного монстра со стрелками только благодаря огромному усилию воли. Первое мое желание было — просто выкинуть его в окно. Затем я все же отклеила тяжелую голову от подушки и поплелась в ванную комнату. Там быстро привела себя в порядок с помощью контрастного душа. Последнюю точку в моем воскрешении поставил большой бокал очень крепкого кофе.

Уже через десять минут машина везла меня к Первой Дачной. А еще через двадцать я давила кнопку звонка квартиры номер четырнадцать. Открывать мне никто не спешил, но я знала, что Марина дома. Правда, существовал еще один вариант: она в больнице, но так думать мне почему-то не хотелось.

Пищу для подобных мыслей мне дала бежевая «девятка». Вернее, ее вид. Вмятина на левом крыле, длинная царапина по всей правой стороне. «Морда» разбита, поскольку тачка припаркована тоже весьма своеобразно: она просто воткнута в тополь.

Я надавила на звонок в надежде, что проснутся соседи по коммуналке. Так и произошло: дверь мне открыла заспанная Катька и широко распахнула изумленные газа. Но объясняться мне с ней было некогда, потому только спросила:

— Марина дома?

— Я не знаю... кажется...

Отодвинула ее в сторону и прошла в коридор. И почему на входной двери указан только четырнадцатый номер? Тут, как я поняла, есть еще как минимум три комнаты.

Но ломать голову над этим у меня не было никакого желания. Я вопросительно посмотрела на ближайшую по коридору дверь. Катька поняла мой молчаливый вопрос и утвердительно кивнула. Я постучалась. Реакции никакой. Толкнула дверь на всякий случай. Она открылась. Я притворила ее за собой, спасаясь от Катькиного любопытного взора.

Марина была жива и здорова, на ней не появилось ни царапины. Это можно было сказать со стопроцентной уверенностью, поскольку она лежала абсолютно голая и мертвецки пьяная. Запах перегара душил меня еще у порога. Прежде чем начать тормошить стриптизершу, я открыла настежь окно. Если бы из окон соседнего дома кто и увидел Маринку, морального ущерба тем самым я бы ей не нанесла: она каждую ночь показывала свою задницу всем желающим. Так что реноме ее вряд ли пострадало бы, а свежий воздух был необходим не только ей. Мне тоже нечем дышать. А этой адской смесью перегара и табачного дыма... простите покорно!

Когда я начала трясти Маринку за плечо, та сквозь сон запротестовала:

— Отвали! Сказала: не дам!

Не знаю, какие эротические фантазии бродили в ее пьяной голове, — мне это было до лампочки! Укутала ее в простыню и взвалила на спину. Пришлось тяжеловато, но что делать.

— Отстань, сказала же...

— Это я уже слышала, — заметила я вскользь, скорее для себя, чем для сестры Анны Андреевны.

Катька так и не смогла оправиться от моего бесцеремонного вторжения и молча лупила зенки.

— Душ у вас есть?

Она мотнула головой в сторону одной из дверей.

— Что с ней? — на всякий случай поинтересовалась Катька, хотя и сама все прекрасно видела.

— Пьяная в стельку.

Я открыла дверь и запихнула туда свою ношу. Пол душа имел рекордный по величине размер: полметра в ширину и метр — в длину. Я поместила тело стриптизерши на пол в сидячем положении. Потом врубила холодную воду и закрыла дверь с обратной стороны. Налегла на нее всем телом, поскольку знала, что это понадобится.

Действительно, через пару секунд из кабинки донесся леденящий кровь визг. Затем дверь толкнули с такой силой, что я еле удержала ее.

Мат вперемешку с диким ором закончился минуты через две. Еще раньше прекратился звук льющейся воды — разобралась, видно, девица, что спасения нужно в первую очередь искать в зоне досягаемости.

Затем послышалось человеческое:

— Слышь, кто там? Открой!

Вот теперь с ней можно было разговаривать.

Когда Марина увидела меня, то на секунду застыла. Во взгляде скользнул откровенный ужас, словно ей повстречался монстр. Возможно, в первую секунду она так и думала, поскольку, конечно же, очень надеялась на своего дружка. На то, что он все же меня укокошит.

— Т-т-ты?!

Я догадалась, что зубы у нее стучат не только от холода.

— Я, — просто ответила ей и уже в командном порядке добавила: — Пойдем к тебе в комнату. Нечего Катьку совращать.

— Ее совратишь, — не удержалась Маринка от ехидного замечания в адрес своей молодой соседки. Та, прекрасно все слышавшая, отнеслась к подобному заявлению совершенно равнодушно.

Голышом, шлепая босыми ногами по деревянному полу, секс-звезда местного розлива продефилировала в свою комнату. Простыня так и осталась лежать мокрым комком в душевой на полу, и поднимать ее у меня не было никакого желания.

— Господи, кто тут все расхлебенил?

— Я, — опять односложно ответила я.

— Ты... ты?! Да по какому праву, бля, ты вообще здесь?! И чего это ты распоряжаешься в моей...

Ее гневную тираду я прервала очень просто — влепив оплеуху. Та еще открыла рот, наверное, желая закончить. Но я безжалостно ударила второй раз, затем — третий...

— Все, хватит! — голосом, полным мольбы и слез, наконец попросила она.

— Запомни, блядешка, — холодно заметила ей, — жопой крутить будешь перед мужиками на работе, а передо мной незачем! И гонор свой тоже им показывать будешь. А я тебе его живо обломаю. Усекла? Усекла, спрашиваю?!

— Д-да, — раздался тихий и покорный ответ.

— А теперь будем разговаривать, — определила я последовательность дальнейших действий, — и от того, как мы поговорим, зависит то, что я с тобой сделаю. А пока надень что-нибудь.

Марина отыскала на вешалке линялый халат, затем закопошилась в холодильнике. На свет появилась початая бутылка водки. Тут же, на стар#еньком «Мире», стоял и стакан. Девица щедро наполнила его почти до конца и, не отрываясь, вылакала все до капли. Меня аж передернуло, глядя на нее! Маринка запила прямо из носика чайника. Продышавшись, поискала глазами сигареты.

Закурила и села напротив меня в кресло, подобрав под себя ноги.

— О чем будем говорить? — хрипло спросила она.

— Обо всем на свете! Я буду спрашивать, а ты — отвечать! Итак, ночью ты навела на меня убийцу — кто он?

— Я знаю, что зовут его Виктор. Знаю телефон. Кто он и где его найти — не имею ни малейшего понятия. Кличут его Артист.

«Опа! Так вот кого имел в виду в минуту смерти Саша Семенов. Вовсе не дворового пса садовника, а человека!»

— Как мне его найти?

— Не имею ни малейшего понятия. У меня есть только его сотовый. Больше ничего.

Похоже, Маринка говорила правду. На всякий случай я решила ее постращать:

— Слушай, ты, как женщина умная, должна понимать: врать мне не стоит. Да и в твоих же интересах, чтобы я быстрей до него добралась, чем он — до тебя. Свидетелей не любят.

— Я это понимаю, — горько усмехнулась она в ответ, — только помочь ничем не могу. Телефон дам. Только, — Марина опять скривилась, — скоре всего, он уже в каком-нибудь мусорном ящике.

Я тоже так подумала, но номер все же записала.

— До того, как позвонить ему, когда вы последний раз встречались?

— Приезжал сюда позавчера. Предупредил, чтобы в случае чего сразу ему позвонила. Про тебя говорил. А потом еще и сестра предупредила.

— Теперь давай по порядку. О чем ты говорила в ночь убийства в саду с Семеновым?

— С кем?

— Не прикидывайся! Я сразу узнала твой голос. Так о чем ты со сторожем говорила?

На этот раз я говорила уверенно: вопрос, так давно мучивший меня, разрешился вчера, когда мы с ней обменялись парой фраз.

— Со сторожем? Так бы сразу и сказала! Откуда я знаю,

что у него фамилия Семенов. Санек или Фотограф — вот это бы я сразу поняла.

— Так как ты там оказалась?

— Если хочешь повесить на меня мокруху, то зря. Я шурина не убивала. А чтобы понять, зачем я там оказалась, придется долго рассказывать.

— Вот и рассказывай.

— Щас, только водки еще глотну. А то башка раскалывается.

— А ты не вырубишься? — на всякий случай поинтересовалась я. — Не придется еще раз в душ тащить?

Маринка только криво усмехнулась, протопала к холодильнику и повторила процедуру со стаканом. Только лишь с небольшим отличием: на этот раз она закусила чем-то прямо из холодильника, а уж потом запила. Потом начала свой рассказ.

* * *

Когда Киреев женился на Анне, Марина очень завидовала старшей сестре. Мечтала, что, когда придет ее черед, муж ей достанется не хуже Андрея — такой же обеспеченный. Красотой ее бог не обделил, так же как и старшую. Не думала она тогда, что через семь лет будет ненавидеть его всеми фибрами своей души.

Жизнь текла своим чередом, сестра стала заметно отдаляться от младшей. Да и вообще, Марина сразу заметила, что ни ее, не их с Анной родителей Андрей не разрешает привечать в своем доме.

Аня помогала им как могла, украдкой от мужа. Один раз честно призналась, что если Андрей узнает, что она дает деньги родственникам, то ей не поздоровится. Грозился развестись сразу же.

Затем... затем в жизни Марины и Ани случилось большое несчастье — почти в один год умерли их родители. И Марина, считай, осталась одна.

— Андрей всегда попрекал жену прошлым, — глубоко затягиваясь, говорила она.

Я сразу же вспомнила ту безобразную сцену, невольной свидетельницей которой стала.

— А что с прошлым?

— Ну, они познакомились на одной вечеринке. Аня там была с приятелем Андрея. Потом говорили... Языки, знаешь, длинные.

Глубоко затянувшись, она продолжила повествование, поставив пока точку на отношениях ее зятя с сестрой.

Дальше, как рассказала Марина, ее жизнь была полна испытаний и невзгод. Неудачно вышла замуж и в результате развода оказалась в этой самой коммуналке. Бросила все и подалась на заработок в столицу. Однако там ее никто не ждал. Очень быстро очутилась на панели. Сообразив, что выше статуса проститутки ей подняться не светит, Марина ринулась обратно, в родной Тарасов. Случилось это четыре года назад. И, как ни странно, зять ее возвращению почему-то обрадовался.

— Я дура, как последняя лохушка, обрадовалась. Думала, человеком стал. Как же! — потянувшись за очередной порцией водки, с очевидной горечью призналась она.

— Обещал устроить, на квартиру помочь заработать. Аня тоже, как дура, радовалась! А он, сволота, уже свои виды на меня имел.

Идиллия длилась недолго. Через неделю Андрей неожиданно поздно пришел к ней сюда, в коммуналку. Вроде как для серьезного разговора. Притащил с собой водку. Когда уже прилично выпили, вдруг объявил, что хочет ее. Даже бывшая проститутка ошалела от такой наглости: все же муж ее сестры. Марина отказала ему, тогда Андрей просто избил ее и изнасиловал.

— Но дальше было хуже, — продолжала она свой полный горечи рассказ. — Сказал, что, если не стану делать то, что он мне велит, расскажет сестре, будто я клеилась к нему. Падла, последнего родного человека лишить хотел! Я молчала, а он подкладывал меня под всех, кто был ему нужен. И все же я терпела, но он не унимался! В очередной раз пришел, оттрахал меня и заявил, что задумал новое дело. Было это как раз три года назад.

— И что за дело?

— Как раз то самое, про которое вы Аню пытали.

— Шантаж?

— Ага! — поддакнула Маринка, раздавила очередную

стопку и продолжила: — Короче, радостно объявил мне, что теперь не просто меня подкладывать будет, а еще и скрытно фотографировать при этом. А затем деньги отжимать. Ну, я девочка была уже опытная. Понимала, что за подобное можно запросто либо головы лишиться, либо за решетку загреметь. Так Андрею и сказала. А он ухмыльнулся: не ссы, говорит, от всех напастей защищу! Защитник хренов! Сам и был самой большой напастью, крыса. Короче, наотрез отказалась. Он, конечно, избил меня до полусмерти. Но я все равно стояла на своем, хоть на куски режь. Андрей тогда ушел. Я думала, что кончились мои муки. Оказалось, только начались!

Она порывалась совершить еще один марш к холодильнику, но вовремя вспомнила, что водка кончилась. Незлобно ругнулась и вытащила из пачки сигарету. Которую по счету за последние полчаса, я не берусь сказать: пепельница уже здорово смахивала на ежика.

— Андрей, падла, пострашнее вещь придумал, — после пары глубоких затяжек продолжала она, — пару деньков от него ни слуху ни духу не было, затем неожиданно заявились ко мне менты и «нашли» героин. Я сначала даже не догадалась, что это зять, сволота, меня так наказать решил, сообразила, лишь когда «маляву» от него в СИЗО передали. Если, говорит, хочешь чалить на полную катушку — пожалуйста. А если согласна делать то, что я скажу, — вытащу. Куда мне было деваться?

— Так это ему ты своим сроком обязана?

— Ему, родному. Чтоб он там в гробу перевернулся! Обещал, что подчистую отмажет, но и тут обманул. Год пришлось отбухать. Зато потом, когда встретились, заявил, что специально так устроил. Мол, наука мне на всю жизнь будет. Точно, научил, мразь. В «Бункер» устроил работать. Опять же — с определенной целью. Чтобы «чайников» для дойки приглядывала.

— Так, говоришь, не ты его убила?

Спросила, потому что Марина надолго замолкла. Видно, невзирая на алкогольную эйфорию, рассказ ей давался нелегко. Если все это правда, то я ее понимала отлично!

— Знаешь, с удовольствием собственноручно прибила бы эту гниду. Да только кто-то вперед меня успел.

— Расскажи, как дело было.

— Слушай, может, отпустишь меня в магазин? А то такое рассказывать, — неожиданно попросила она.

— Пойдем вместе, — предложила я.

— Не доверяешь? — Марина криво усмехнулась. — Думаешь, сбегу? Да только куда мне бежать!

— Нет, не в том дело. Просто у меня тоже сигареты кончились.

Магазин оказался недалеко. И вот мы снова в квартире.

— Что тебя еще интересует? — спросила Марина.

На этот раз она налила водку в стакан на два пальца и аккуратно выпила. Закусила только что купленной колбасой. Но все эти детали волновали меня только в одном отношении — как бы дама не вырубилась раньше времени. Но она была еще далека от этого, хотя действие алкоголя уже заметно отразилось на ее поведении.

— Давай про Артиста, — задала я направление ее дальнейшему рассказу.

— Артист... про Артиста еще рано. Ты же про пленку, которую все ищут, знать хочешь? А там и до него дойдем.

— Давай про пленку, — согласилась я.

— С Фотографом я встречалась часто. И Санек каждый раз балдел, когда смотрел на меня. Аж слюнки по харе его гнусной текли. Это уже после моей отсидки.

Марина потянулась за новой сигаретой и, после того как закурила, продолжила:

— Нужно вот что сказать. Конечно же, я не простила Андрею свой срок. Да и как можно такое простить?! Я делала вид, что полностью покорилась ему, сама же думала, как от него избавиться. Тут не только месть за себя, но и чисто практический подход. Когда-нибудь нужно было поставить точку в нашей деятельности. А как? Киреев никогда бы от этого не отказался!

— Слушай, а зачем ему все это понадобилось? — задала я давно назревший вопрос. — Ради денег?

— Денег у него и так куры не клевали, — отмахнулась Марина. — Просто натура у него такая.

На моем лице читалось недоумение. Заметив его, Марина объяснила:

— Ему нужно было, чтобы вокруг него плелись интриги. Андрей жил этим. Чтобы можно было кого-нибудь унизить. «Прижать к ногтю», как он любил выражаться. И чем круче попадался мужчина или женщина, которых он «давил», тем больше кайфа Киреев испытывал. Так что шантаж для него скорее был хобби. Такое хобби, без которого он жить не мог. Ну, и плюс деньги, конечно. Хотя, как я уже говорю, это для него было не главное.

После этих слов теперь уже я крепко задумалась. С таким объяснением становилось отчасти понятно желание покойного Андрея Викторовича во что бы то ни стало затащить меня к нему на выходные. Интрига, опять интрига! Мое присутствие должно было, скорее всего, послужить своеобразным катализатором. Чтобы активировать какой-то процесс. Возможно, я и сыграла эту роль! Только финал вышел не тот, каким прогнозировал его Андрей Викторович.

Кстати, на эту же черту характера намекал и Вершинин. Интересно, как они дружили? Или Антон тоже вынужден был терпеть своего студенческого дружка, потому что тот что-то знал про него? Такой своеобразный садизм — заставить построить Флориду, встречаться там по выходным и каждый раз испытывать тихое наслаждение? Я поспешила поделиться этой мыслью с Мариной.

— Вряд ли, — покачала головой та. — Тут, скорее всего, другое. Даже у такой гниды, каким был Андрюша, должен оставаться хоть один нормальный друг. Такая вот отдушина. Человек, в глазах которого он чист, как полярный снег. Тоже своего рода кайф. Мне так думалось, хотя я его приятеля совсем не знала. Только со слов самого же Киреева. А тот соврет — недорого возьмет. Да и потом, Андрей был страшно двуличный человек. Для кого-то он представлялся одним, для кого-то — совершенно другим. Я когда с Аней вчера разговаривала, она мне призналась, что только недавно стала догадываться, чем занимался ее муж!

— Ясно. Так что это за пленка?

Марина старательно раздавила бычок и продолжила:

— Единственным человеком, которого Андрюша подпускал на более близкую дистанцию, был Фотограф. То ли имел на него что-то очень серьезное, то ли просто был уверен, что никуда тот от него не денется. Короче, Киреев иногда с ним откровенничал.

— Откровенничал? — удивилась я.

— Ну, я неправильно сказала. Сейчас попытаюсь объяснить: например, со мной Андрей никогда не пил много. И всегда контролировал себя. Вообще-то он со всеми был настороже. А вот с Саньком... так, во всяком случае, сам Фотограф мне говорил...

— Давай по порядку.

— Ладно, давай, — тут же согласилась Марина и встала за новой порцией водки. — Санек сразу на меня глаз положил, я это почувствовала. И попытался пристать, но я его тут же обрезала. Обещала Андрею рассказать. Семенов отвял, но слюной исходил. А я, как говорила уже, начала подумывать, как бы мне из-под колпака у Андрюши вылезти. И тут меня посетила идея — скорефаниться для этого с Саньком. И чего я его отталкиваю? Лучше пусть он в числе моих приятелей ходит, чем в числе недругов. Да и что-нибудь полезное вытянуть из него можно будет. Как раз был будний день, где-то с полгода назад... Да, зимой! Зимой они в будни никогда на Флориду не приезжали. Разве что совсем редко. А уж под вечер точно никто не мог пожаловать. Сказано — сделано. Купила литр водки, поймала такси. Санек аж офонарел, как меня увидел. Скучно одной, говорю, стало. Короче, навешала ему лапши. Поверил или нет, не знаю. Только ему и думать об этом некогда было — он меня глазами жрал. Ну а после первого пузырька у него вообще кровь взыграла. Чего только не обещал! Вот тут-то он и поведал мне, что якобы шеф проговорился, будто сам к кому-то на крючок попал. Я тогда так же, как и ты, удивилась: о таком, мол, не говорят! А он мне в ответ: «Когда напьешься, говорят!» И рассказал мне, что хозяин иногда так делает: приезжает сюда, сажает с собой Санька и напивается до усеру. И вот тогда из него та-акое лезет! Короче, — продолжила Марина, — ублажила я Санька, вовсю старалась. Ну, и с тех пор иногда наведывалась. А у самой тайная мыслишка в голове была: кто же это такой, что на Киреева стойку сделал? Нужно было через сторожа обязательно это выведать. Думала-гадала, а вышел он на меня сам.

— Артист? — догадываюсь я.

— Он самый.

— Как это было?

— Так же, как и ты. Послал записку с предложением поговорить. Ну, поговорили. Артист обещал мне помочь с Киреевым разделаться. Говорил: неправильно, что такой человек живет и людей мучает. Нужно его обязательно наказать. Я, конечно, согласилась ему посодействовать. Рассказала ему про других, про Фотографа и Грача.

— Вот ты с этим Артистом общалась. Кто он такой, по твоему мнению?

— Блатной, — не раздумывая, ответила Марина. — Вор он там или авторитет, не знаю. Но повадки у него блатного.

— Ясно, — отметила я для себя, — давай дальше.

— Дальше... Дальше происходило так. Для связи с ним у меня был номер сотового. И вот где-то за пару месяцев до той ночи я узнала через Санька, что существует какая-то пленка, которую Киреев боится как огня. Что там заснято, до сих пор не знаю. Только я сразу же нашептала про это Артисту. Ну а в ту ночь... — Короче, накануне на сотовый мне позвонил Санек и сказал, что нужно встретиться. Я подумала, что ему просто приспичило потрахаться. Но он убедил меня, что дело серьезное. Я приехала. Санек действительно был не в себе. Сообщил, что хозяин только что уехал и обещал всем сладкую жизнь устроить. Бесновался вовсю. А все из-за того, что вроде бы у него из сейфа что-то пропало. Пленка какая-то, которую он за огромные бабки купил. Говорил, что на пленке той самая настоящая бомба. Для кого только, не уточнил. Ну а той ночью, про которую ты спрашиваешь, мне позвонила сестра. Я приехала к ней. Анна рассказала, что Киреев вне себя, напился, полез к Антону выяснять отношения. Ане наговорил черт знает что. Она даже его ударить осмелилась. Орал, что утром правду-матку резать будет и всем покажет. Дескать, у него в сейфе спрятано такое...

— И ты туда решила отправиться под видом сестры, — высказала я свою догадку.

— Аня здорово приняла с расстройства. Она пила всегда мало, а тут... короче, уснула, я перекинулась в ее шмотки, мордаху подрисовала, парик нацепила и двинула.

— Код сейфа от сестры узнала или от сторожа?

— От Санька. Показать решил, как он мне доверяет.

— А сам от кого узнал?

— А вот этого я не спрашивала, — неожиданно нахмурилась Марина и некоторое время напряженно размышляла о чем-то своем.

— Ладно, дальше что было? — подстегнула я его.

— Ну, приехала, Санек обалдел, когда меня узнал. Поначалу в темноте действительно за сестру принял, затем разглядел. Сказал, что Киреев напился вдрызг, спит в кабинете. Анька меня возила туда пару раз, когда ее муж в прошлом году с Катькой на Кипре отдыхал, потому расположение комнат я знала. Я сразу решила, что это мой шанс! Поднялась на второй этаж, смотрю: в кабинет Андрея дверь приоткрыта. И полоска света. Ну, думаю, облом. Проснулся. Но на всякий случай осторожно заглянула. И обалдела! Сейф выворочен, а Киреев... дальше, похоже, ты и сама все знаешь.

— Теперь вспомни точно, дословно, о чем у вас был разговор со сторожем, — попросила я ее, — это очень важно.

— Когда я увидела выпотрошенный сейф, то первым делом подумала на Санька. Решила, что он полез, и Андрей застукал его за этим занятием. Но потом подумала, что Семенов уж больно спокойно выглядел, когда разговаривал со мной у калитки. О чем мы говорили, я дословно не помню. Мое состояние трудно передать. Кажется, наезжала на него, что это он пленку забрал.

Я напрягла память и вспомнила то, что слышала ночью.

— Ты обвиняла его, что он украл что-то из сейфа и хочет продать кому-то другому, кто даст ему больше денег. Тогда я еще не знала, что речь идет о пленке. Кому вы должны были продать ее? Артисту? А кто такие «он или она»?

— Ну... — Марина поняла, что попалась на вранье, и слегка замялась. — Действительно, мы в первый мой приезд накануне вечером говорили с Саньком о возможности продажи пленки. При условии, что сумеем ее достать. Я сказала, что есть человек, который заплатит за нее дорого. Санек мне тогда намекнул, что есть еще двое, кто может заинтересоваться ею. Вроде так ему Киреев по пьяни сболтнул.

Мужчина и женщина. Потому-то я и наехала на него: решила, что он попросту хочет меня кинуть.

— Ты ему сказала, что Киреев убит?

Это был главный вопрос на данный момент. Если уже тогда Санек знал, что Киреев убит, зачем врал мне? Ночью и при следующей встрече? Только для того, чтобы выгородить себя! Значит, он и есть убийца! Подглядел за нами с Антоном, решил на свой страх и риск... стоп. Несостыковка получается. Мы выскочили из дома, потому что сигналила машина. Как теперь выяснилось, это приехала Марина. Мы с Антоном находились сначала у бассейна, затем — у беседки. Потом Антон ушел в дом за сигаретами. Вернулся, и опять мы были вдвоем. В это время в дом и проникла Марина.

«Сколько времени провели в парке в общей сложности?» — принялась подсчитывать я.

Прикинула в уме, получилось полчаса, может, чуть больше. В принципе времени достаточно для того, чтобы обшарить небольшой сейф и успеть выстрелить. Один раз. А Антон, когда возвращался за сигаретами...

Неожиданно всплыл закономерный вопрос:

— Но как ты решилась зайти в дом? Мы ведь тогда сидели в холле у камина. Мимо нас с Антоном ты бы просто не прошла!

— Санек сказал, что вы все, скорее всего, спать легли. Я потом уже удивлялась, как это никто не проснулся от выстрела. Но тогда мне было не до этого.

— Итак: ты сообщила сторожу, что Киреев убит?

— Конечно!

— Как он отнесся к твоим словам?

— Сказал, что валить срочно нужно.

— Хорошо, что произошло дальше?

— А что дальше? Дальше я уехала к Ане. Нужно было ее предупредить, что такое случилось!

— Так, выходит, она знала, что Катя не убивала своего отца?!

Изумлению моему не было предела. Мать спокойно отдала в камеру ребенка, заведомо зная, что та оговаривает себя. И вину-то Катя взяла на себя только потому, что думала, будто видела в коридоре свою мать.

— Катьке ничего не будет, даже условно не получит, — убежденно, со знанием дела принялась доказывать она мне.

Похоже, они все продумали с сестрицей.

— Мне же, с судимостью...

Ее мысль я поняла, только былого сочувствия к несчастной женщине у меня уже не возникло.

— А если с Катей получится так же, как с тобой? — спросила я Марину, вставая.

— Как — со мной? — захлопала она ресницами.

— А так: вместо «подчистую» девочка получит срок. Ты уверена на сто процентов, что такого быть не может? Или для тебя сейчас главное, чтобы ТЫ не села?

Она ничего не ответила, только опустила голову и закрыла лицо ладонями.

— Мы к этому разговору еще вернемся, — жестко пообещала я ей, напоследок спросив: — Перед тем как поехать ночью изображать сестру, ты Артисту звонила?

— Звонила, только не дозвонилась. Связаться не удалось.

— Знаешь, ты сейчас молиться должна, чтобы я Артиста нашла первой. Иначе он сам наведается к тебе в гости. Представляешь, чем ваша встреча закончится? Кстати, не уверена, что этой ночью он в меня стрелял. Ты для него большую опасность представляешь — я его даже в лицо не видела!

Мои слова стали последней каплей. Марина разревелась. Но я не собиралась вытирать ей сопли. Были дела поважней.

* * *

Во дворе практически ничего не изменилось, только у основательно покалеченной «девятки» вертелась пара любопытных пацанов.

— Это ваша такая? — спросил один из них с искренней радостью. Совершенно непонятно, чем она была вызвана.

— Брата, — отмахнулась от них я. Сердито посмотрела на обоих, и пацаны правильно сообразили, что им лучше уйти. Вскрывать машину не было нужды: водительская дверца осталась открыта. Я удивлялась только, что за ночь ее не растащили по запчастям! Бывают же чудеса на свете — даже магнитола на месте.

Но меня больше всего интересовал бардачок. Но в нем, кроме полупустой пачки «Мальборо», ничего не оказалось. Номера на машине значились самарские. Под крышку капота я заглянуть не могла, потому что после «поцелуя» с деревом его заклинило. А жалко — стоило бы сверить номера на движке и на табличке.

Позвонила знакомому инспектору ГИБДД.

— Валер, ты мне по номеру пробить владельца можешь?

Он попросил меня перезвонить минут через двадцать. По прошествии названного времени позвонила еще раз.

— Слушай, а где ты эту машину видела?

— Стоит, воткнувшись мордой в дерево, никому не нужная.

— А где это?

Я начала слегка сердиться:

— Ты мне скажешь, на чье имя она зарегистрирована?

— Слушай, такого номера у нас в базе вообще нет. Есть подозрение, что эта машина в угоне.

— Так приезжай к дому... (я дала ему адрес) и разбирайся с ней сам. Кстати, машина открыта, и я удивляюсь, как ее не растащили на запчасти.

Не дожидаясь новых вопросов, отключила связь. Затем сделала еще одно дело, с точки зрения закона, преступное: вытерла носовым платком руль и ключи зажигания. Я не хотела, чтобы эту дурищу посадили за угон машины. Мне она была нужна на свободе. Пока.

Не тратя больше времени, вернулась к своей «ласточке». Вспомнила, что позавтракать я еще не успела. Часы меж тем показывали половину одиннадцатого утра. Долго же мы беседовали с сестренкой госпожи Киреевой!

Я покатила через мост на Третью Дачную и остановилась у чебуречной. Пока ехала, старалась ни о чем не думать. Потом принялась спокойно раскладывать все по полочкам.

Итак.

Исходя из только что услышанного, Андрей Викторович, получается, не человек, а прямо монстр какой-то! Но сколько в этом рассказе правды, а сколько вымысла? Об этом я пока судить не берусь. Отталкиваюсь от того, что Марина говорила правду. Хотя бы в той части, которая касается пресловутой ночи. Тогда выходит, что Киреева могли застрелить только два человека: Антон или его сестра Лада.

И тут встает закономерный вопрос: а зачем?

Например: зачем Вершинину понадобилось убивать своего приятеля? Некоторое время я безуспешно копалась в памяти, надеясь вспомнить хоть один факт, способствующий разгадке.

«Если ты его не знаешь, то это не значит, что его нет», — в конечном итоге сказала я себе.

Потом вспомнила все, что касалось Лады. Единственное, что мне пришло на ум, так это сцена в столовой. Кажущаяся тогда бессвязной болтовня директора «Данко» в свете новых открытий уже имела смысл.

«Что же Киреев сказал? Сказал, что Лада похожа на его жену и что он с кем-то относительно ее разговаривал. И получил неизвестный предмет, про который тогда обмолвился, что «это» уже у него!»

Я пошла в рассуждениях дальше. Предположила, что предмет, о котором шла речь, и есть та самая пленка, вдруг ставшая нужной всем сразу. И Ладе, стало быть, тоже? Или тут Киреев ошибся? Впрочем, гнев сестры совладельца особняка можно объяснить куда проще и прозаичней: она невысокого мнения о жене господина Киреева, и сравнение с ней просто оскорбляло Ладу.

«Пленка-пленка, у кого же ты сейчас? Или где ты спрятана?!»

Черт! Ну как же я сразу упустила из виду! Долго и безуспешно ломала голову над тем, кто же является настоящим убийцей, и ни разу не задумалась над тем, кто стащил пленку!

Если учесть, что о ее местонахождении сейчас не знает никто, то остается только один человек из тех, кто находился тогда с нами и которого пока ни о чем не расспросили. Катя! Ведь не зря Санек тогда что-то рыл у дерева! Девочка вполне могла видеть все из окна своей комнаты. Но тогда... тогда получается, что пленка все еще там, в Волжских Заводях!

Пока я размышляла о том, что делать дальше, мой сотовый выдавал знакомую мелодию.

— Можете больше никого не терзать! — едва я отозвалась, послышалась ответная реплика госпожи Киреевой. — И то, что я просила вас сделать для меня за деньги, теперь сделает другой человек. Катя утром на допросе у следователя призналась, что это она взяла пленку и спрятала ее на даче.

На этом она отключила связь.

Я выскочила из-за стола столь стремительно, что лишь чудом не перевернула его. Под изумленные взгляды посетителей я пулей вылетела на улицу. Время, сейчас главное — время!

* * *

И вот теперь вам понятно, почему я, несмотря на боль в колене, бегу по дороге вдоль берега. Я догадываюсь, кого могу застать в особняке. И лучше было бы спуститься к машине и взять из бардачка ствол, но времени на это у меня нет — пока я буду отдирать заклинившую дверь или пытаться влезть в разбитое окошко, убийца заберет пленку. Потому... приходится обходиться тем, что при себе. А при себе у меня есть только тот самый «выкидон»: он так и лежит в заднем кармане джинсов. С того самого дня, как я конфисковала его у незадачливого Коляна.

Метры, метры!

Метры мелькали, а сердце билось все чаще. И вовсе не из-за бега, а из-за того, что я наконец приближалась к разгадке. С каждой секундой. Звонок Киреевой был очевидной подставой — просто убийца хотел точно знать, в каком месте я окажусь вскоре. Несложно было догадаться, что я сломя голову ринусь в коттеджный городок. Легко было просчитать и мой маршрут: на главной дороге шел ремонт, а объезд только один. Конечно же, я не стала бы торчать в пробке. И дальнейшее устроить оказалось несложно — поваленных стволов в посадках навалом! Оставалось только подождать.

Но в тот момент мне это было безразлично. Звонивший не учел одной детали: я почти наверняка знаю, где Катя спрятала пленку. Теперь только бы успеть.

И вот наконец я стояла у знакомых ворот. Надежды на то, что мне кто-то откроет, не было никакой. Потому я штурмовала их с ходу. Благо сигнализацию отключили. Приземлилась и вновь стиснула зубы. Чем дальше, тем сильнее боль в поврежденной ноге. Прихрамывая, побежала мимо дома сторожа. Невольно покосилась на дверь — не притаился ли там кто и сегодня? Второй раз по голове получать не хотелось! Разлапистая елка попалась на моем пути, и я остановилась около нее. Стоит прислушаться, а то несусь как угорелая! Так недолго и пулю схлопотать! Тем более что Артист должен быть настроен весьма решительно! Сейчас я уже не сомневалась, что застану его здесь.

Стараясь не шуметь, продвинулась дальше. Присмотрелась к парадной двери. Кажется, открыта. Так и должно быть! Но дом меня не интересовал. Гораздо больше мне сейчас была нужна собачья конура. Бедный Филипп. Его уже не кормили несколько дней! Или все же Антон вспомнил о несчастной псине?

При моем появлении пес с надеждой завилял хвостом. Честное слово, хоть беги в ближайший магазин за колбасой — такие жалобные были у него глаза!

«Потерпи, милый! Вечером я обязательно принесу тебе что-нибудь!» — прошептала я.

Теперь оставалось только выяснить: сохранит ли животина свою лояльность ко мне и дальше?

Глава 9

В центральной библиотеке царили тишина и покой. Посетителей оставалось только двое — я и молодой человек, прочно приковавший свое внимание к толстенному талмуду. Передо мной лежали толстенные подшивки газет. Газеты были разные: и «Комсомольская правда», и «Известия», и «Тарасовские новости». Количество их заранее внушало страх. Но тем не менее мне просто необходимо было не утонуть в море разнообразной информации и найти то единственное, зачем я сюда пришла. Что это, для меня самой еще являлась загадкой. Возможно, статья или короткая заметка. Возможно, фотография.

Но лучше все по порядку.

* * *

С Филиппом мы поладили на удивление быстро. Пес не проявил никаких собственнических инстинктов. Наоборот, он так обрадовался моему приходу, что готов был, наверное, разделить со мной свою конуру навечно. Единственное, что мне мешало, — его постоянное облизывание. Впрочем, поиски оказались недолгими. Небольшой сверток, перехваченный крест-накрест резинкой, был прилеплен жвачкой с внутренней стороны к крыше будки.

Завладев им, я в душе еще раз пообещала себе накормить пса, и собиралась уйти. Филипп тихим поскуливанием осуждал мое намерение. Что поделать, мой хороший! Жизнь зовет.

Жизнь меня звала еще и потому, что со стороны дома доносился неопределенный звук. Не то скрип, не то шуршание. Встречаться с убийцей у меня не было пока никакого резона. По одной простой причине: он наверняка вооружен, а я — нет. Корчить из себя героиню у меня не было ни малейшего желания, потому тихонько, стараясь не шуметь, удалилась к воротам. Правда, несколько иным путем, то есть выбрав «задворки». Сначала пряталась за баню, затем между ней и оградой двинулась в сторону сторожки. И там обнаружила будто специально для меня поставленный ящик. Я влезла на него. Теперь оставалось лишь дотянуться до ветки растущего за оградой дерева. Правда, при этом было очень сложно не коснуться двойного провода, бегущего поверх бетонной ограды. Но меня это не волновало: сигнализацию, насколько я знала, отключили. Перебравшись на другую сторону, ненадолго застыла и с задумчивым видом посмотрела на клен, с которого только что слезла. Что это — упущение Санька как сторожа или специально оставленная лазейка? Если так, то для кого? На территорию Флориды с дерева попасть куда легче, чем затем убежать тем же путем. Но вот ящик... Давно ли он там стоит?

Размышлять об этом вновь открывшемся обстоятельстве можно было долго. Меня же влекли другие, более насущные дела. Прихрамывая, я вернулась к месту западни.

По доносящимся до моего слуха крикам я догадалась, что на месте чуть не свершившейся трагедии кто-то находился. Точно! Баклажанного цвета «Вольво», и около нее — четверо людей. Мужчина, женщина и двое ребятишек. Наверное, мой внешний вид подсказал им, что я имею непосредственное отношение к машине, находящейся внизу.

— Мы в ГАИ на всякий случай сообщили, — первым делом оповестил меня глава семейства. Ребята, два мальчика примерно одного возраста, разом загалдели, но отец цыкнул на них, и они также разом замолчали. Женщина не проронила ни звука и только участливо поглядывала в мою сторону.

— В машине никого нет? — поинтересовался мужчина.

— Нет, я одна была.

— Ну, уже хорошо, что вы живы! Как же так получилось?

— Не справилась с управлением, — коротко ответила я. Посвящать в подробности аварии совершенно посторонних людей я не сочла нужным.

— Бывает, — лаконично ответил глава семейства. Сокрушенно вздохнул напоследок и спросил:

— Чем-то помочь можем?

— Нет, спасибо.

Наконец они удалились, и я быстренько, насколько позволяла боль в ноге, спустилась вниз. Я сомневалась, можно ли будет отремонтировать мою машину, скорее всего — нет. Но мысль мелькнула мимолетно, поскольку в первую очередь до приезда работников ГИБДД следовало отыскать сумочку и забрать из бардачка ствол. Едва я успела сделать и то и другое, как сверху раздался требовательный сигнал. Обернулась и увидела, как ко мне спешат двое в форме работников.

Объяснение с сотрудниками ГИББД заняло довольно долгое время. Затем прибыл тягач с тросом, чтобы вытащить мой «Фольксваген» наверх. Хорошо, что с ним сразу же прибыл и перевозчик.

Гаишникам я рассказала про бревно. Они осмотрели его, долго чесали головы и решили, что это проделки местных хулиганов. Я не стала разуверять их.

Покончив с неожиданными заботами, я приступила наконец к главному.

А главным был сверток. Распаковать его я решила дома. Тетка ахнула, увидев, «во что я умудрилась себя превратить». И некоторое время мне пришлось выдерживать душевные муки, пока приводила себя в порядок, — любопытство жгло огнем. Только когда я основательно выстирала себя в ванной, переоделась в домашний халат, наелась, только тогда мне было позволено удалиться в комнату со своей добычей.

Я сняла резинку и развернула сверток. Там лежали аккуратно завернутая катушка пленки и компакт-диск.

Включила компьютер и с нетерпением подождала, пока загрузится «веник». Затем вставила компакт в дисковод.

Теперь фотографии. Включила режим слайдов и просмотрела их одну за другой. Хорошо, что кто-то предусмотрительно отцифровал пленки и тем самым сэкономил мое время. Всего их насчитывалось шестнадцать. На пленках, как я догадалась, снимков должно было быть значительно больше. Но пока что прогнала тот подбор, что сделал неизвестный автор.

Итак, на снимках я узнала Киреева и Вершинина. Остальные персонажи оставались для меня загадкой. Владельцы Флориды выглядели значительно моложе, чем теперь, и я догадалась, что это их студенческие годы. Довольные, улыбающиеся лица. Действие, похоже, происходило на какой-то вечеринке. Народу изображено много: парни, девушки. Некоторые заметно под хмельком.

Шестнадцать кадров. Что они должны были мне сказать?

Терпеливо, стараясь не пропустить ни одной мельчайшей подробности, рассмотрела их. Ничего необычного. Парни, девушки. Популярный среди молодежи в то время «Салют» на столе. «Жигулевское» пиво. Бутылка «Русской», наполовину пустая.

Из-за чего такая паника могла возникнуть в доме на Волге?

Я решила просмотреть всю пленку. Возможно, разгадка

осталась на ней? Может, компакт был составлен таким образом, чтобы показать: «Смотри, у меня есть оно! А остальное ты получишь тогда, когда выложишь кругленькую сумму!»

Но на всякий случай еще раз посмотрела слайды.

Места, где ребят запечатлел фотограф. Они разные! На первых десяти это, без сомнения, общага. Да и людей на снимках значительно больше. Последние шесть — это скорее всего квартира. Чья, интересно? Я разглядывала эти шесть фоток. Что можно почерпнуть из них? Сразу отметила, что в кадре опять присутствовали будущие владельцы особняка. И оба изрядно под хмельком.

Кто, кроме них? Три девицы, тоже в изрядном подпитии. На первых двух будущие господа жизни в обнимку с девушками. Потом следует фотография только одной девицы восточных кровей, изрядно пьяной. Затем ее обнимают Антон и Андрей, а остальные две ее подруги на заднем плане пьют что-то из фужеров. Наверное, все тот же «Салют».

Неожиданно сознание прорезала догадка, и я вернулась к групповой фотографии. Но догадка моя не подтвердилась. Среди девушек не оказалось ни Лады, ни будущей жены директора «Данко». Да оно и правильно — обе значительно моложе. В то время они еще в школу ходили! Что им было делать на студенческой вечеринке?

Мелькнула еще одна мысль, и я вернулась к первым, групповым фотографиям. Тем, на которых молодые люди еще в общаге... Ага, вот оно!

Белокурая девушка с гордостью держит перед собой диплом. Развернутый к фотографу. Даю увеличение...

Есть! Тарасовский политехнический институт, тысяча девятьсот восемьдесят второй. Итак, время установила. Теперь дело за главным: понять, что все это значит.

А помочь в этом мне мог тот самый фотограф Миша, с которым я недавно познакомилась. Позвонила ему. Кажется, он удивился. Наверное, и не рассчитывал на мой звонок.

— Ты можешь мне помочь?

— Чем?

— Да все тем же.

— Еще один раздавленный «Никон»?

— Нет. С негатива фотографии сделать нужно.

— Много?

— Не волнуйся, я не бедная.

— Да я не об этом, — засмущался собеседник, — по времени сколько это займет? Может, у меня дома?

— Может, и у тебя дома. Супруга ревнивая?

— Я не женат.

— Ну и ладушки. Тогда говори, где ты меня встретишь.

Я помнила, что в понедельник у Миши выходной, потому и была вынуждена напрашиваться к новому знакомому в гости.

* * *

Примерно через час я входила в двухкомнатную квартиру и с интересом осматривала интерьер прихожей.

— Давай, что у тебя?

Я протянула ему негатив.

— Хм, — неопределенно хмыкнул он. Я не стала утруждаться вопросом, к чему именно относилось это «хм». Для меня это было пока лишнее.

— Каким размером фотки печатать?

— Ну... нормальные, чтобы все увидеть.

— Девять на двенадцать? — предложил Миша.

Я представила этот размер в уме и осталась им довольна. Если выявятся какие-то мелкие детали, рассмотрю их через лупу.

— Долго ждать придется. Потом еще пока просушу.

— Миша, — одарила я его обворожительным взглядом, — мне это очень нужно.

* * *

Ждать пришлось действительно долго. Зато, когда Михаил вышел ко мне со стопкой фотографий, на лице его четко обозначилось любопытство.

— Не думал, что ты любительница подобного. Может, не нужно было все печатать?

— Нужно! Давай сюда!

— Такой дряни полно в Интернете. Стоило бумагу тратить!

— Это не для меня лично.

— Слушай, а ты часом не шантажистка?

Действительно, что еще могло прийти в голову нормальному человеку, увидевшему такое.

— Нет, — успокоила я его, — наоборот, ловлю шантажиста.

— Так ты из милиции? — удивился он еще больше.

— Нет, я частный детектив.

Почти не соврала. Три последних дня я работала именно по этому профилю.

— Надо же! Еще ни одного частного детектива живьем не видел. Тем более — женщину.

— Еще увидишь, — многозначительно сказала я, убирая фотографии и негатив в сумочку. — Сколько я тебе должна?

— Да ладно, — махнул он рукой, затем спохватился: — Вообще-то должна!

— Сколько?

— Не «сколько», а «что». Номер своего телефона. А то нечестно получается: у тебя мой есть, а у меня твоего — нет.

— Держи, — быстренько накатала на листке два номера. Сотовый и домашний. Потом поцеловала в щеку и вышла в прихожую.

— Ты мне когда-нибудь расскажешь?..

Он не договорил, но я и так поняла его.

— Когда-нибудь расскажу, — пообещала напоследок и вышла на улицу, оставив после себя легкую ауру загадочности.

* * *

Дома я с нетерпением рассматривала остальные фотографии. И теперь понимала их смысл. Во всяком случае, хоть какой-то!

Пропустив известные мне шестнадцать, разглядела оставшиеся десять. Разложила их, как мне показалось, в хронологической последовательности.

Вот опять они все вместе, дружно поднимают тост. Парни и девушки. Киреев протягивает смугленькой девице фужер. Та уже настолько пьяна, что смотрит на него лишь с непонимающей улыбкой...

А вот парни уже без маек, девчонки без лифчиков. Они браво позируют, только лишь смуглянка стыдливо прикрывает грудь и глядит куда-то вниз. Господи! Да она же вдрызг пьяна!

Дальше действующих лиц только трое. Вернее, если в расчет брать фотографа, то четверо. Но он в кадре так ни разу и не появился.

Смуглянка совершенно голая, и, похоже, она уже просто не в состоянии понять, что вообще с ней делают...

Посторонний человек охарактеризовал бы остальные восемь фотографий как порнографию любительского производства. Так оно и было.

Похабные пьяные улыбки, всевозможные позы. По очереди и в групповухе. Да, почумились ребятки на славу! Да еще на пленку засняли! Тошно смотреть!

Я убрала «шедевры» в пакет и задумалась: что мне делать со всем этим дальше?

Да, неприятный эпизод из прошлой жизни известных мне людей. Ну и что из того? Допустим, просто допустим, попадает это в прессу. Скандал. Кому он может повредить? Ну, понятно, Антону, с его знаменитостью. Это на первый случай. Но почему Киреев так трясся? Ему-то вообще все до лапочки! Дальше Тарасова его и не знает никто. Да и тут он просто богатенький дядя, которых здесь немало. Скандал с женой — да начхать ему на это! Скорее всего, дело просто закончилось бы деньгами. Почему же такой ажиотаж? Этого я не могла себе объяснить.

Студенческая вечеринка, дело прошлого. Да и сейчас дурная молодежь глумится подобным образом. И нисколько этого не опасается. Девушка, поди, давно замужем и забыла свой позор.

Стоп! А если не замужем и не забыла?! Может, парни, когда чуть протрезвели и поняли, что наделали...

От ужасной догадки меня сразу же прошиб пот. Так вот оно что! Потому-то и занервничал! Изнасилование, а затем убийство — вот возможный финал той ночи! Тогда — да! Ни Кирееву, ни Вершинину подобная пленка не нужна! Только почему-то Андрей Викторович не уничтожил ее сразу же, как получил. Возможно, хотел что-то получить с друга юности и старого подельника?

Да, тогда все получалось очень даже просто! Расклад мне рисовался примерно таким: Артист каким-то образом умудрился раскопать этот негатив. Где и как, можно узнать только от него. Увы, как ни жаль, пока я не могла этого сделать. И потребовал с Киреева выкуп. Тот перекупил и уже впоследствии решил компенсировать свои затраты за счет друга. И наверняка прибавил к сумме побольше нулей. Антону ничего не оставалось, как убить шантажиста. Кстати, он же был на даче, когда меня вырубили. А в его сказки про благородство души как-то не очень верится теперь, после просмотра фотографий. Очень уж у них там выражение лиц с будущим директором «Данко» похожи!

Итак, для последнего штриха мне просто необходимо раскопать, чем закончилась та история.

Потому-то я и метнулась в библиотеку, перевертывать старые газеты.

* * *

«Господи, ну какая же я дура!» — призналась я себе, когда пыл немного схлынул. Стоило нестись как угорелой, торопиться успеть до закрытия, чтобы попусту перелистывать эту макулатуру. Да разве, даже случись что-то неординарное, в то время что-нибудь напечатали? Да и что могло быть неординарного? Предположим, убили девушку. Рядовое преступление. Убита студентка после защиты диплома. Дело, как показала жизнь, не раскрыли. Если оно и существует, то только в милицейском архиве.

Как только эта мысль вспыхнула в моем сознании, я сразу же взяла в охапку толстенные подшивки и направилась к столу библиотекаря. Девушки на месте не оказалось — она уже разговорилась с тем самым студентом. Они с увлечением что-то разглядывали.

— Положите на стол, я потом уберу, — вскользь заметила она.

Я покинула центральную библиотеку.

Делать нечего — надо звонить своему знакомому. Тому

самому, который так оперативно «пробил» мне адрес Санька.

— Слушай, ты думаешь, что я — всемогущий джинн?! Это ж сколько времени прошло! Да и потом, ты толком не знаешь сама, что именно тебе нужно найти!

Мое молчание было красноречивее любого ответа. Потому он предложил:

— Если хочешь, давай встретимся. Расскажешь, что сочтешь нужным. А там подумаем.

Договорились через час в кафе в Липках. Несмотря на обилие народа, мне удалось занять столик.

Мой знакомый появился минута в минуту. Пунктуальность была одним из многих его достоинств. Я ему поведала только ту часть истории, которая касалась фотографий.

— В библиотеку, конечно, ты совершенно напрасно сунулась, — заметил он, выслушав меня. Затем задумался и вынес свой вердикт: — Наиболее приемлемы два варианта. Первый: если история имела такое продолжение, которое взбудоражило общественность, и была некоторое время на слуху, то концы нужно искать в институте. Покопайся в делах знакомых студентов, может, был в их числе преподаватель или какой другой сотрудник, работавший там довольно долго.

Об этом я уже думала сама. Перебрала всех, кого можно, но — увы! Потому спрашиваю:

— А второй вариант?

— Второй таков: если их оргия закончилось криминалом, как ты предполагаешь, но огласки история не получила, то тогда самое лучшее найти участкового, работавшего в то время. Если уж он ничего не знает, тогда...

— Что «тогда»?

— Тогда либо ты промахнулась в своих предположениях и никакого убийства не было. Либо труп не найден до сих пор и девушка числится в пропавших без вести. В любом случае тебе лучше начинать с института.

Мы выпили пиво и через некоторое время простились. Я опять осталась одна, размышляя над услышанным. Опыта сыскной работы у моего знакомого было не в пример больше моего, и его советами я пренебрегать не собиралась. Только начать решила все же с поисков участкового. Почему-то мне казалось, что это для меня лучший вариант. И более короткий, что тоже немаловажно!

Домой я вернулась довольно рано. Тетя Мила меня сразу «обрадовала»:

— Тебе звонило много народу, и мужчины, и женщины. Телефон же никто не оставил. Все, как один, говорили: «Перезвоню позже».

Я догадалась об этом. И даже наверняка знала двух человек, которые торопились разыскать меня. Но общаться с ними не входило пока в мои намерения: еще не настало время для решающего разговора!

Потому просто отключила телефонный аппарат.

— Сегодня у меня отдых, — ответила я на удивленный взгляд тетки.

— Давно пора, — довольно проворчала она, — а то все носишься как угорелая. Не девка, а чисто ковбой какой-то!

Чтобы наш разговор плавно не перешел на тему о перспективах моего скорого замужества, я опередила ее вопросом о подаренной мной несколько дней назад книге. Детективы для тети Милы — что хлеб насущный. За четверть часа, пока мы чаевничали, я узнала ряд занимательных, с ее точки зрения, историй из жизни одного американского частного детектива. Меня, если честно, они не только не привели в трепет, но и вообще оставили равнодушной: тут от «своей» истории голова который день шла кругом!

Но я изображала полную заинтересованность и острейшее внимание к ее рассказу. Потому тетка осталась довольна, и опасная тема затянувшегося (опять же с ее точки зрения) моего девичества миновала.

Я рано легла спать, воплощая в жизнь мечту последних трех дней.

* * *

Утро следующего дня встретило меня мокрым асфальтом. Значит, ночью прошел дождь. Я его не слышала, потому что крепко спала. Воздух наполнился той душистой свежестью, которая бывает только после летнего ливня.

Но восторги мои несколько поутихли, когда я вспомила о том, что лишена транспортного средства.

Пришлось стоять на остановке и ловить частника. Обычно с этим не бывает проблем. Но на этот раз я стояла уже минут пять, а никто не хотел откликнуться на мой призыв.

Я покосилась в сторону остановки, у которой одна за другой тормозили маршрутки. Когда последний раз пользовалась этим видом транспорта, уже и не помню. На всякий случай спросила какого-то мужчину, как удобнее добраться до Политеха. Пока тот раздумывал, откликнулась девушка и назвала номер маршрута.

— Я тоже пятнадцатый жду, — сообщила она на всякий случай и уже через пару секунд порадовалась: — А вот и он!

Желтенький микроавтобус с указанным номером маршрута лихо выкатил из-за поворота и остановился перед нами. Из динамиков на протяжении всей дороги щедро лился разбитной шансон, впрочем, нисколько не мешавший мне думать.

Я вышла на конечной. Попыталась разузнать, где в этом районе находится ближайшее отделение милиции. На всякий случай поспрашивала у прохожих. Пожилая женщина махнула рукой в сторону ближайшего дома и заспешила по своим делам.

На торце указанной пятиэтажки я заметила красную вывеску, лаконично гласившую: «Милиция». Ниже, на небольшой табличке того же цвета, следовали разъяснения: участок такой-то, участковый такой-то, в таком-то звании — и часы работы.

Дверь по случаю лета оставалась открытой, так что у входа я не задержалась. Сразу прошла внутрь. Помещение — совершенно типичное для подобных учреждений. Там мне удалось найти только одного человека.

Тучный мужчина в возрасте за сорок, одетый в гражданское. Потому определить его звание я не могла. Но так как он деловито спросил меня: «Вы к кому?» — сразу стало понятно, что человек тут работает.

Я объяснила цель своего визита.

— А вы, собственно, кто? — сразу насторожился он.

— Понимаете, дело касается моих родственников, — туманно пояснила я.

На всякий случай у меня была в запасе пара «правдивых» историй, но пока я выдавать их не спешила.

Мужчина вздохнул. Должно быть, у него появилось нехорошее предчувствие, что его хотят загрузить дополнительной работой.

— А что вы хотите? Чтоб дело из архива для вас запросили?

— Да нет же, — поспешила я успокоить его, — понимаете, у меня есть старший брат. Он когда-то учился в вашем институте, а сейчас живет в другом городе. Недавно позвонил и вот озадачил меня. Говорит, начали с однокурсниками вспоминать былое, а следов одной девушки найти не могут.

— Блин, заботы у людей! — хмыкнул толстяк. — А от меня-то вы что хотите?

— Понимаете, он говорит, что, когда они уже разъезжались после защиты диплома, кто-то позвонил и сообщил ему, что ту девушку машиной сбило. Может, кто-то из ваших старых работников помнит что-то? Просто узнать — так это или нет.

— И когда же это произошло?

— В восемьдесят втором году.

— Ни хрена себе! — не сдержался мой собеседник. — А твой братец не хочет знать, что перед Бородинской битвой было?

Я только беспомощно развела руками: мол, такой вот он у меня чудак.

— Сейчас уже никого не осталось, кто тогда работал.

Мужчина встал из-за стола, явно давая понять, что ему надоели мои чудачества. С обреченным видом я поплелась обратно к двери.

— Слышь, постой, — неожиданно раздалось за моей спиной.

— Сходи к Петровичу. Это пенсионер наш. Купи чаю, плюшек каких-нибудь. Может, он чего и вспомнит. Да и доброе дело заодно сделаешь — старика проведаешь. К нему нечасто гости заходят. А молодые девушки — и подавно. Раз уж ты такая любительница помогать... вот, держи адрес!

Унынье прошло разом. Прощебетав: «Спасибо», я покинула участок. На улице под звонкое чириканье воробьев разглядела наспех исписанный листок:

— Ливнев Василий Петрович, Беговая, шестнадцать.

Поскольку номер квартиры не был указан, я поняла, что живет ветеран отечественного сыска в частном доме. На мои глаза попалась пара мрачного вида мужчин, то ли не знавших, чем себя занять с утра, то ли стрелявших денег на опохмелку. Они мне подсказали, что лучше всего начать поиски дома на Беговой сразу за трамвайной остановкой, возле магазина «Полосатый». Какой там у них магазин обзывается «Полосатым», я не знала, но остановка — это уже что-то определенное!

За десять минут без труда нашла и остановку, и вышеупомянутый магазин, и дом номер шестнадцать.

Василия Петровича я застала у калитки собственного дома. То, что это именно он, угадала отчего-то сразу. Потом, глянув на номер дома еще раз, поняла, что не ошиблась.

— Василий Петрович? — вежливо уточнила я.

Пожилой человек близоруко прищурился, потом спросил:

— Ты наша новая почтальонша? Пенсию принесла?

— Да нет, я по другому вопросу, — несколько разочаровала я его.

— По другому? Это по какому же другому?

— Мне хотелось бы с вами поговорить об одном деле, произошедшем больше двадцати лет назад. Сунулась я в опорный пункт, а вот порекомендовали обратиться к вам. Говорят, без Петровича ни за что не обойтись!

— Ой, ты лиса! — усмехнулся старик. — А тебя как величают?

— Евгения.

— Женя, стало быть?

— Да.

— Ну пойдем, Женя, прогуляемся до универмага. Я кое-что куплю.

— Если чай, то не нужно. Я купила пачку и пирожков вот еще.

— А вот этого я не люблю! — неожиданно нахмурился старик. — Я что, нищий, что ли, чтобы ко мне с подачками ходить!

— Так ведь и с пустыми руками в гости не ходят, — не согласилась я, — да и мужчина, который к вам посоветовал прийти, велел что-нибудь к чаю прихватить.

— Какой он из себя? — уже без раздражения спросил Петрович.

— Ну, полный такой.

— Лешка Володин! — заочно узнал старик. — Ну, я ему холку за подобные советы намылю! Они сейчас привыкли, что им чуть что — сразу кусок в рот суют! Мы по-другому жили!

Неожиданно я почувствовала себя неловко, и больше всего мне хотелось этот пакет куда-нибудь спрятать. Я даже глазами начала искать подходящее место. Но тут неожиданно пенсионер сжалился:

— Ладно, раз купила — не выбрасывать же! Тогда поход в магазин отменяется. Я как раз за чаем собирался.

Через двадцать минут мы мирно беседовали о жизни за столом в саду. В дом хозяин меня не пригласил.

— Что тебе там стариковскую вонь нюхать? Давай лучше тут, на свежем воздухе!

Пока бокалы не опустели, я молчала о цели своего визита. Только когда хозяин наполнил их во второй раз, от общих тем перешла к конкретной. Вернее, я еще только хотела заикнуться о ней, как Петрович спросил сам:

— Ну, красавица, я тебя слушаю.

— Понимаете...

Неожиданно я совершенно растерялась, не зная, что сказать дальше. Выдавать очередную сказку мне почему-то не хотелось. Я всем нутром чувствовала, что ложь старик поймет сразу и тогда вряд ли захочет мне помочь. С трудом продавила ком в горле и решилась:

— Я по профессии — телохранитель.

— Ого! — удивился он. — Прямо-таки и телохранитель? Я показала свои документы.

— Охотникова, хм... фамилия знакомая... ну да ладно. Что же могло привести ко мне телохранителя?

— Недавно произошла очень неприятная история. Вернее, просто кошмарная, и в итоге — в СИЗО посадили четырнадцатилетнюю девочку, которую обвиняют в убийстве собственного отца.

— Дальше, — строгим тоном потребовал Петрович.

— Я голову даю на отсечение, что она этого не делала.

— Уверена?

Не называя фамилий, вкратце пересказала ему события последних дней и привела некоторые факты в пользу своего утверждения.

— Ну а я чем могу тебе помочь?

— Есть основания предполагать, что ключ к разгадке кроется в прошлом. В восемьдесят втором году.

— Покажи фотографию девушки.

Я взяла с собой ту, на которой девушка была еще в более-менее нормальном состоянии.

Старик уперся в нее взглядом и долго беззвучно шевелил губами.

— На каком факультете она училась, ты тоже не знаешь?

— Предположительно, на архитектурном.

— Посиди немного одна, — попросил Петрович и вернул фотку. После чего решительно поднялся и пошел в дом. Вернулся с блокнотом и так же молча зашелестел страницами. Потом наткнулся на нужную запись, но тут же заметил негромко:

— Нет, Свиридов уже умер.

Начал листать дальше.

— Ага! Вот ему-то мы и позвоним.

К большому моему удивлению, старик достал из кармана сотовый и набрал номер.

— Олег? Доброе утро, Василий тебя беспокоит. Ты шибко занят? Нет? Можно к тебе с одной молодой дамой подойти? С дамой — конечно? Ну, мы идем!

Он весело подмигнул мне и убрал аппарат.

По дороге он задал мне лишь один вопрос:

— А к тебе-то каким боком относится все эта история?

— Я охраняла эту девочку и должна была за ней следить, — невольно нахмурившись, призналась я. — Получилось так, что на некоторое время я упустила ее из вида.

— По-о-нятно, — ответил старик одним словом. Но по тому, как он произнес его, можно было утверждать, что ему действительно ясен мотив моих действий.

Больше он не спрашивал меня ни о чем.

* * *

Если Василий Петрович выглядел так, как я себе приблизительно и представляла, то с его приятелем вышла осечка. Если бы я встретила этого пожилого мужчину на улице, никогда бы не подумала, что он в прошлом — преподаватель института и аж настоящий профессор. Скорее решила бы, что передо мной потомственный грузчик. До того здоров оказался бывший научный работник. И причем не пузан, как тот самый Лешка Володин из опорного пункта. А такой... культурист, одним словом. К тому же гораздо моложе Петровича — лет на десять, не меньше.

Обо всем этом я размышляла в прихожей трехкомнатной квартиры все на той же Беговой.

— Проходите, — пригласил нас хозяин и выдал тапки. Мне и Петровичу.

От чая и кофе мы дружно отказались.

— Ну, могу еще пива предложить, — сказал «спортсмен». — Петрович не будет, знаю. А вы?

Я тоже отказалась, и мы сразу приступили к разговору.

Моей просьбе Олег Борисович несколько удивился. Но лишних вопросов не задал, только покосился в сторону друга. Поскольку тот молчал, через некоторое время выдал:

— Как же! Такое и через сто лет не забудешь! Повесилась эта девушка.

Он еще раз посмотрел на фотографию.

— А этот, справа, не Вершинин?

Подтверждаю, что он самый.

— А что, это как-то Антона касается?

— Скорее его приятеля, Киреева Андрея Викторовича.

— Да, может, и был такой, — нахмурил брови профессор. — Я его не помню. Так, что-то смутное. Сколько их с той поры прошло! Антона, конечно, запомнил! Такие студенты — редкость. А этот... нет, не помню.

— А что тогда произошло? — тихо спросила я, чтобы прервать его затянувшееся молчание.

— Как я уже сказал, повесилась девушка. В своей комнате, в общежитии. И записку оставила: «Не хочу жить!» И все. Ничего больше.

— А! — неожиданно подал голос Петрович. — Теперь и

я вспомнил! Родственники ее тогда пикет буквально устроили! Пол-Кавказа приехало! «Найдите виновных!» Да кого тут найдешь: человек сам свел счеты с жизнью. Конечно, странно все это было — молодая, здоровая. Только диплом получила — и вот на тебе!

— А фамилию девушки вы случайно не помните? — осторожно поинтересовалась я у профессора.

— Аварова. Я ее на всю жизнь запомнил. Тамара Аварова.

— А кто она по национальности была? — быстро спросила я Олега Борисовича. Вопрос вылетел сам собой, поскольку на ум мне сразу же пришли некоторые мысли.

— Не знаю, — развел руками бывший педагог. — Помнится, что откуда-то с Кавказа. А уж кто — не знаю.

Глава 10

Я шла очень быстро и чуть не налетела на встречного прохожего. В последнюю секунду успела увернуться. Извинилась, не снижая темпа.

Мысли перегружали голову, наползая одна на другую. Я пыталась рассортировать их по полочкам, привести хоть в какой-то порядок.

Так вот, значит, что за «дружба» связывала Антона Вершинина и директора «Данко». Теперь мне было понятно, как мог «убедить» Киреев уже известного тогда архитектора построить на Волге особняк на двоих.

Давнишняя история, спаявшая этих двоих намертво, уже начала покрываться пылью, как вдруг нашелся человек, сумевший вытащить ее наружу. Артист. Как это ему удалось?

И тут меня озарила догадка. Простая до банальности. Я только диву давалась, как же раньше она не пришла мне в голову! Был же тем вечером еще и третий! Тот, кто снимал все это на пленку. Им мог быть сам Артист. Как говорила Марина, у него повадки уголовника. Так вот, теперь все складывалось весьма определенно: отсидел этот Артист (может, и не раз!), а когда вышел, с удивлением узнал, что его бывшие дружки — денежные люди. Подумал, подумал, да и вспомнил про негативчик. Начал осторожно наводить справки, контакты. Узнал, что Киреев сам шантажом «балуется». Ну, тут уж сам бог велел его подоить!

Что должен был в такой ситуации сделать директор «Данко»? То, что и сделал: постарался всеми правдами и неправдами завладеть пленкой! Сколько он отвалил за нее деньжищ — вряд ли я когда-нибудь узнаю. Если только удастся выловить Артиста. Да и тот вряд ли скажет правду. И вот «бомба» в руках господина Киреева. Что он делает дальше? Да обдирает как липку своего друга! Выставляет тому счет на такую сумму, что Вершинину не остается другого выхода, кроме как убить шантажиста.

Да, для господина Киреева постыдный факт из прошлого — досадная неприятность. Может быть — чуть больше. А вот для Антона Вершинина, человека с европейской известностью, это гораздо больше, чем просто неприятность. Это — крах его репутации. Ради такого можно пойти на убийство!

Автомобильный сигнал бил по ушам и вырывал из плена мыслей. Я отскочила назад, на тротуар.

— Дура, на тот свет захотела?! — орал на меня взволнованный водитель. Он был совершенно прав, потому я промолчала в ответ.

Встряхнулась и снова начала замечать окружающий мир. Невольные свидетели конфуза с интересом поглядывали в мою сторону. Осмотрелась вокруг и с некоторым удивлением обнаружила, что колеса занесли меня аж на магистраль! Что делать дальше, я уже знала. Достала сотовый и набрала номер уже известного вам Когана.

— Семен Матвеевич? Можно к вам приехать?

На сей раз водку покупаю в «Ликсаре». Благо, один из этих магазинов недалеко от дома на проспекте Кирова. Цветы для его супруги я на этот раз опустила.

Семен Матвеевич взял бутылку из моих рук и унес на кухню. Достал початую из холодильника.

— Итак? — сразу же приступил он к делу. Рюмки мы оставили в покое, и они, так же как и бутылка, служили просто интерьером к разговору.

— Нехороший человек, оказывается, был Андрей Викторович. Шантажист.

— Проходил такой слушок, — согласился со мной Коган.

— Сейчас это не слушок. Сейчас это уже факт. Аварова или Аваров. Фамилия что-нибудь говорит?

— Женя, вы меня просто удивляете! — Семен Матвеевич даже всплеснул руками. — Про таких людей вы, в силу своей профессии, просто обязаны знать!

Видя мое недоумение, пояснил:

— Руслан Аваров — правая рука Шамиля Гатаева. Того еще зовут совсем просто: Чечен. О нем-то, надеюсь, слышали? Или столичная жизнь вас совсем не интересует?

* * *

Так вот оно как все вышло! Действительность, как часто говорят, превзошла все ожидания. «Известность, репутация» — чушь собачья! Да если бы эта пленка двадцатилетней давности попала к Руслану Злому, то жить Кирееву и Вершинину осталось бы совсем мало. И никакие деньги им не помогли бы. Вряд ли помощник главаря чеченской мафии столицы унизился бы до того, чтобы принять откуп за кровь сестры. Его положение, авторитет в глазах земляков просто не позволили бы сделать этого.

Кровь за кровь!

Потому-то и трясся господин Киреев. Возможно, и приглядывать за Кэт он нанял меня не без основания. Коль пошла такая свистопляска, жди беды!

Дело можно было считать законченным, поскольку теперь я могла не только доказать, кто убийца, но и заставить его сознаться в преступлении. Для него это будет единственный выход остаться живым.

Существовала еще масса неразрешенных вопросов, на которые следовало найти ответ. Но это все потом.

Покопавшись в сумке, я нашла визитку Вершинина. Решительно набрала номер его мобильного телефона. Трубку никто не взял. Повторила набор еще раз. Наконец услышала голос, но совершенно не тот, который ожидала.

— Да-а? Антона Валентиновича нет.

— А вы кто? — в свою очередь интересуюсь я.

— Я убираюсь тут. Слышу: пищит. Может, думаю, кто по делу?

Пенсионер Петрович удивил меня сегодня наличием у него сотового. И то, что уборщица разговаривала со мной по телефону Антона Вершинина, уже не способно было повергнуть меня в шок. Тем более голос, который раздавался в трубке, был совсем не старый.

— Скажите, а где он?

— Его полчаса как в больницу увезли. С сердцем.

— В какую?!

Мое собственное от такого известия забилось так, будто собиралось выскочить из грудной клетки.

— В 3-ю Советскую, кажется.

Я отключилась и лихорадочно соображала, что делать дальше. В любом случае нужно было ехать туда.

* * **

Я возвращалась в тот же район, из которого уехала чуть больше часа назад. Политехнический институт стоит рядом с 3-й Советской.

«Это карма настигла Вершинина!» — отчего-то пришло мне в голову.

И тут же отругала себя за подобную ерунду:

«Нечего всякую чушь молоть, думай лучше, как побыстрее Вершинина отыскать!»

В приемной было полно народа, но мне удалось протиснуться к окошку регистратуры.

— К вам человека с сердечным приступом привезли недавно.

— Как фамилия?

— Вершинин Антон Валентинович.

— Да, есть такой.

— А увидеть я его смогу?

— Что вы, девушка! Человек с тяжелейшим инфарктом. Он сейчас в реанимации. Дай бог, чтобы выжил!

Покинула больницу совершенно опустошенной. Такое ощущение, будто из меня разом выкачали все силы.

Мой мобильник ожил в сумочке, и я неохотно достала его.

— Теперь ты, сука, довольна?! — услышала я визгливый женский голос. После этого вопля души трубка некоторое время издавала короткие гудки. Некоторое время раздумывала: довольна я или нет? Потом нажала на «сброс».

Как ни странно, этот звонок вывел меня из опасного состояния транса. Я подобралась, внутренне все еще негодуя на коллизии судьбы. А через минуту уже стояла на другой стороне дороги и опять пыталась поймать такси.

На этот раз это удалось мне с первого захода: едва я подняла руку, на меня сразу спикировала «восьмерка». Узнав, куда нужно ехать, водитель задумался. Я пришла ему на помощь, назвав сумму оплаты. Он молча кивнул, и я заняла сиденье рядом с ним.

Тарасов он знал хорошо, и Соколовогорский поселок мы миновали уже минут через двадцать.

После КП мы благополучно проехали участок трассы, на котором я вчера стояла в пробке. Впереди намечался затор, но водитель ушел на проселочную дорогу и через пять минут вопросительно поглядел на меня: мол, где лучше остановить?

Высадилась, не доезжая киреевского особняка. Вовремя заметила торговую палатку. Колбасы у них не оказалось, зато продавались гамбургеры. Я купила десять штук и попросила не греть, лук и горчицу не класть. Продавщица смотрела на меня очень подозрительно. Ее взгляд я еще долго ощущала где-то в районе лопаток.

Ну, не стану же я ей объяснять, что Филипп наверняка горчицу не любит! Лук, кстати, тоже. Да и горячее ему ни к чему.

В этот раз штурмовала забор уже более культурным способом: посредством дерева и ящика. Поздоровалась с овчаркой, не отрывавшей взгляда от моего пакета. Скормила ей половину купленного. Вторая половина мне может понадобиться.

Преодолела забор в обратном порядке под изумленным взглядом соседского мальчишки. Что поделать, впереди еще один! Хорошо, что дом садовника находился на окраине — любопытных глаз немного! Да и забор высотой поменьше, что тоже радует.

Выбрав место, я подтянулась и уселась на него. Поискала глазами того, кому предназначалась вторая половина съестных припасов. Но пес Грача не появлялся из своей будки, хотя давно должен был отреагировать на мое вторжение! Бесконечно сидеть на заборе я не собиралась и спрыгнула вниз. Я все еще осторожничала, поскольку псина у специалиста по грядкам была серьезная.

Но кобель куда-то делся и не спешил приветствовать меня. Честно признаться, я нисколько не возражала против этого! Просто опасалась появления собаки в самый неожиданный момент. Но вот я уже на крыльце дома, а пса все нет.

Перестала удивляться, когда увидела большой навесной замок на двери. Ясно: Грач, не ожидая концовки, испарился. И пса в отличие от киреевского сторожа прихватил с собой.

В доме делать мне было нечего. Единственной целью моего визита был он сам. Выбралась на улицу и задумалась: что делать с оставшимися гамбургерами? Постояв немного, решилась еще на один визит во Флориду.

* * *

Филипп действительно не отказался от добавки. Правда, за вторую порцию он принялся без былого энтузиазма и съел только пару сосисок. Хлеб же понюхал и, попятившись, посмотрел на меня отчего-то виноватыми глазами. От остального и вовсе отказался.

Тащить пакет я не собиралась и выложила остатки в собачью миску. Затем хотела уже уйти, но неожиданно передумала.

Переменить решение меня заставило одно странное обстоятельство: мне показалось, что со стороны особняка донесся неопределенный звук — будто открылась и вновь закрылась дверь.

Кто там может прятаться? Лада? Что ей сейчас тут делать? Она должна сидеть в приемной 3-й Советской. Я очень удивилась, что не встретила ее там. Кто еще там может быть? Артист?

Мне очень захотелось узнать, кого скрывает особняк. Если это действительно тот, о ком я подумала в последнюю очередь, то мне уже давно пора было с ним побеседовать. Тем более что пленка находилась уже у меня и теперь я знала ее настоящую цену.

«Ну а если это Лада?»

Что ж, и с ней найду о чем поговорить. Но демонстративно действовать я не спешила. Прячась за деревьями, потихоньку перебиралась ближе к бассейну. Дверь в дом действительно была приоткрыта.

Еще меня подстегнула та атмосфера таинственности, которой хотел окружить себя неизвестный пока мне человек. Зачем, например, той же Ладе тайком пробираться в дом? Или Анне Андреевне? Что-то тут не так!

Я сделала небольшой рывок и спряталась за спинку шезлонга. Еще одно стремительное движение — и я на террасе. Прижалась к стене и застыла, вслушиваясь в окружающие меня звуки. Пока ничего подозрительного. Перебралась ближе к двери и медленно потянула ее на себя. Открыла ровно настолько, чтобы можно было проскользнуть вовнутрь. В холле царили тишина и полумрак. Все звуки, еще секунду назад окружавшие меня, остались в парке.

Одно я поняла сразу — внизу никто меня не поджидал. Холл был пуст, и только медвежья шкура раскрывала свои объятья. Но теперь уже не до экзотики! Внимание обострилось до предела. Я боялась пропустить даже малейший шорох.

Неслышно прокралась к лестнице. Там замерла и вновь прислушалась. Где-то на втором этаже, похоже, открылась дверь. На той половине, что принадлежала Вершинину. И через пару секунд я уже отчетливо услышала шаги. Они направлялись в мою сторону. Недолго думая, спряталась под лестницу.

Каблучки. Через некоторое время я слышала их уже отчетливо. Но выглядывать мне не было необходимости — женщина спешила к двери. Я видела ее всего лишь мгновение и только со спины, но все равно безошибочно узнала. Теперь мне понятно, почему она пробиралась тайком!

Я перестала прятаться, когда она закрыла за собой дверь и дом вновь замер. Теперь уже не было сомнения в том, кто прятался на втором этаже. Я достала из сумки свой «ПМ» и не спеша поднялась по лестнице. В голове вертелся закономерный вопрос: а почему она шла с половины Вершинина? Логичней было предположить, что Артисту выделили комнату на киреевской стороне.

Я кралась по коридору второго этажа. Оружие держала двумя руками, готовая в любой момент выстрелить. Вот и приоткрытая дверь. Я еще не успела дотянуться до ручки, как услышала спокойный голос:

— Входи, я тебя давно жду.

Меня словно током ударило, и ладони на рукоятке разом вспотели. Я рывком открыла дверь и бросила тело в образовавшийся проем. Мгновение — и он был у меня на мушке.

— Можешь убрать ствол. Стрелять в тебя я не собираюсь. Да и не из чего.

— Вчера ночью он у тебя был, — заметила я на всякий случай.

— Теперь нет. Ты хорошо постаралась. Метко стреляешь.

Внимательно рассмотрела сидевшего в кресле напротив меня мужчину. Выглядел он старше того же Вершинина. Но это ни о чем не говорило. Антон жил на свободе, в полном достатке. А Артист не один срок, поди, отмотал.

— Как же мне величать тебя по имени? Артистом как-то уже приелось!

— А мы разве с тобой знакомы? — Левая бровь чуть приподнялась. Видно, хотел показать, что удивлен.

— Заочно. Я несколько дней только о тебе и думала. Жила, можно сказать, мечтой о встрече!

— Надо же!

В его возгласе сарказма хоть отбавляй. Неожиданно он рассмеялся, но подавился на середине процесса и захрипел. Лицо исказила гримаса боли. Куда же я ему залепила? Судя по бинтам, в верхнюю часть груди. Да, как раз рядом с правым плечом угадывался шишак тампона.

— В другой раз обрадовался бы встрече с такой симпатичной девушкой, — серьезно признался Артист. Но тут же зло добавил: — Но только не в этот.

Глаза у него синего цвета. Холодные, как две ледышки. А так — черты лица правильные, и, в общем, Артиста можно было бы назвать интересным мужчиной, если бы не особая печать угрюмости. Через нее никогда уже не пробиться природному обаянию. Во всяком случае, так мне показалось. Рубашки, как я уже сказала, на нем не было. Наверное, только что ушедшая дама сделала ему перевязку. Из-под бинта виднелась часть татуировки. Угадывались только лошадиные ноги. Что выше, можно было только предположить. Витязь с копьем?

Ладно, лучше оставить это на потом. Еще раз повторила свой вопрос:

— Так как мне величать тебя?

Устроилась в кресло у окна. Так, чтобы видеть всю комнату, бандита и, главное, дверь в комнату. Получить по затылку еще раз мне не хотелось.

— Можешь называть Михаилом. Мишей, стало быть. А ты — Евгения? Женечка, черт подери!

— Ладно, давай любезности оставим на потом. О главном: зачем ты убил сторожа? Санек отказался тебе пленку отдать? Или пригрозил, что Руслану Злому ее продаст?

— Значит, ты и это уже раскопала, — помрачнел он.

Он говорил, задумчиво разглядывая синие перстни на своих пальцах. Судя по их количеству, Миша сделал не одну ходку.

На мой вопрос он не ответил. Вместо этого спросил сам:

— Скажи, что ты хочешь?

Спрашивал тихо, а сам, не отрываясь, смотрел на меня. Даже не моргал.

— Если думаешь, что денег, то ты ошибаешься. Мне нужна правда.

— «Правда!» — повторил он и вновь горько усмехнулся. — Вся правда заключается в том, что ты влезла, куда тебя не просили, и перевернула все вверх дном. Чего ты хочешь добиться? Ну, допустим, я замочил этого козла. Ты сможешь это доказать? Вряд ли! А вот тебе самой попариться придется: из твоего ствола ублюдка этого убили. А ментам все равно, кого сажать: тебя или меня, — лишь бы дело закрыть и галочку поставить! Тебя даже проще, — он махнул рукой и вновь слегка скривился от боли, — на тебя улика есть. Да еще какая! Наверняка еще у подъезда кто-то видел и запомнил. А со мной повозиться придется. Я же не сопляк-первоходка, меня на понт не возьмешь. А фактов на меня — тю-тю! Так что давай лучше решать ситуацию по-хорошему!

Я улыбнулась, поскольку тирада его заканчивалась именно так, как я ждала. Ответ у меня был приготовлен заранее. Да, правда в том, что он мне сказал, есть. И большая доля правды. Но это при одном раскладе. А ведь есть и другой. О нем-то я и поспешила напомнить:

— А зачем мне связываться с милицией? Я могу сделать все по-другому: позвоню одному чеченцу в Москву и скажу, что знаю фотографа, который наделал интересных снимков с участием его сестры. И как раз накануне того дня, когда бедняга на себя руки наложила! И парочку пошлю для подтверждения. А потом мне останется только помочь Злому тебя найти. Хотя даже этого делать не придется. Он сам тебя найдет. И, заметь, быстро!

Артист кусал губы и сверлил меня взглядом. Затем выдал следующее:

— И тут тебя ждет облом. Злого я лично знаю, он мне быстрее поверит, чем тебе. Что тогда делать будешь?

— А как ты ему сумеешь объяснить, что негатив у тебя оказался? Только в одном случае — если снимал ты!

— Промашечка, гражданка. Если бы ты внимательно к фотографиям присмотрелась, то поняла бы, что фотографа-то вообще не было!

Теперь уже я недоумевала.

— Эх, ты, детектив! В общаге — да, щелкали по очереди. А вот уже когда ребятишки в квартире развлекаться начали, тогда на автозавод поставили. Это видно по тому, что все снято с одного места. На стол или на полку фотоаппарат поставили, завели и — вжик, готово! И никого в квартире, кроме них троих, пожалуй, и не было! Даже те две девахи, что сиськи казали, вряд ли бы стали это делать перед посторонним. Но, как я думаю, к финальному эпизоду и они уже испарились.

— А как пленка у тебя оказалась?

— Просто. Но рассказывать об этом тебе я не стану. Думай что хочешь. Предлагаю тебе за нее десять штук баксов. И сроку тебе — два часа. Сгонять туда и обратно. Если нет...

— И что будет?

— Позвоню в ментуру и подскажу, где искать убийцу Семенова Александра. Усекла?

— Усекла. Только вот одного я не «усекла». Зачем тебе сейчас пленка?!

— Затем, зачем и раньше: раскрутить одного чижика на полную катушку.

— «Чижик», как я догадываюсь, Антон Вершинин?

— Правильно догадываешься.

Я задумалась. Задумалась надолго. Назрела ситуация, когда нужно было принять одно-единственное, правильное решение. Промашку допустить просто нельзя. И все зависело только от одного обстоятельства — знает ли Миша Артист, что второй владелец особняка на Волге в настоящий момент фактически при смерти? И выкарабкается он или нет — одному богу известно!

— В милицию ты звонить не станешь. Пленку ты тогда точно не получишь. А вот тот факт, что накануне убийства Семенова у меня пистолета не было, есть кому подтвердить. Вершинин нашел меня в бессознательном состоянии. И если Антон узнает, что пленка у меня, бояться тебя он перестанет. А вот помочь посадить захочет. Что на это скажешь?

Артист молчал, потому продолжала я:

— Пленку я тебе не отдам, но фотографии при определенном условии — могу. Хватит с тебя и последних шести фотографий.

— Нет, так не пойдет, — не соглашался он. — Мне нужна пленка. А уж коли на то пошло — и все фотографии с нее.

— Фотографии я могу отдать тебе прямо сейчас. И денег мне с тебя не нужно. Мне нужна правда: кто убил Киреева. Сделать это могли три человека. Вот мне и нужно знать, кто из них. Пленку я тебе при любом раскладе не отдам.

Теперь настала его очередь думать.

— За фотографии я могу тебе только наколку дать. Если умная — сама дотумкаешь.

— Что за наколка?

— Э-э! Так не пойдет. Ты что, меня за фраера держишь?! Карточки давай, тогда и поговорим.

— А если ты обманешь?

— У тебя ствол, а у меня — нет. Я ранен, ты — нет.

Я выдержала некоторую паузу, еще раз прикидывая — правильно делаю или нет? Потом достала из сумки фотографии и отдала их Артисту.

Тот с жадностью смотрел на них, словно они бриллиантовые. Хотя... для него они и были бриллиантовые!

— Ты обещал что-то рассказать!

— Раз обещал — расскажу!

Он еще раз торопливо проглядел фотки, затем сунул их в карман брюк.

— Ты говоришь, что убийца может быть из числа троих? Так вот: я тебе уменьшу это число до двоих. Маринка точно шурина своего не валила. Это факт.

— Откуда ты знаешь?

— Да потому, что я сам ее сюда привез. Я же и увез обратно. Мне она сказала бы в первую очередь. И второе: ты думаешь, она такая дура, что сразу полезла в дом? О чем-то, наверное, со сторожем почирикала! И третье: я не убивал этого придурка, Сашу Семенова. Мне это просто не нужно было.

— В последнем я не уверена, — вставила я, — он перед смертью почему-то твою кличку назвал.

— А ты уверена в этом?

— Я не глухая. Да к тому же: у кого еще мог оказаться мой ствол? Только у тебя или у Антона. Так что... Ответ я и без тебя знаю. Кстати, если ты привез переодетую стриптизершу, то и Киреева мог вполне убить ты. Пока она отвлекала сторожа разговором, пройти в дом и попытаться первым до сейфа добраться. Времени у тебя на это хватило бы.

— Андрея я не убивал. Но в дом заходил, как ты правильно сказала. Вернее — хотел зайти. Только вы с этим вундеркиндом помешали! Когда у бассейна целовались. А когда наконец ушли к беседке, Шустрик подскочила.

— Кто?

— А Маринку так кличут. В Москве приклеили ей это погонялово — за то, с какой скоростью она клиентов обслуживала!

— Так вот, — продолжал он, — когда она в дом зашла, я вернулся в машину. Подумал: вдруг вы надумаете вернуться и, не дай бог, на вас наткнусь! А Маринку вы бы за Аню приняли!

— Слушай, а какой смысл вообще с этим переодеванием был? Вершинин или Лада, столкнись они при свете в доме, наверняка бы стриптизершу узнали.

— А не должно было быть ни света, ни их обоих в коридоре! Так и не сообразила, для кого весь этот маскарад делался?!

— Для кого?

— Да для тебя!

— Для меня? — удивленно переспросила я.

— Когда Маринка приехала к сеструхе, та ей все рассказала. И про тебя в том числе. Когда та уснула, Шустрик мне позвонила. Я прикинул, что если ты ее в коридоре ночью увидишь в платье и парике, то ни за что не узнаешь. Ну, и посоветовал прикинуться. В байку, что ты должна дочку ихнюю охранять, я не поверил: на кой хрен она кому-то сдалась? А вот сейф сторожить — это да! А заглянуть в него нужно было обязательно. И лучше случая не подвернулось бы!

— Слушай, а зачем ты Кирееву пленку продал? Неужто сразу не сообразил, что с Вершинина можно больше содрать?

— Да не знал я тогда про второго! — неожиданно признался он. Видно, я своей насмешкой задела его самолюбие. — Вообще не знал, кто второй в кадре мелькает. А когда узнал, пленки у меня уже не было. Только потом и сообразил, что поспешил. И тут жизнь предоставила шанс ошибку исправить! Только она...

— Она? — переспросила я, поскольку Миша неожиданно умолк.

— Я тебе и так уже больше, чем обещал, рассказал, — ответил он и прикурил сигарету, — дальше думай сама.

— Нового, скажу сразу, ты мне ничего не сообщил. Можешь хотя бы объяснить, откуда у тебя негатив?

— Хорошо. Чтоб у тебя всякие сомнения отпали. В число студентов я никогда не входил — к тому моменту жизни, про который ты интересуешься, уже пару лет отсидел. А с судимостью, сама знаешь, тогда в институт попасть нельзя было.

Артист глубоко затянулся, сосредоточиваясь.

— Короче, с Киреевым мы тогда соседями были. В тот день он сам ко мне пришел, весь трясется. Можешь, говорит, посоветовать, что делать? Так, мол, и так, все рассказал. Ну, я его успокоил. Говорю: сама повесилась, чего боишься? Но от фотоаппарата избавься. Давай, мол, я его толкну. Бабки поделим. Ну, он мне его и отдал. Пленка в нем осталась. Я оттащил ее к одному человеку, тот проявил. Карточки, несколько штук, напечатали. Ну, ему же и аппарат задвинул. Деньги, как и обещал, поделил с Андрюшей. Тот уже к тому времени престал маленько трястись. А про пленку наврал ему, для пущего успокоения, что засветил и выкинул. На хрен, мол, она мне сдалась? А сам припрятал. Ну а потом и действительно забыл. А там новый срок. Так что вся эта история из головы вылетела, поскольку меня она не касалась.

— Пока не встретился с Маринкой?

— Верно мыслишь. Мы с ней случайно перехлестнулись. Снял я ее на пару часиков. Пока сутенера ждала, болтали. Оказалось, что землячка. Разговорились. Ну как обычно: где в Тарасове жила, кого знаешь. Маринка начала мне рассказывать, какая скотина ее родственничек. Оказалось, что родственничка этого я знаю!

— Хорошо, это я поняла. А как ты узнал, что Киреев тогда насиловал с приятелем именно сестру Руслана Злого?

— Это уже совсем другая тема, и посвящать тебя в нее я не намерен! — запротестовал Артист.

— Хорошо, но ты так и не дал намек, который обещал: кто же убил Киреева?

— А ты сама потрудись, время сопоставь. Когда вы целовались, когда Шустрик в доме была. Кто, кроме этого придурковатого архитектора, мог еще шлепнуть Андрея?

— Сестра его? — сделала я вывод из его слов. — А зачем ей это понадобилось?

— Не знаю, — ответил он, — думай сама.

* * *

Первое, о чем я подумала, когда оказалась за воротами: «Как же ты, голубок, умудрился в квартиранты напроситься?» Что, Шустрик стибрила ключи от коттеджа у сестры и на свой страх и риск поселила туда Артиста? Тогда почему в комнату, принадлежащую Вершинину? Простая наглость? Или бандит уже начал потихоньку присасываться к Антону?

Второй вопрос назрел у меня в голове уже по дороге: а почему, собственно, Миша сдал мне сестру архитектора? Поскольку я была уверена на сто процентов, что этот волчара ничего делать не будет, не просчитав на пять ходов вперед, решила определить, какая ему может быть польза. Первое, что мне пришло тогда на ум, — его желание вывести из-под моего прицела Антона. Он ему нужен, а сестра — зачем? Второй вариант, как мне представлялось, заключался в следующем: действительно, убийца Лада. Тогда, возможно, она в погоне за пленкой была в сговоре с Артистом. Теперь сестра Антона стала ему просто не нужна. И он хочет, чтобы мы сцепились с ней. А он тем временем без помех займется братцем.

Но, какой бы расклад ни оказался справедливым, Миша уверился в одном: в милицию я не пойду. Потому и выдал все так спокойно. Действительно, с чем мне идти? Доказательств нет никаких! Ни против Вершинина, ни тем более против его сестры. Да и против самого Миши Артиста. Без них же все мои рассуждения являются для закона лишь досужими вымыслами. А вот факты: девочку видели свидетели с пистолетом в руках. На оружии — ее отпечатки. Второе: Саша Семенов убит из моего пистолета. Это тоже факт! И с ним не поспоришь!

Так что Миша совершенно ничем не рисковал, рассказывая о своем ночном визите в особняк.

«Зачем же он хотел меня убить? Причем дважды. Все же я представляю для него опасность», — думала я, топая к трассе.

«И ведь третий раз пытается, подсовывая мне Ладу! — неожиданно отыскала я еще один возможный мотив действия Артиста. — Ничего не помешает ему сейчас перезвонить ей на сотовый и сказать, что я стала крайне опасна. И добавить в конце невзначай, что и пленка у меня!»

ЗАЧЕМ?!

Зачем Ладе понадобилось убивать Киреева?! Эта стильная дамочка никак в моем сознании не представлялась нажимающей на курок пистолета. Скорее уж Анна Андреевна. Хотя что я знаю о них обеих?!

Как ни рассуждай, вопрос этот по-прежнему ставил меня в тупик.

* * *

Еще одна мысль одолевала меня в последние дни, но я так не нашла времени до нее добраться: кто тогда звонил мне на сотовый и вытащил из чебуречной? Кому я обязана тем, что моей «ласточке» прямая дорога на городскую свалку? Костик, знакомый автомеханик, прямо заявил, что новую машину купить дешевле, чем ремонтировать мой видавший виды «Фольксваген».

Судя по голосу, это была Анна Андреевна. Только с чего ей взбрело в голову посылать меня на смерть? А вот если после моего визита младшенькая экстренно связалась с Артистом и обрисовала обстановку, то он вполне мог ей посоветовать выкинуть подобный трюк. Кто его знает: может, Шустрик не только внешность может заимствовать у старшей? Вдруг она и голос наловчилась менять?

В любом случае у нас с ней намечалась еще одна встреча. Да и с Анной Андреевной непременно следовало поговорить по душам.

«До этой встречи!» — уточнила я для себя.

Ну а пока меня вновь ждала 3-я Советская. От того, насколько серьезным являлось положение Вершинина, зависели и мои дальнейшие действия.

* * *

В приемной народу меньше не стало. Разношерстная публика, объединенная лишь одним — у каждого случилось несчастье. Или у самого, или у кого-то из родственников или друзей.

В больницу от нечего делать никто не заходит. Даже вездесущие коммивояжеры с суеверным страхом обходят подобные заведения.

Все в той же регистратуре я узнала, что Вершинина перевели в палату интенсивной терапии.

— Но это еще ни о чем не говорит, — сурово уточнила медсестра.

Я махнула гривой, будто соглашаясь с ней. На самом же деле меня грызли свои мысли. Вернее, одна, самая насущная. Ее-то и я принялась воплощать в жизнь. Первым делом путем ненавязчивых вопросов выяснила, что нужная мне палата — на втором этаже. Следующим этапом надо было разжиться халатом. На это я затратила меньше двадцати минут — смекалкой меня бог не обидел! С независимым видом поднялась на второй этаж, не вызвав у персонала ни одного вопроса!

Антон встретил меня жалобным взглядом. Я, как ни старалась, не смогла смягчить свой взор. Потому, наверное, он поспешил с ответом на тот вопрос, который легко читался в моих глазах.

— Женя, я... не убивал... Андрея. — Слова давались ему с трудом. — Если бы я... это сделал, то никогда бы... Катя...

Я поняла, что Антон хотел мне сказать: то, что он никогда бы не позволил себе прикрыться ребенком. Что ж, попыталась ему поверить.

— Я знаю уже, что Киреева убила ваша сестра. Зачем она это сделала? Ответьте мне только на один этот вопрос, и я уйду.

— Мне... больно говорить...

— Ответь!

— Деньги...

Коротко и ясно. И старо, как мир. Я встала, намереваясь выполнить свое обещание. Но на этот раз Антон сам меня удержал.

— Я... не выкарабкаюсь... чувствую это. Расплата... я вам должен сказать...

Я внимательно слушала его, жадно ловя каждое слово.

Пять минут Вершинин говорил, а я слушала. Лишь иногда вставляла вопрос. Затем ему стало так плохо, что я сама побежала искать врача.

* * *

— Лада?

— Да.

— Все, что тебе нужно было, давно у твоего дружка Артиста.

Сказав это, я отключаю связь. Больше пока мне не о чем с ней говорить.

Итак, первый ход сделала я. Однако не собираясь ждать очередного хода противника — у них и так к тому времени была слишком большая фора. Потому, не медля, набрала другой номер.

— Анна Андреевна?

— Ты?! Ты смеешь еще звонить?! Да я...

Что она собиралась предпринять, я уточнять не стала.

— Закрой рот и слушай. Пленка у меня, что с ней делать, тоже знаю. И еще: я только что из больницы, мне удалось поговорить с Антоном Вершининым. Через час жду тебя в том же кафе на Волге, где встречались в прошлый раз.

Никаких возражений принимать не собиралась, потому сразу отключила связь. Да и не последовало бы их, этих самых возражений! Я на сто процентов была в том уверена.

Глава 11

С того дня минуло трое суток. За это время многое произошло.

Во-первых, как я и думала, Анна Андреевна примчалась на встречу, никуда не делась. Мы долго и обстоятельно с ней говорили, и мне удалось узнать все недостающие факты. Наконец картина полностью прояснилась. Правда, оставалось выяснить кое-какие детали, но это уже не составило труда.

После того разговора на следующий день утром мы отправились к следователю. Не могу сказать, что беседа с ним была для меня приятной и легкой. И все же я уговорила его сделать так, как придумала заранее. Впрочем, это был единственный вариант прижать настоящую преступницу. Другого просто не существовало.

Для этого мне нужно было смотаться в Москву. Нет, встречаться с Русланом Злым я не собиралась. Упаси бог! То, что я узнала о нем, сразу отбило у меня всякую охоту общаться с этим человеком. По слухам, более отмороженного типа трудно сыскать. Но вот один из членов его группировки меня очень интересовал.

А нужную информацию я, при содействии Анны Андреевны, вытащила из ее сестры Маринки. Впрочем, «вытащила» не совсем верное слово. Стоило ее припугнуть тюремным сроком — и девица сама была рада рассказать что угодно, только укажи, что именно.

А мне требовался человек, который знал об Артисте что-то такое, что могло бы того напугать. И на наше счастье, выяснилось, что такой человек существует — и зовут его Крот. Этот Крот являлся участником одной операции, про которую Миша Артист, глава и вдохновитель, предпочел бы забыть навсегда. И сам Крот не стал бы никогда о ней вспоминать, но Марина снабдила меня сведениями о других его «подвигах». Так что шанс выбить из него все детали той истории у меня был.

С этим я и поехала в Москву.

* * *

Столица встретила меня пеклом. Казалось, даже асфальт скоро начнет плавиться под ногами.

— Мороженое, мороженое!

Этот призыв был актуален как никогда, и если хоть одна рука у вас оставалась свободной, то вскоре она обязательно оказывалась занята этим освежающим лакомством.

Прямо с вокзала я отправилась к ближайшей станции метро. Через десять минут вышла на «Динамо», поднялась на поверхность и приступила к поискам нужного мне дома.

Легко отыскала нужный дом, а затем и квартиру. Правда, на звонок пришлось давить основательно. Наконец я услышала, как лязгает замок квартирной двери, пара шагов — и долгожданный вопрос.

— Кто там?

— Привет от Артиста.

С той стороны железной двери задумались, правда, ненадолго. Затем металлическая створка отошла в сторону. Ровно настолько, чтобы человек мог загородить проход своим пузом.

— Чего надо? — не слишком вежливо поинтересовался хозяин квартиры.

— Крот, может, ты меня впустишь? Или будем на лестничной клетке разговаривать?

Некоторое время он шарил по моему лицу довольно бесцеремонным взглядом, тем временем напряженно думая, стоит ли меня пускать или нет. Затем все же просипел:

— Заходи, только я не один.

Я оставила его предупреждение без комментариев. Едва перешагнула порог квартиры, сразу стало ясно, что он имел в виду. Из комнаты выскочила девица, на которой из одежды была только комбинация. Проспаться она еще не успела. По выхлопам изо рта хозяина я еще раньше поняла, что вчера ночью он крепко пил. Теперь выяснилось, с кем. Но меня это нисколько не интересовало, и отметила я детали так, для общего порядка.

Девица едва перешагнула рубеж гражданской зрелости. На меня она не обратила никакого внимания. Прошлепала босиком на кухню и присосалась к носику чайника.

— Пойдем на кухню. Лялька — брысь.

— Щас!

— Брысь, кому сказал!

Со второго раза девица усекла, что от нее требовалось. Прихватила пачку сигарет и закрылась в комнате.

— Ну так что там велел передать Артист? — доставая из холодильника банку пива, поинтересовался Крот.

— А я разве сказала, что он велел что-то передать? — ответила я вопросом на вопрос.

— А... что тогда? — полное недоумение разлилось по его круглой физиономии.

— Надо, чтобы ты вспомнил, как вы с Артистом с помощью одной дамочки накололи одного человека. Ростислава Шестакова. Припоминаешь?

— Ты! Ты!! — Крот был готов задохнуться от моей наглости, и его лапища моментом сжалась в кулак.

— А вот этого, красавчик, не советую тебе делать!

«ПМ» вовремя украсил мою руку, и при всей неповоротливости мыслительного процесса в похмельной башке Димы Крота у него все же хватило ума не проверять — стану я стрелять или нет?

— А вот теперь слушай меня внимательно. Я не из ментуры и дело шить тебе не собираюсь. Сведения мне нужны только информативно. За них предлагаю тебе штуку баксов.

— Да пошла ты!..

Такой итог первого раунда переговоров предполагался заранее. Потому последовательно и не торопясь я пересказала ему несколько не самых лучших эпизодов из его жизни. Откуда я их узнала? Из разговора с сестрой Анны Андреевны. Как только ее удалось убедить, что карта Артиста бита окончательно и бесповоротно, Шустрик выдала все, что знала, по первому требованию. У нее появился могучий стимул сделать это: тюрьма вновь реально замаячила перед ней. А туда бедной женщине никак не хотелось!

Она попыталась еще раз надавить на мою жалость, но эту попытку я пресекла на корню, поскольку Аня поведала мне правду о своей младшенькой. Скажу только, что половина из того, что Маринка наплела мне в прошлый раз, было враньем с точностью до наоборот.

Так вот, к Диме в гости я приехала основательно подготовленной и уезжать без его правдивого рассказа была не намерена. Потому и не отступалась до тех пор, пока не услышала все, что нужно мне. Правда, ставка к тому времени со штуки долларов возросла до пяти, но меня это не испугало. Анна Андреевна, какой ни была прижимистой, выделила на это мероприятие десять тысяч «зеленых». Так что я еще сэкономила!

Мы еще некоторое время поговорили с Димой, потом я отправилась на вокзал. Можно было возвращаться домой.

* * *

В Тарасов я попала глубокой ночью. Вернее сказать — под утро. Потому проспала почти до часа, благо нужды торопиться у меня не было. Я отлично отдохнула, поела и только после этого приступила к решающей стадии своих действий. Перво-наперво позвонила Маринке и проинструктировала ее должным образом. Затем, когда она отзвонилась и доложила мне о выполнении, я почувствовала добавочную порцию адреналина в крови и решила, что пора ехать на повторное свидание с Мишей Артистом.

* * *

— А-а-а! Ты-ы.

Сказано это было так, словно он увидел перед собой не молодую очаровательную женщину, а нечто невообразимо противное.

— Я, Миша, я.

Садизм никогда не являлся моим недостатком, но в тот момент душевное страдание Артиста доставляло мне невообразимое удовольствие.

— Поменял квартирку, как я вижу?

В ответ он только заскрипел зубами. Я прекрасно знала, что делала, когда отдавала ему фотографии. Поскольку последующий мой звонок Ладе поставил точку на их «добрых» отношениях. А то, что ни она, ни он не успели бы пустить их в ход, я тоже была уверена. Я бы им не дала. И не потому, что была уверена, что Антон умрет. То, что так получилось, меня искренне расстроило. Просто это давало мне преимущество во времени, которого не было с самого начала. И все же главным оставалось — поссорить этих двоих. Чего я с успехом добилась.

Вор у вора дубинку украл — замечательная и совершенно правильная пословица. То, что Лада не доверяла Мише Артисту, — очевидный факт. На это я и рассчитывала.

Ну а насчет квартиры... после скандала Лада выперла его из коттеджа. А чтобы не потерять его из вида, я сама помогла ему обустроиться. Посредством все той же Маринки.

— Что тебе сейчас от меня нужно?

— Нужно, чтобы ты решил: пойдешь ли ты «паровозом» за два убийства и две попытки третьего или тебе перепадет что-то поменьше. А может, где-то и как свидетель пройдешь.

Миша Артист — это не его туповатый собрат из Москвы. Он сразу смикитил, что подобное предложение с моей стороны основано не только на наглости. Потому, не брызгая слюной, тихо спросил:

— А если я этого не сделаю?

Вот тут-то я и достала главный козырь, ради которого ездила в Москву. После этого он попросил:

— Дай мне день подумать.

— Много, — серьезно возразила я. — Сейчас ты мне расскажешь все об убийстве Киреева. И не намеками, а с изложением всех известных фактов. А также о втором убийстве. Саши Семенова. Я все это аккуратно запишу, а ты распишешься. После чего думай. Признание будет у меня до завтрашнего утра. Ну а завтра я готова принять от тебя твой вариант. Если не найду его слишком лживым. Впрочем, это вы уже с Ладой поделите, кто первая скрипка, а кто — вторая. Ты опытней в этих делах, и у тебя есть шанс спихнуть на нее побольше. Так что используй его, пока она тебя не опередила. А то, что я ее припру, можешь не сомневаться.

Он посмотрел на меня долгим взглядом, затем все так же тихо произнес:

— Садись катай.

* * *

Дрогнул ли хоть мускул на лице сестры Антона, когда она вошла в кабинет к следователю? Я очень рассчитывала на это, думала: увидит меня и остолбенеет. Однако ничего подобного не произошло. Впрочем, к предстоящему делу это не имело никакого отношения: эти наблюдения я делала лично для себя.

Ни тени испуга — такая уверенность в себе!

Но, верите или нет, в одну секунду я переменила представление об этой женщине. Теперь мне уже легко было представить себе, как Лада нажимала курок. И во второй раз, когда она всадила пол-обоймы в Фотографа.

Но в тот момент она была самая что ни на есть печальная женщина в трауре. Любящая сестра, которая, невзирая на безмерную скорбь, спешит выполнить свой гражданский долг. Если следователь вызвал, значит, нужно!

— Читайте. — Киреев протянул ей признание Артиста. Его забрали рано утром на следующий день, как я и обещала.

Некоторое время ее взгляд торопливо бегал по строчкам, потом Лада положила листки на стол.

— Я не понимаю... это чушь какая-то! Здесь нет ни слова правды!

Губы дрожали от возмущения, и бедная женщина готова была разрыдаться. Честное слово, если бы не знала, что это фарс, — поверила бы!

— У вас есть еще шанс сделать чистосердечное признание, — напомнил ей следователь.

— Мне не в чем признаваться. Я никого не убивала! — возмутилась Лада.

— Убивала, — решительно вмешалась я.

— Расскажите, — предложил майор.

Что я с охотой и сделала.

— История эта берет начало еще в студенческие времена двух друзей: Киреева и Вершинина. На выпускном вечере они напились и изнасиловали девушку. Поначалу такого намерения у них не было: девчонки, их подруги, подбили на шалость, с их точки зрения. Они-то и затащили Тамару на вечеринку. От парней требовалось напоить ее, что они и сделали с успехом. Потом сфотографировать без лифчика и сунуть фотографию перед отправкой домой. Ну, и сами девчонки снялись за компанию. Наверное, рассчитывали вырезать лишнее потом. Девицы были на нее злы. Они с парнями вовсю крутили, а Тамара на пушечный выстрел никого не подпускала.

Шутка обернулась трагедией. Парни напились и вошли

в раж. Финал ее присутствующие здесь и без меня знают. Так что рассказывать не буду, сэкономлю время.

История начала забываться. Только два главных ее участника уже никогда не могли стереть происшедшее из своей памяти. И вот их дорожки вновь перехлестнулись. Киреев стал к тому времени директором крупной тарасовской фирмы, а Антон Вершинин и вовсе приобрел европейскую известность. И был, конечно, намного богаче своего студенческого приятеля. Киреев живо напомнил дружку о прошлом, и в результате на Волге появился сказочный дворец.

Только полностью оттяпать его себе Андрей не смог. Поскольку у самого точно так же рыльце в пушку было. Но — хоть на двоих! И так на зависть всем знакомым особнячок получился.

Антон так и не обзавелся семьей. А у Киреева была жена и малютка-дочь. А у той жены сестра. Которая выросла непутевой, не в пример старшей. Умчалась искать счастья в столицу. Только счастья там не обрела и пошла работать на панель. Там случайно познакомилась с человеком, имеющим к последующим событиям прямое отношение. Речь идет о Мише Прохорове, уголовнике по кличке Артист.

Так вот, у Антона была сестра. Сестра эта тоже в то время жила в Москве. Сначала училась там в театральном, затем застряла почему-то. Стала Антонова сестра любовницей известного бандита, чеченца по национальности Руслана Злого. Звали девушку Лада. Была она когда-то пай-девочкой, но — с кем поведешься...

Так вот. Артист тоже около Злого крутился. Он и поведал Ладе о встрече с землячкой и о том, что она знает господина Киреева — его бывшего соседа. И также заикнулся о том, какая нехорошая история с ним в юности приключилась. И надо же — Ладе ее любовник рассказывал о трагической судьбе его старшей сестры. Они сложили половинки и получили целое. И Лада тоже знала Андрея. Как же — студенческий приятель ее брата! И Артист, с интересом поглядывавший на красивую женщину, сразу же вспомнил, что в его доме в Тарасове спрятан негатив. А с него много интересных фотографий наделать можно.

Что он тогда задумал, предстояло еще выяснить. Но

Ладе уже до смерти надоел отмороженный чечен, да и в столице делать больше было нечего. Да еще кое-какие смутные подозрения стали будоражить душу. Брат, конечно, никогда не рассказывал ей о той печальной истории. Но, может, то, что он близкий приятель Андрея, или что-то другое натолкнуло ее на неясную пока мысль. Словом, она вместе с Артистом приехала в Тарасов. Да заодно и Марину Шустрика прихватили. Ей-то, конечно, всей правды не рассказали. Просто предложили выгодное дело, да и Артист, знавший о ее нелюбви к родственничку, подогрел.

Словом, славное трио прикатило в Тарасов. Как действовал Артист — это отдельная история. А вот Лада, когда увидела на фотографиях, сделанных с негатива, своего родного братца, обомлела! И сразу сообразила, что это чудо, что Артист пока не знает, кто же второй! На фотографии молодой Вершинин того времени сильно отличался внешне от нынешнего оригинала. Но сестре как было не узнать!

И Лада тут же усекла, что куш, настоящий куш с Киреева не срубишь. Ну, сколько-то он отстегнет. Но все не отдаст. На плаху ляжет, но не отдаст. А вот ее брат — другое дело! И даже не в Руслане Злом дело. Вершинину имя дорого. Да и денег у него раз в сто больше, чем у Андрея Викторовича. Вот на него-то Лада и нацелилась. Только существовала одна проблема — нужно было очень быстро завладеть негативом. Да и, по возможности, убрать ненужного уже Артиста. И тогда Лада начинает играть в любовь с Андреем Киреевым. И попутно — со сторожем Саньком Семеновым. Но с Киреева ей виделось больше толка. Сам он шантажировать Антона не мог, поскольку у самого точно так же рыльце в пушку было. И Лада предложила эту роль взять на себя. Тем более что Руслана она лично знала. Но требовалось перво-наперво достать пленку. И убить Артиста. Только Лада не успела. Кирееву идти на убийство не с руки было. А может, просто кишка тонковата оказалась, и Андрей предпочел пленку просто купить. Собрал огромную, с точки зрения Артиста, сумму и выкупил негатив. Киреев не доверял уже своей новой любовнице, поскольку знал, что она попутно с его садовником путается. Возможно, тот проболтался, или сам как-то заметил.

Только решил он с Ладой порвать и пленку себе оставить. Поделился мыслями с женой: «Много, мол, просить не буду у дружка. Пусть особняк на меня целиком переделает, а потом уничтожу пленку на его глазах!» На такое Антон согласился бы — ему наверняка с быдловатым другом юности надоело общаться. Даже время от времени. Единственное, с кем ему жаль было бы расставаться, — так это с Аней, его давнишней любовью. Но это не по теме.

Однако для Лады это был полный крах всех ее мечтаний о богатстве.

И вот в ту ночь Андрей, аферист по натуре, да еще и мелкий шантажист по призванию, решил разыграть фарс, чтобы до конца отрезать от себя Ладу и обострить отношения с Антоном. Так Кирееву легче было потом подельнику условия диктовать. Скажу, что и мне отводилась роль в его спектакле. Я должна была быть главным и бесстрастным свидетелем. И то, что у меня имелось оружие, вселяло в Киреева дополнительную уверенность. Он ведь не напивался — только прикинулся пьяным! Вернее, хотел, поскольку не знал, какую злую шутку с ним сыграла дочь. Катя попросту ревновала его к Ладе и подлила ему в водку клофелин. Так что отрубился господин директор вполне натурально!

И Лада поняла, что такой шанс упускать нельзя. А тут мы еще с ее братцем увлеклись друг другом. Единственное, мы мешали ей залезть в сейф, пока оставались в холле. Но только Антон и я вышли на улицу, Лада прямиком направилась туда. Код замка выяснить было несложно — его знал Семенов. От кого, трудно сказать. Может, сам Киреев выболтал по пьяни. Катя говорила мне в первый день нашего знакомства, что в доме он ни для кого не был секретом. И цифры назвала. Да и Киреев о том же упоминал.

Действовать нужно было быстро, поскольку другого шанса просто не представилось бы. Но вот незадача: в самый неподходящий момент Киреев очнулся, и Ладе ничего не оставалось, как выстрелить. Благо, пистолет лежал тут же в сейфе.

— Я обязана это слушать? — неожиданно перебила Лада мой рассказ. — Я арестована?

— Нет, пока нет, — сказал следователь и перевел взгляд на меня. Я еле заметно кивнула.

— Можете уйти в любой момент. Только помните, что я упоминал о чистосердечном признании.

— Тогда всего вам доброго.

В голосе слышались легкие нотки торжества. Взгляд говорил о том же. Едва она открыла дверь, я выскользнула следом.

— Прежде чем уйти, посмотрела бы, кто тебя на улице ждет, — усмехнулась я ей в спину. — Думаешь, просто так тут тачка Злого стоит?

Мои слова настигли ее, точно пуля. Лада даже вздрогнула и дернулась вся как-то вверх.

— Злого? — растерянно переспросила она.

— Подойди к окну, сама увидишь.

Напротив РОВДа с утра красовался черный «мерс» с московскими номерами.

Ладу словно током ударило. Она едва не упала на пол. Я успела подхватить ее.

— А теперь слущай меня.

Когда я говорила это, во мне не было и намека на сочувствие. И грохнуться ей не дала только потому, что она мне нужна была живая. Хотя стоило Ладе приложиться затылком о пол. Чтобы набила такую же шишку, какую отвесила мне в домике сторожа. Я еще тогда удивилась — почему нападавший выбрал именно скалку? Просто рука взяла привычное: Санек, например, схватил бы пустую бутылку. Ну, да ладно.

— Я в кабинете не все рассказала. Кое-что приберегла специально для разговора наедине. Я знаю о том, как вы с Артистом кинули Чечена. Он пас целый месяц Ростислава Шестакова, готовил дело, а вы его у него из-под носа увели. А слила информацию Артисту ты. Интересно, это он предложил так вашу новую дружбу скрепить или тебе денег хотелось?

Но ответить она мне ничего не смогла, потому как еле держалась на ногах.

— Я сейчас выйду и отдам признание Крота бойцам Чечена. Долго ты после этого проживешь? Артист дальновиднее тебя — он сразу на тюрьму согласился...

Договорить я не успела, поскольку при последних словах Лада упала предо мной на колени.

— Что хочешь... все отдам!

— Все не нужно! Вернешься в кабинет к следователю и напишешь чистосердечное признание. Выбирай — или в тюрьму, или к Злому.

* * *

Через пятнадцать минут я с легкой душой вышла на улицу. Около «Мерседеса» меня встретил мой приятель и Марина. Она еще переживала, не веря в свою амнистию. Это было сильно заметно по ее лицу. Ну и пусть. Это только пойдет ей на пользу.

Мой приятель, узнав, что все прошло лучше некуда, убрал московский номер и поставил родной, тарасовский. Затем укатил по делам.

А мы с Мариной остались ждать. Если верить майору, он заранее похлопотал, чтобы выпустили девочку, едва он даст сигнал. А сигнал он обещал дать после того, как признание ляжет ему на стол.

Оно легло полчаса назад, так что уже должно быть скоро. И все же первой она увидела меня. Подбежала и повисла на шее. Мы расцеловались с ней, как родные. Затем ее мать отозвала меня в сторону и, отчего-то смущаясь, сунула в руку пухлый конверт.

— Женя, вы для нас столько сделали.

В голосе ее прозвучало одновременно смущение и настойчивость, будто я думала отказываться.

У меня и в мыслях этого не было — я действительно много сделала.

Я остаюсь ждать, поскольку у меня есть некоторые вопросы к девушке. Конечно, Кате сейчас не до воспоминаний, но вероятность нашей дальнейшей встречи минимальна. И потому мне очень хотелось бы узнать: когда она успела выкопать пакет с негативами, что зарывал под деревом Санек?

СОДЕРЖАНИЕ

Литературно-художественное издание

Серова Марина Сергеевна

ДЕВОЧКИ С БОЛЬШОЙ ДОРОГИ

Ответственный редактор *О. Рубис*
Редактор *Ю. Ярова*
Художественный редактор *А. Стариков*
Технический редактор *О. Куликова*
Компьютерная верстка *Г. Клочкова*
Корректор *О. Ямщикова*
В оформлении использованы фото *А. Артемчука*

ООО «Издательство «Эксмо»
127299, Москва, ул. Клары Цеткин, д. 18/5. Тел.: 411-68-86, 956-39-21.
Home page: www.eksmo.ru E-mail: info@eksmo.ru

По вопросам размещения рекламы в книгах издательства «Эксмо»
обращаться в рекламный отдел. Тел. 411-68-74.

Оптовая торговля книгами «Эксмо» и товарами «Эксмо-канц»:
ООО «ТД «Эксмо». 142700, Московская обл., Ленинский р-н, г. Видное,
Белокаменное ш., д.1. Тел./факс: (095) 378-84-74, 378-82-61, 745-89-16,
многоканальный тел. 411-50-74.
E-mail: reception@eksmo-sale.ru

Мелкооптовая торговля книгами «Эксмо» и товарами «Эксмо-канц»:
117192, Москва, Мичуринский пр-т, д. 12/1. Тел./факс: (095) 411-50-76.
127254, Москва, ул. Добролюбова, д. 2. Тел.: (095) 745-89-15, 780-58-34.
www.eksmo-kanc.ru e-mail: kanc@eksmo-sale.ru

Полный ассортимент продукции издательства «Эксмо» в Москве
в сети магазинов «Новый книжный»:
Центральный магазин — Москва, Сухаревская пл., 12
(м. «Сухаревская»,ТЦ «Садовая галерея»). Тел. 937-85-81.
Москва, ул. Ярцевская, 25 (м. «Молодежная», ТЦ «Трамплин»). Тел. 710-72-32.
Москва, ул. Декабристов, 12 (м. «Отрадное», ТЦ «Золотой Вавилон»). Тел. 745-85-94.
Москва, ул. Профсоюзная, 61 (м. «Калужская», ТЦ «Калужский»). Тел. 727-43-16.
Информация о других магазинах «Новый книжный» по тел. 780-58-81.

В Санкт-Петербурге в сети магазинов «Буквоед»:
«Книжный супермаркет» на Загородном, д. 35. Тел. (812) 312-67-34
и «Магазин на Невском», д. 13. Тел. (812) 310-22-44.

Полный ассортимент книг издательства «Эксмо»:
В Санкт-Петербурге: ООО СЗКО, пр-т Обуховской Обороны, д. 84Е.
Тел. отдела реализации (812) 265-44-80/81/82/83.
В Нижнем Новгороде: ООО ТД «Эксмо НН», ул. Маршала Воронова, д. 3.
Тел. (8312) 72-36-70.
В Казани: ООО «НКП Казань», ул. Фрезерная, д. 5. Тел. (8432) 70-40-45/46.
В Киеве: ООО ДЦ «Эксмо-Украина», ул. Луговая, д. 9.
Тел. (044) 531-42-54, факс 419-97-49; e-mail: **sale@eksmo.com.ua**

Подписано в печать 19.05.2005.
Формат 84x108 $^1/_{32}$. Гарнитура «Таймс». Печать офсетная.
Бумага газетная. Усл. печ. л. 20,16. Уч.-изд. л. 19,5.
Тираж 7000 экз. Заказ № 0507150.

Отпечатано в ОАО «Ярославский полиграфкомбинат»
150049, Ярославль, ул. Свободы, 97

Полякова Татьяна

ИЗДАТЕЛЬСТВО "ЭКСМО" ПРЕДСТАВЛЯЕТ

АВАНТЮРНЫЙ ДЕТЕКТИВ

Аста ла виста, беби!

Мавр сделал свое дело

ОСТОРОЖНО: АВАНТЮРИСТКА!

www.eksmo.ru

ТАКЖЕ В СЕРИИ:
«Миллионерша желает познакомиться»,
«Ангел нового поколения»,
«Бочка но-шпы и ложка яда»

Издательство
«Эксмо»
представляет

в серии
**Леди-
ДЕТЕКТИВ**

Анна
Данилова

«Леди-детектив» — персональная
серия королевы психологической интриги
Анны Даниловой!
В своих романах литератор по образованию
и по призванию А. Данилова
раскрывает самые потаенные стороны
человеческой души — те,
где и зарождаются изысканные пороки
и коварные замыслы!

Также в серии: «Виртуальный муж»,
«Цветы абсолютного зла», «Яд Фаберже»

www.eksmo.ru

Издательство «Эксмо» представляет

ГАЛИНА КУЛИКОВА

**АВТОР
ОСОБО СМЕШНЫХ
ДЕТЕКТИВОВ!**

НОВИНКА

ШОУ ДЕТЕКТИВ

ГАЛИНА КУЛИКОВА

НАГИЕ НАМЕРЕНИЯ

www.eksmo.ru

www.eksmo.ru